L'ADIEU AU MONDE

DU MÊME AUTEUR

Roman

Sans soleil, Montréal, Les Presses libres, 1976.

Essais

Talon, Montréal, Fides, 1971.

L'Hôpital général de Québec, 1692-1764, Montréal, Fides, 1971.

Montée et déclin d'une famille noble: les Ruette d'Auteuil (1617-1737), Montréal, Hurtubise HMH, Les Cahiers du Québec, 1980.

Vingt ans de crise chez les religieuses du Québec: 1960-1980, Montréal, Bergeron, 1984.

Les dots des religieuses au Canada français, 1639-1800: étude économique et sociale, Montréal, Hurtubise HMH, Les Cahiers du Québec, 1986.

Les Communautés religieuses de Montréal, tome 1: *Les Communautés religieuses et l'assistance sociale à Montréal, 1659-1900*, Montréal, Éditions du Méridien, 1997.

Les Communautés religieuses de Montréal, tome 2: *Les Communautés religieuses et l'éducation à Montréal, 1657-1900*, Montréal, Éditions du Méridien, 2002.

MICHELINE D'ALLAIRE

L'ADIEU AU MONDE

Catalogage avant publication de Bibliothèque et Archives nationales du Québec et Bibliothèque et Archives Canada

D'Allaire, Micheline, 1938-

L'Adieu au monde

ISBN 978-2-89647-111-9

I. Titre.

PS8551.L51A75 2008   C843'.54   C2008-941311-3
PS9551.L51A75 2008

Les Éditions Hurtubise HMH bénéficient du soutien financier des institutions suivantes pour leurs activités d'édition :

- Conseil des Arts du Canada
- Gouvernement du Canada par l'entremise du Programme d'aide au développement de l'industrie de l'édition (PADIÉ)
- Société de développement des entreprises culturelles du Québec (SODEC)
- Programme de crédit d'impôt pour l'édition de livres du gouvernement du Québec

Illustration de la couverture : Polygone Studio
Maquette de la couverture : Geai Bleu Graphique
Maquette intérieure : Martel-en-tête
Mise en page : Andréa Joseph [pagexpress@videotron.ca]

Copyright © 2008, Éditions Hurtubise HMH ltée

Éditions Hurtubise HMH ltée   Librairie du Québec/DNM
1815, avenue De Lorimier   30, rue Gay-Lussac
Montréal (Québec) H2K 3W6   75005 Paris FRANCE
                                www.librairieduquebec.fr

ISBN 978-2-89647-111-9

Dépôt légal : 3ᵉ trimestre 2008
Bibliothèque et Archives nationales du Québec
Bibliothèque et Archives du Canada

Imprimé au Canada
www.hurtubisehmh.com

Préface

Un roman dont les principaux personnages sont des religieuses : on ne s'y attendait pas ! Le frère Clément Lockquell, des frères des Écoles chrétiennes, avait bien naguère publié un roman sur les ecclésiastiques, *Les élus que vous êtes*, mais notre littérature n'avait pas encore mis des religieuses au cœur d'un roman. Micheline D'Allaire nous fait cette surprise.

Roman, oui, mais ici, à part l'imagination qui sert de lien entre les étapes de l'intrigue, c'est un documentaire que nous présente l'auteure, inspiré des *Constitutions* de communautés, des *Coutumiers*, des *Rituels du quotidien*, et surtout de témoignages humains. Car Micheline D'Allaire, en plus d'ouvrages historiques, a déjà publié, en 1984, une enquête capitale menée auprès de cent cinquante religieuses ou ex-religieuses qui ont vécu dans quarante-cinq différents couvents du Québec, *Vingt ans de crise chez les religieuses du Québec : 1960-1980*.

Les lecteurs d'un certain âge se rappelleront cette époque, qui a produit des milliers de religieuses. Vous vous souvenez, lorsqu'une jeune fille entrait dans une communauté religieuse, la plupart du temps non cloîtrée, le journal local signalait ce départ, avec photo à l'appui, par un article intitulé curieusement *Adieu au monde* – d'où le titre de ce roman. Détail bien oublié depuis, avec une foule d'autres d'avant notre Révolution tranquille. Grâce à un riche matériel documentaire, ce roman nous rafraîchit la mémoire tout en nous faisant rêver.

Entrez discrètement dans le parloir au plancher bien ciré, attention aux éclats de voix, asseyez-vous bien droit, la sœur sera là dans un instant…

MARCEL TRUDEL

Aux sœurs de Sainte-Anne du collège de Lachine,
à qui je dois ma formation, le goût du travail et
les joies de l'accomplissement.

Liste des personnages

Éliane : Fille d'Alphonse et de Léna Savard ; entre dans la congrégation des sœurs du Saint-Berger sous le nom religieux de sœur Antoinette-de-Jésus ; se consacre à l'éducation des jeunes délinquantes.

Gertrude : Fille de Louis Varin et d'Anne Michaud ; entre dans la congrégation des Saints-Anges sous le nom religieux de sœur Marie-Ange-de-l'Incarnation ; se consacre à l'enseignement.

Luce : Fille d'Octave et de Jeannette Varin ; entre dans la congrégation des Soignantes-de-Jésus sous le nom religieux de sœur Marie-Claude-de-la-Croix ; se consacre aux soins des malades.

Alice : Enfant recueillie, toute petite, par les sœurs du Saint-Berger et dont s'occupe tout particulièrement Éliane.

Gagné, André : Religieux, père de Sainte-Croix ; ami de Gertrude.

Michaud, Anne : Épouse de Louis Varin, qu'elle seconde dans son travail ; mère de Gertrude.

Savard, Alphonse : Homme d'affaires ; mari de Léna ; père d'Éliane, qu'il surnomme sa « Fifille ».

Tanguay, Benoît : Religieux, oblat de Marie-Immaculée ; ami de Luce.

Varin, Louis : Médecin du village de Sainte-Claudine ; mari d'Anne Michaud ; père de Gertrude.

Varin, Octave : Agriculteur ; mari de Jeannette ; père de Luce.

Chapitre 1

Les cousines
de Sainte-Claudine

Les pneus de l'Overland crissèrent au bout de l'allée bordée de peupliers, tandis qu'un panache de poussière envahit l'intérieur de la voiture, qui s'immobilisa doucement devant la demeure. Gertrude émergea du nuage le sourire aux lèvres, dans le plaisir escompté de retrouver ses cousines Éliane et Luce. Elle avait patiemment attendu que son père ait fini d'ausculter son dernier patient avant qu'il puisse la reconduire chez Éliane, qui habitait la dernière maison du village de Sainte-Claudine.

Durant le court trajet, la hâte qu'éprouvait la petite Gertrude de retrouver ses cousines était palpable, et le père avait observé sa fille du coin de l'œil avec affection. Depuis qu'elles avaient appris à marcher, une dizaine d'années plus tôt, les trois fillettes formaient un inséparable trio. La tante Léna avait l'habitude de résumer ainsi leur amitié : « Trois poulettes sorties de la même coquille. » Luce, elle, avait abrégé la formule en y insufflant sa vivacité coutumière : « Trois dans le même coco ! »

Le père de Gertrude lui adressa un dernier signe de la main avant que l'Overland disparaisse dans un nouveau nuage de poussière. Gertrude fit quelques pas vers la maison pour se rendre compte, un peu déçue, que personne n'en sortait pour l'accueillir, et que ni l'une ni l'autre de ses cousines n'avaient pris la peine de l'attendre sur le perron. Mais elle ne tarda pas à comprendre la raison de leur absence en entendant, du seuil de la demeure, des rires en cascade provenant du salon – pièce habituellement réservée à la visite du curé et à d'autres occasions solennelles. Elle pénétra sans frapper, franchit les quelques planches du tambour et aperçut sa tante Léna, ses cousins et ses cousines riant encore aux larmes de la scène à laquelle ils venaient d'assister. Sans se faire prier, sa tante lui en fit le récit.

Ses fils Elzéar et Maurice, tous deux frères de Saint-Gabriel, ayant annoncé leur visite pour le mois d'août suivant, la mère avait convenu d'un grand ménage destiné à embellir la maison et avait réparti entre ses six enfants l'ensemble des tâches. Il avait incombé à Éliane, secondée par sa cousine Luce, de raccourcir de trois pouces les tentures de cretonne qui, au fil des ans, s'étaient étirées jusqu'au ras du plancher. Il y avait bien quinze pieds de tenture à raccourcir ; Éliane avait commencé le pan gauche, et Luce le droit, si bien qu'elles devaient se rejoindre au milieu du rideau. Pressée d'en finir et de retourner jouer au plus tôt, Luce avait travaillé à toute vitesse, tandis qu'Éliane, concentrée sur son aiguille, n'avait pas même entendu sa cousine la traiter de «lambine».

— Fini! s'était exclamée Luce en bondissant sur ses pieds.

Le petit lièvre avait jeté un regard de satisfaction sur sa tortue de cousine et laissé retomber son pan de rideau dans un geste triomphal. Les rires avaient aussitôt déferlé. Au lieu de montrer une belle ligne régulière au-dessus du sol, la draperie affichait plutôt une dénivellation d'un bon demi-pied sur toute sa largeur.

Luce resta bouche bée durant un instant avant de prendre à son tour le parti d'en rire, non sans un peu de rouge aux joues. Pendant ce temps, Éliane, sans la moindre attention pour la joie ambiante, poursuivait son travail avec la plus grande minutie.

Sous le sourire moqueur de Gertrude, Luce dut défaire point par point son travail et reprendre la couture de sa draperie. Au moment même où elle se remettait à la tâche, avec cette fois plus de sérieux, Éliane, ayant bouclé son dernier nœud, laissa retomber son pan de rideau dont le bas était rigoureusement parallèle à la ligne du plancher. Son jeune frère Victor, facétieux, exhiba alors une équerre et souligna la perfection de l'ouvrage avec des termes de géométrie recherchés, tirade qui souleva une nouvelle vague d'hilarité. Éliane se redressa, la tête haute, mais sans paraître tirer orgueil de son accomplissement. Pour tout commentaire, elle se borna à se racler la gorge en jetant un regard amusé du côté de Luce.

C'est ce moment que choisit Gertrude pour aller embrasser ses cousines bien-aimées.

Nées en 1919 et 1920, les trois cousines avaient toutes grandi dans le même patelin, mais dans des secteurs bien différents de leur village. Gertrude, fille du docteur Louis Varin, habitait au centre de Sainte-Claudine, à l'ombre du clocher de l'église. Luce, fille d'Octave Varin, habitait à environ un mille à l'ouest, sur une grande ferme. Éliane, quant à elle, résidait un mille à l'est du village. Alphonse Savard, son père, beau-frère du docteur Varin, y possédait de vastes terres. Les trois familles vivaient dans cet espace bien défini, d'une largeur de deux milles, sur la rue Principale.

La demeure du docteur représentait le cœur du village, un cœur autour duquel étaient rattachés les multiples rangs – non seulement par ces routes de terre et de gravier, mais aussi par les faits et gestes de la vie quotidienne. Comme dans tant de villages québécois, des ondes semblaient se propager d'une maison à l'autre, de rang en rang, pour aboutir chez le notaire, chez le curé, ou, le plus souvent, chez le médecin. Ces ondes invisibles, mais combien audibles, charriaient l'actualité de toute une communauté, avec ce que cela peut supposer d'heureux événements, de discordes et, parfois, de drames.

Les trois cousines vivaient dans la même ambiance morale et religieuse, et leur promiscuité géographique ne faisait qu'accentuer cet esprit de corps. Les trois familles observaient à la lettre les prescriptions du cycle liturgique. Les soirs du mois de mars, consacré à saint Joseph, on se rendait à l'église pour réciter le chapelet, suivi du Saint-Sacrement. Le même rituel était observé en mai, mois dédié à la Sainte Vierge ; en juin, mois du Sacré-Cœur ; pendant les neuf jours précédant la fête de la « bonne sainte Anne », le 26 juillet, et pendant le mois des morts, en novembre. Les quarante heures mobilisaient quant à elles la paroisse entière pour trois jours de sermons, de prières et de saluts du Saint-Sacrement, des cérémonies qui ne se produisaient qu'en présence des curés des environs.

Le calendrier liturgique comportait également trois semaines de retraite annuelle : une pour les hommes, une pour les femmes et une pour les enfants. Chaque soir, des prédicateurs à la voix de stentor prononçaient de redoutables sermons, longs et ennuyeux au goût des hommes, mais propres à impressionner les femmes et les enfants. Le thème des premiers prêches portait sur le péché, et les prêtres semblaient alors prendre un malin plaisir à expliquer par le détail les sixième et neuvième commandements, qui se rapportaient aux péchés de la chair. Le sermon sur la damnation éternelle se voulait le complément logique à celui de l'impudicité. L'avant-dernier était consacré à la mort, tirade terrible dont s'acquittait celui des deux prédicateurs doté de la voix la plus grave et la plus menaçante. Le thème du dernier jour, le pardon des péchés, marquait, avec la communion générale, l'apothéose de ces jours de recueillement.

À l'instar de tous les autres paroissiens, les trois cousines participaient à ces offices comme à n'importe quelle autre activité – l'école, la traite des vaches ou la cueillette des pommes. Les choses étaient ainsi, et il ne leur serait jamais venu à l'esprit de discuter ces faits établis. Une saison chassait l'autre, laissant défiler ces fêtes et événements profondément inscrits dans la conscience des ouailles.

Le mercredi des Cendres sonnait le début du carême. À l'église, le curé apposait la cendre sur le front des fidèles en disant: «Rappelle-toi que tu es poussière et que tu retourneras poussière.» Parfois la cendre dévalait un front jusqu'à tomber sur le nez d'un paroissien, déclenchant chez Luce un fou rire qui se propageait rapidement de banc en banc. Il arrivait à la petite ricaneuse de s'en amuser encore le lendemain, alors qu'elle dressait pour ses cousines le florilège des fronts les plus décorés, en décrivant avec force précisions les signes cabalistiques tracés par le prêtre sur le crâne d'Untel.

Aux trois semaines de retraite paroissiale s'ajoutaient encore quarante jours de jeûne et de privations. Gertrude, Éliane et Luce tenaient le compte de leurs sacrifices à l'aide de grains enfilés sur une double ficelle coulissante attachée à leur robe et comparaient leurs performances. À chaque privation correspondait un grain et, à la fin du carême, le grand décompte avait lieu, révélant ainsi une «championne des sacrifices». Le Samedi saint, à midi pile, au moment où «les cloches revenaient de Rome», comme le voulait l'expression consacrée, les trois cousines mettaient fin à une disette qui avait banni de leur alimentation, pendant tout le carême, sucreries et desserts. Chacune tenant une poule en chocolat devant sa bouche, elles mordaient à belles dents dans leur friandise au son de la première volée de cloches.

Chaque maison du village arborait des objets trahissant la ferveur de ses occupants : au-dessus de l'horloge de la cuisine, à côté d'un portrait de Wilfrid Laurier, le Sacré-Cœur ; dans le salon, un grand crucifix ; dans les chambres, de plus petits. Le cadre d'une photo de famille jaunie servait de support à un rameau bénit. Sur la commode de la chambre des parents était posée une statue de saint Antoine.

Si les murs reflétaient la croyance ambiante, ce qui se passait entre eux était au diapason de cette ferveur, dans les grands comme les petits gestes. Aucune mère de famille n'aurait osé servir de la viande le vendredi : l'Église en avait fait un péché grave. Elle permettait toutefois, en revanche, de manger des fèves au lard dont le gras avait au préalable été réduit à l'état de sauce. L'écart entre le bien et le mal était parfois difficile à cerner, mais tous se conformaient aux règles sans chercher à comprendre le sens caché des interdits. L'Église devait avoir ses raisons de condamner le lard en tranche et de l'accepter en compote, et personne ne les questionnait.

Dans les aspects les plus anodins de la vie quotidienne, l'influence de l'Église se faisait sentir. Par exemple, la lecture des « journaux jaunes » – ainsi baptisés en raison de la couleur de leur papier – était vivement déconseillée, à cause du contenu sulfureux qu'on y trouvait : scandales, potins, etc. Les mères de famille, dont la scolarité se bornait souvent à une septième année, ne voyaient pas toujours la différence entre des publications de bonne tenue et les « journaux jaunes ».

Un jour, Alphonse Savard, le père d'Éliane, avait ramené à la maison *Le Nouvelliste*, un quotidien on ne peut plus inoffensif. Curieuse de tout, la petite avait voulu y jeter un œil, mais la mère était rapidement intervenue :

— Il n'en est pas question. Défendu !

— Mais, maman, les feuilles du journal sont blanches, avait objecté la fillette.

Le dialogue de sourds s'était poursuivi pendant quelques répliques, l'une invoquant la blancheur du journal et l'autre son caractère formellement tabou. La mère entendait bien l'argument de sa fille, mais redoutait le danger que des « choses » se soient tout de même glissées dans le journal.

— Voyons, maman, tout le monde lit *Le Nouvelliste* !

Un compromis avait été établi, si bien qu'Éliane eut le droit de lire… les entrefilets relatifs aux accidents !

Chaque soir, les familles se réunissaient dans la cuisine et s'agenouillaient autour de la table afin de réciter le chapelet. Éliane voyait le plus souvent son père se défiler. Dans la famille de Luce, les enfants prenaient prétexte de la moindre distraction – une grimace, un mot mal prononcé – pour transformer le rituel en partie de plaisir. Quand les ricanements tardaient à s'estomper, la mère éteignait la lumière pour ramener sa troupe à l'ordre. Luce poussa un jour l'espièglerie jusqu'à attacher une pince à linge à la queue de son chien, dont les lamentations enterrèrent aussitôt l'unisson des *Ave Maria*. Dans ces moments-là, la mère, découragée, préférait mettre fin à la prière et envoyer son petit monde rire tout son soûl ailleurs.

Si ce genre de dissipation était toléré à la maison, il n'aurait pu l'être à l'école du village où discipline, rigueur et respect de la religion se voulaient des impératifs. Le lundi matin, sœur Blanche, une fille de Marie, vérifiait, sur chaque élève, le port des médailles, enfilées sur une épingle à ressort attachée à la camisole. Au tableau noir, sous le nom des élèves, figurait le nombre de petits Chinois qu'elles avaient « achetés » en participant à l'œuvre de la Sainte-Enfance. La maîtresse y collait aussi des images pieuses ou dessinait des scènes d'inspiration religieuse où la Sainte Vierge tenait souvent la vedette. Dans la partie supérieure du tableau, des phrases encadrées avaient été stratégiquement disposées pour amener les enfants à réfléchir au sort qui les attendrait plus tard : le ciel ou l'enfer.

Tout au long d'une journée de classe, Dieu faisait sentir son omniprésence et son omnipotence. Le premier cours de la matinée portait sur l'histoire sainte ou sur le catéchisme. Les 508 questions – et réponses ! – du *Petit catéchisme* devaient être apprises par cœur. La journée débutait par la récitation du *Credo*, du

Confiteor, de l'*Ave Maria* et du *Gloria*, en latin s'il vous plaît. Une prière s'imposait dès l'entrée en classe, le matin et l'après-midi, ainsi qu'avant et après chaque récréation. À la fin des classes, avant le retour à la maison, les élèves récitaient le chapelet, ordinairement debout, plus rarement à genoux. Du début septembre jusqu'à la fin juin, ceux-ci menaient ni plus ni moins une vie de retraitant.

En quatrième ou en cinquième année, les élèves « marchaient au catéchisme » : pendant un certain nombre de jours, ils se rendaient à l'église afin que le curé ou son vicaire les prépare à la communion solennelle. Le jour où se déroulait cette cérémonie se révélait, avec celui de la première communion, le plus impressionnant. L'entrée dans l'église se faisait au son des grandes orgues. D'un côté de l'allée centrale se tenaient les garçons, avec leur brassard, un cierge allumé à la main ; de l'autre côté, les filles, dans leur longue robe blanche, la tête recouverte d'un voile immaculé. Ce spectacle touchait profondément les paroissiens, surtout les parents, aux yeux de qui cette cérémonie avait valeur de symbole, marquant le passage de leur progéniture de l'enfance à l'âge adulte. Cela était d'autant plus vrai que la communion solennelle marquait pour un grand nombre d'élèves le terme des études et leur entrée dans le monde du travail.

Gertrude était une grande rouquine aux joues pleines, à la tignasse ébouriffée, le plus souvent ramassée en deux grosses nattes, coiffure sans laquelle nul n'aurait pu voir ses traits. Elle avait un tic dont rien ni personne ne pouvait la corriger : elle ratissait constamment sa chevelure avec ses doigts. Ses yeux étaient d'un beau vert translucide, au centre desquels vous fixaient des prunelles noir de jais ; son nez était droit et fin, avec des narines qui frémissaient pour un rien. Si, au contraire de ses cousines, elle riait rarement à gorge déployée, en revanche, elle ne se départait jamais d'un large sourire qu'elle offrait à tous, sans distinction – une attitude héritée de son père, médecin de campagne, et de sa mère, infirmière diplômée, deux êtres généreux, sensibles et sympathiques.

De leur fille se dégageait une sérénité précoce. Débrouillarde, capable, elle avait la rare faculté de s'adapter à n'importe quelle situation sans jamais se démonter, tout comme elle savait composer avec tous les caractères. Elle possédait ce qu'on appelait une « bonne nature », tout en manifestant les traits d'une forte personnalité : volontaire mais souple ; rationnelle mais émotive ; discrète mais expansive à sa manière.

Elle avait aussi très tôt développé un intérêt et un goût sûr pour l'art. Son père l'avait habituée, dès son jeune âge, à la fréquentation des musées, à Montréal, Québec ou Trois-Rivières. Pendant qu'il vaquait à ses obligations, elle allait visiter seule des églises, savourant tout à la fois l'architecture et la tranquillité des lieux. Lors de ses passages à Montréal, elle ne ratait jamais une occasion de revoir l'église Notre-Dame, dont le style gothique la ravissait. Chaque nouvelle visite lui permettait de découvrir des beautés qui lui avaient jusque-là échappé : une sculpture, un ornement, le vitrail de la congrégation de Notre-Dame, où l'on voit Marguerite Bourgeoys faire la classe à cinq fillettes. Cette œuvre d'art séduisait tout particulièrement Gertrude, qui songeait déjà à consacrer sa vie à l'éducation des enfants.

Au-delà de tous ces plaisirs esthétiques, une chose la faisait frémir de joie : un pommier derrière la maison familiale, parmi dix autres pommiers. Elle l'avait baptisé Pompon. Gertrude se délectait dès le mois de mai sous ses branches en fleurs ; tout l'été, elle en suivait la maturation à travers ses teintes changeantes, depuis le vert vitreux du printemps jusqu'au rouge éclatant de l'automne. Elle restait là, sous son feuillage, des heures entières, un livre à la main ou tout bonnement perdue dans ses pensées. Ce pommier avait été planté par son père lors de son deuxième anniversaire, dans le verger déjà adulte. Cet arbre lui appartenait en propre ; il avait grandi avec elle. Elle le trouvait plus beau et plus odorant que les autres.

Entre Éliane, l'ordonnée, la réfléchie, la pieuse, et Luce, la spontanée, la fantaisiste, la joviale, Gertrude s'identifiait sans peine à l'une comme à l'autre, car elle possédait tous les traits marquants de leurs personnalités, mais d'une manière plus mesurée, ce qui lui conférait un rôle de modératrice et d'élément liant dans un trio parfaitement accordé.

Malgré la relative aisance des familles de ses cousines, Gertrude appartenait à un milieu social supérieur, car les siens faisaient partie de ce qu'on appelait les «gens importants du village»: le curé, la famille du médecin et celle du notaire.

Louis Varin avait d'abord donné à sa mère et au curé l'espoir d'une vocation religieuse. À la fin de son cours classique, toutefois, il s'était déclaré inapte au sacerdoce. Un dossier scolaire immaculé avait poussé l'Université Laval à l'admettre gratuitement pour une première année de médecine; le député avait pourvu au coût de la scolarité des années subséquentes par des bourses du Secrétariat de la province.

Le bureau du docteur Varin occupait trois pièces d'une maison victorienne séparée de l'église par le presbytère et son jardin. On y trouvait aussi la seule pharmacie du village. À cette époque, la vente des médicaments rapportait davantage que les consultations, rarement facturées et souvent troquées contre des biens comme légumes, miel, viande, cordes de bois.

Le père de Gertrude était un de ces médecins de campagne exemplaires et dévoués pour qui le temps et les distances ne comptaient jamais. À ses yeux, une naissance nécessitait trois ou quatre visites prénatales, et deux ou trois après. Chaque soir, il se couchait dans l'appréhension d'un réveil nocturne – probabilité qui se concrétisait généralement deux fois par semaine. Prenant le temps de parler avec ses patients et de s'informer de leurs antécédents, il connaissait tous les paroissiens de son village, qui lui témoignaient une confiance sans borne. À la fois médecin, pharmacien, conseiller matrimonial, psychologue, il lui arrivait même d'être réquisitionné comme homme de plume, lorsqu'une Claudinoise illettrée le priait d'écrire une lettre à son mari retenu dans un lointain chantier d'hiver.

Bien que doté d'une nature modeste, il était partout reçu comme un grand personnage. Sa venue dans une demeure, lors d'un accouchement, déclenchait autant d'apparat que la visite du curé : on dressait la table avec la vaisselle des grandes occasions, on lui servait une belle pièce de viande et un morceau de gâteau couvert de glaçage. Le brave docteur eut tout le loisir de manier la fourchette, car sa carrière allait compter des milliers d'accouchements – souvent quinze, dix-huit, voire vingt dans une même famille.

Si l'accouchement à domicile représentait le gros de sa pratique, le docteur était appelé, dans son cabinet, à traiter toute la panoplie des cas possibles – dont certains plutôt cocasses, qui n'échappaient pas à Gertrude et à ses cousines, qui adoraient l'atmosphère particulière de ce lieu où elles s'initiaient d'une certaine façon aux maux et vicissitudes de la vie adulte. Entre autres épisodes comiques, elles évoquaient souvent celui du garçonnet accouru chez le docteur avec un chaudron sur la tête. Il s'était bien amusé en se coiffant du curieux couvre-chef, mais avait déchanté quand celui-ci était resté coincé sur son crâne. Un autre garçon, lui, s'était présenté, avec le visage enfoui dans un chandail dont la fermeture éclair s'était bloquée dans la paupière de son œil droit. Le jeune, paniqué par la perspective d'une opération, même bénigne, criait qu'il préférait garder son *zipper* sur son œil toute sa vie...

Mais tous les cas ne relevaient pas du burlesque; il en était de plus graves, pour ne pas dire tragiques, presque inimaginables pour ces fillettes. Un jour, on leur raconta que le bon docteur, appelé chez une parturiente pour l'accouchement, avait trouvé la future maman réfugiée dans le grenier – dont elle n'était d'ailleurs pas sortie depuis un certain temps, une fois sa grossesse devenue trop apparente. Son état de fille-mère, pire honte à pouvoir s'abattre sur une famille, avait conduit ses parents à agir ainsi. La malheureuse avait tenu à être conduite à l'hôpital de Trois-Rivières dans le plus strict incognito. Le docteur avait attendu la tombée de la nuit pour la faire monter dans sa voiture et la mener en toute discrétion à la ville. Ce cas, qui ne pouvait mieux refléter le lourd interdit touchant une fille à peine plus âgée qu'elles, les toucha tout particulièrement. Éliane eut une réaction qui révéla le sens d'apostolat social qui couvait en elle en se demandant pourquoi personne ne venait en aide aux «délinquantes» plutôt que de les condamner à ce type d'exclusion.

La mère de Gertrude, Anne Michaud, était la collaboratrice par excellence de son mari. Bien que physiquement dépareillés – elle toute fluette, lui plutôt trapu –, ils se complétaient à merveille dans la vie quotidienne. Gertrude admirait sa mère, l'imitait en toute chose et l'aimait plus qu'elle-même. Cependant, une espèce de mystère semblait émaner d'elle, et la fillette le percevait de manière diffuse. Visiblement, cette mère attentionnée et aimante ne parvenait pas à exprimer ses sentiments devant ses enfants, et se montrait en outre réticente à faire preuve de la moindre effusion. La petite Gertrude, extravertie, appelait de tous ses vœux une manifestation physique d'amour filial qui ne venait hélas! jamais et elle en souffrait secrètement.

Enfant, Anne avait été durement éprouvée par le décès de sa mère. Gertrude avait appris par bribes les circonstances de l'événement et ses suites dramatiques. Sa mère était née dans une famille comptant déjà douze enfants et sa grand-mère avait trépassé en la mettant au monde. Son mari, parti bûcher dans un camp lointain, n'avait appris qu'à son retour, au printemps, la répartition de ses enfants dans la parenté: celui-ci chez une tante, celui-là chez un cousin. La mère de Gertrude, elle, avait eu la chance d'être adoptée par une famille bourgeoise. Elle n'avait jamais connu ses frères et sœurs, et ne cherchait pas à les retrouver; ils constituaient pour elle de purs étrangers.

Gertrude ne savait donc rien de ses grands-parents maternels, si ce n'était que son grand-père avait travaillé comme bûcheron pendant des années et qu'il vivait, retiré, à l'hospice des Sœurs Grises de Montréal. Elle avait un jour osé demander à sa mère si l'idée d'entrer en contact avec sa famille maternelle ne la tenaillait pas, mais celle-ci avait définitivement fermé la porte à cette éventualité. Elle était consciente d'avoir été élevée dans un milieu privilégié, où l'éducation passait avant tout le reste, et d'avoir constamment évolué dans un monde de professionnels de la santé, avec une mère infirmière et un père médecin. Pour rien au monde, elle n'aurait voulu se retrouver face à l'un de ses frères ou de ses sœurs qui, moins gâté par le destin, se serait révélé gêné par leur différence d'éducation.

Passionnée par les maladies et les fioles de la pharmacie, Luce adorait rejoindre Gertrude chez son oncle médecin. Elle y apprenait en s'amusant le nom des pommades : graisse d'ours, goudron, gomme d'épinette, couenne de lard, qui formaient, avec les populaires ventouses, le *nec plus ultra* de la médication. Lorsque l'univers de la médecine les lassait, elles pouvaient se replier dans la bibliothèque-discothèque du docteur et admirer des œuvres d'art : tableaux, sculptures, éditions de luxe – de quoi cultiver leur sens de l'esthétique et alimenter leurs réflexions.

Au printemps et à l'automne, les trois cousines ne manquaient jamais le passage de l'oto-rhino-laryngologiste dans les locaux du docteur Varin, où une quinzaine d'enfants venaient se faire enlever les amygdales. Jouant les infirmières auxiliaires, elles plaçaient des couvertures sur le sol et aidaient les enfants, endormis au chloroforme, à s'y étendre. Souvent, à leur réveil, les petits vomissaient et les fillettes, généreuses et serviables, venaient à leur secours en tenant des bols sous leur menton, puis en les nettoyant et en les rhabillant. Elles développaient ainsi leur sens de la compassion à l'égard de la misère humaine, dont elles-mêmes étaient épargnées.

Éliane était d'un mois la cadette de Gertrude, et son tempérament sérieux s'était affirmé dès son plus jeune âge. Toute petite encore, elle avait étonné ses parents en rangeant ses jouets avec la rigueur d'une archiviste : par espèces, grandeurs, formes ou couleurs. Elle disposait dans une boîte ses poupées selon des critères bien arrêtés, les plus joufflues à l'arrière, les plus minces à l'avant, les plus grandes de chaque côté, de façon à ce que toutes soient visibles d'un coup d'œil. Ses ballons, ses livres à colorier, ses jeux de blocs et ses casse-têtes : tout était sujet au même classement méticuleux. En fait, un fin observateur aurait conclu avec justesse qu'elle éprouvait plus de plaisir dans l'ordre et le rangement que dans le jeu. Son péché mignon consistait à trier vis, écrous et boulons dans l'atelier de son père. Sa propension à tout archiver la poussait à collectionner timbres, pièces de monnaie, boutons, découpures de catalogue, images de toutes sortes. Éliane aimait posséder, et malheur à qui s'avisait de déranger le moindre artéfact placé sous sa juri-diction – et la sœur qui partageait avec elle sa chambre savait mieux que quiconque à quoi s'en tenir.

Son obsession de l'ordre l'amenait, quand elle éten-dait le linge à sécher, à épingler les vêtements selon un rituel bien arrêté : pantalons, chemises, camisoles, culottes puis bas. Chaque catégorie de vêtement était bien entendu disposée de la plus grande à la plus petite pièce. Et rien ne plaisait davantage à Éliane que de contempler l'ensemble de son œuvre, une fois terminée, et l'harmonie des lignes qui s'en dégageait.

Éliane ressemblait à sa mère, du moins physiquement. Son petit corps frêle tenait sur de longues jambes maigres, terminées par des pieds démesurés en regard de sa taille. Ses cheveux châtains, raides comme des clous, tombaient de chaque côté de son visage ovale aux traits réguliers, où brillaient de grands yeux bruns rehaussés de longs cils.

Au cœur de la marmaille bruyante de ses frères et sœurs, elle parlait peu. Souvent recluse dans sa chambre, elle préférait l'écriture à la vie et rangeait soigneusement ses feuillets dans une boîte qu'elle replaçait toujours au même endroit, sur la même tablette. Parmi les huit membres qui composaient sa famille, elle passait pour ainsi dire inaperçue. On la voyait aller et venir sans l'entendre, comme si elle glissait sur des semelles de feutre. Elle n'en était pas moins la préférée de son père, qui l'appelait avec tendresse « ma Fifille ». Elle lui adressait des sourires éperdus, qui traduisaient tout l'amour et l'admiration qu'elle lui vouait. Elle rêvait évidemment d'épouser plus tard un homme riche et important, bâti sur le modèle de son père bien-aimé.

Elle partageait également un autre point commun avec sa mère : sa grande piété. Pour rien au monde elle aurait raté ses prières et litanies du matin et du soir, à genoux. La lecture de son missel la réconfortait, au même titre qu'une visite à l'église au milieu de la journée. Si ses frères et sœurs se conformaient au signal de leur mère pour la récitation du chapelet en famille ou l'heure du départ pour la messe, Éliane suivait son propre horaire sans qu'on ait jamais à lui rappeler ses obligations.

Gertrude s'accommodait sans peine du caractère ordonné de sa cousine, mais se gardait d'être aussi disciplinée dans ses activités, préférant laisser poésie et douceur de vivre conduire sa vie. Depuis leur plus jeune âge, les deux filles, avides d'apprendre, partageaient un goût prononcé pour les choses de l'esprit. Comme deux intellectuelles en herbe, Éliane et Gertrude passaient des heures dans la bibliothèque du docteur Varin. Luce se joignait parfois à elles, mais jamais pour très longtemps, car la cadette était bien vite attirée par les fleurs ou les animaux de la demeure, si bien qu'elle choisissait d'observer les poissons ou de nourrir les oiseaux. Les deux aînées, elles, s'échangeaient leurs livres reçus en récompense ou en cadeau. Certains livres de saints les émouvaient jusqu'aux larmes – ceux de sainte Thérèse d'Avila, par exemple.

L'un de ces volumes retint leur attention pendant des semaines: un énorme ouvrage relié, reçu en prix de fin d'année scolaire, de douze pouces sur dix-huit, sur tranche dorée, aussi lourd qu'un sac de pommes de terre. À cause du poids de l'ouvrage, elles se relayaient lors de leur lecture, l'une tenant le livre sur ses genoux, l'autre lisant à voix haute. De quoi traitait donc ce livre extraordinaire pour que deux fillettes de neuf ans le dévorent du premier au dernier mot? De la vie de Pie X, enrichie de l'étude exhaustive de ses encycliques!

Gertrude pouvait compter sur un vaste choix de livres, car son père, grand lecteur, lui en achetait un ou deux à chacune de ses visites mensuelles à Trois-Rivières. À douze ans, elle en avait bien une soixantaine, qu'elle relisait sans cesse. Éliane et elle partageaient aussi leurs impressions, tandis que Luce se contentait d'écouter, intimidée par leurs connaissances.

Seules dans leur petit monde, ces deux lectrices boulimiques s'imaginaient faire partie intégrante de l'élite littéraire. Éliane adorait rejoindre chez elle sa cousine pour ces séances de lecture. Elles discutaient le plus sérieusement du monde d'un poème de Lamartine, chacune l'interprétant à sa manière, à partir de sa toute jeune expérience de vie.

Non seulement Gertrude disposait d'un plus large choix de livres qu'elle mais, détail non négligeable, Éliane retrouvait sous le toit des Varin une tranquillité qui n'existait pas sous le sien, où s'agitaient ses cinq frères et sœurs, sans compter sa mère qui aimait imposer des corvées à la cantonade et son père qui prenait une large place. Chez Gertrude, elle pouvait s'installer à son aise dans la bibliothèque et lire tout son soûl en écoutant les soixante-dix-huit tours de son choix, qu'elle déposait elle-même sur la platine du gramophone RCA Victor, car sa cousine lui avait appris à se servir de l'appareil. Les deux petites n'avaient pas encore dix ans qu'elles avaient écouté presque toute l'œuvre de Mozart. Elles connaissaient Chopin, Tchaïkovski, Vivaldi, Rossini, Bach, Beethoven.

De toute évidence, Éliane rayonnait de bonheur chez le docteur Varin; elle s'y sentait chez elle. Au sein de sa propre famille, elle éprouvait un malaise qu'elle aurait été incapable de formuler en mots, mais qui ne la troublait pas moins profondément. La cause en était principalement son père, homme excentrique au caractère particulier qu'elle ne parvenait pas à comprendre et à qui elle désirait tant s'identifier.

Fils d'un agriculteur à l'aise, qui avait fait naguère fortune grâce à l'or du Klondike, le père d'Éliane avait étudié l'agronomie à l'Institut d'Oka que venaient d'ouvrir les trappistes; ces études spécialisées – « un diplôme d'habitant » – avait soulevé bien des moqueries dans Sainte-Claudine. Il en était revenu avec des méthodes qui allaient révolutionner la ferme traditionnelle et l'élever au rang d'entreprise industrielle. Mettant à profit l'outillage moderne, il avait fait des pieds et des mains pour obtenir le raccordement de son rang à l'électricité, démarche malaisée car bien des habitants n'en voyaient pas l'utilité : « Nos pères n'ont pas eu besoin de ce grément-là et ils ont quand même mangé trois fois par jour. » Alphonse l'emporta : il fit entrer l'électricité dans sa maison, dans l'établi et dans la grange, s'attirant les railleries de ses voisins, qui parlaient d'aller « veiller avec les vaches d'Alphonse ».

Alphonse Savard, un entrepreneur né, avait rêvé gros et grand. Non content de maximiser le rendement de sa ferme (introduisant dans la région des légumes

34

inconnus du voisinage : panais, aubergine, céleri), il avait su rendre rentable l'érablière familiale, exploiter des terres à bois, mettre sur pied un élevage de dindons et développer un verger – autre culture inédite à Sainte-Claudine –, osant même produire du cidre et, surtout, de la « bagosse ». Grâce à sa générosité envers le Parti libéral et les œuvres paroissiales, le député et le curé toléraient l'affection d'Alphonse pour ses alambics...

Financier averti, il n'aimait pas faire dormir son argent à la banque : il plaçait son avoir en le prêtant à des cultivateurs dignes de confiance, à un taux d'intérêt de six pour cent, ou en achetant des débentures d'institutions religieuses, placement encore plus sûr. Après vingt-cinq ans d'activité frénétique, il était devenu l'homme le plus prospère de la région, conduisait une rutilante Packard et possédait une vaste maison de brique, la seule du genre dans la paroisse. Avec sa grosse montre dorée dans le gousset de son gilet, une chevalière sertie d'une émeraude au doigt, un havane aux lèvres, l'homme tranchait avec ses concitoyens. En dépit de toutes ses activités, il semblait toujours au-dessus de ses affaires, optimiste et joyeux, saluant tout le monde et prenant le temps de discuter et de blaguer.

Il réchauffait l'atmosphère familiale que sa femme Léna avait plutôt tendance à rafraîchir par son souci de la perfection, son sens de la discipline et ses valeurs religieuses. S'il aimait sa famille, il avait en revanche du mal à rester en place toute une soirée, s'échappant rapidement à l'étable pour une hypothétique vérification ou chez le voisin pour rendre un prétendu service – au grand dam de sa femme, qui détestait sa bougeotte et sa manie de fuir chaque soir le chapelet. Car Alphonse refusait d'entendre le moindre mot relié à la morale ou à la religion, alors que sa femme prêchait aux siens le sens du sacrifice et de la mortification. La jeune Éliane percevait bien le malaise entre ses deux parents et ne s'expliquait pas l'attitude déroutante de son père, qu'elle adorait.

La compagnie de Luce touchait Gertrude d'une manière toute différente mais aussi marquante. Avec sa cadette âgée de dix ans, tout était spontané, drôle, vivant, buissonnier. Si Éliane aimait se retrouver chez Gertrude, cette dernière prenait quant à elle plaisir à aller chez son oncle Octave, le cultivateur. L'amour de la musique et de la lecture ne représentait qu'une facette de sa personnalité ; courir les bois et les champs, participer aux travaux de la ferme, jouer à la «vieille fille», au jeu chinois, aux poches, aux dames se révélaient pour elle des besoins tout aussi impérieux. Gertrude et Luce aimaient chanter, sauter dans le foin, marcher nu-pieds dans le bran de scie qui garnissait la glace du hangar. Jouer, jouer, jouer : c'était le seul mot d'ordre qui avait cours dans le petit monde de Luce, et Gertrude se voulait à cet égard sa complice privilégiée.

Éliane appréciait tout autant que Gertrude la compagnie de Luce et de sa famille. L'atmosphère de la maisonnée d'Octave Varin semblait compléter parfaitement celle qui régnait sous le toit de son frère Louis. Chez oncle Octave et tante Jeannine, Éliane et Gertrude avaient l'impression d'être plongées dans une colonie de vacances où l'on parlait fort et d'abondance au sein d'une troupe remuante et rieuse. Habituées à des familles de dimensions modestes, les deux cousines étaient ravies de s'asseoir à une table autour de laquelle pouvaient prendre place en même temps une douzaine de personnes. Neuvième des douze enfants d'Octave, Luce y officiait comme le boute-en-train de service.

Luce était une mignonne noiraude aux yeux bleus et au visage tout rond, troué de fossettes. Avec ses jupes de travers et ses chaussettes ravalées, elle allait et venait d'un pas vif, brassant l'air partout autour d'elle, disséminant sur son passage sa joie de vivre et un vent de fraîcheur. Son petit nez retroussé et l'arc de ses lèvres laissaient souvent croire qu'elle riait de quelqu'un ou de quelque chose. Son père fondait comme banquise au soleil lorsque le visage de sa fille se fendait d'un large sourire, creusant encore davantage ses fossettes.

Tout comme Gertrude, Luce avait un tic: elle lissait constamment ses sourcils. Son tic était plus prononcé quand elle sortait pour se rendre derrière la maison, dans le jardin dont elle s'était déclarée l'«intendante». Le parfum des fleurs, le spectacle des boutons prêts à s'épanouir, le chant d'une tourterelle ou d'une mésange la comblaient d'un tel trop-plein de joie qu'elle lissait alors ses sourcils avec frénésie. Romantique jusqu'au mysticisme, elle imaginait qu'elle vivrait plus tard au milieu d'une multitude de fleurs et qu'elle y rendrait l'âme au terme de son séjour terrestre. Elle parlait tous les jours à ses roses et vouait une affection particulière à une plate-bande émaillée de pâquerettes encadrées par des iris. Autour de la maison la suivait son bon ami Chico, un mignon épagneul que son frère aîné lui avait offert pour son huitième anniversaire. Cette petite vie au poil soyeux et aux oreilles pendantes lui était aussi importante que la sienne.

Une impétuosité qu'elle ne pouvait ni ne cherchait à maîtriser la faisait passer d'une activité à l'autre avec le même enthousiasme, toujours prête à apprendre, chanter, danser, s'amuser. Elle était gourmande de la vie et aimait partager cet appétit de vivre. Sa nature généreuse s'affichait parfois sous une forme on ne peut plus concrète lorsque, par exemple, elle distribuait des bonbons aux enfants dans son banc, à l'église, ou quand elle faisait rouler des cacahuètes sur le plancher de la classe, à l'école, ce qui lui valait immanquablement une punition, face au mur.

Les siens l'avaient surnommée la « Puce », nom affectueux qui désignait à merveille cette fillette grouillante, enjouée et désinvolte, réfractaire à l'autorité, plus ou moins pieuse, mais jamais insolente. Un jour, l'institutrice avait demandé aux filles de la classe qui désirerait parmi elles devenir plus tard religieuse. Du haut de ses sept ans et de son enfantine sagesse, Luce avait été la seule à répondre :

— Pas moi!

Peut-être sa tiédeur pour la religion venait-elle du peu d'engouement qu'elle éprouvait pour la Sainte Vierge, personnalité trop tranquille à son goût, pâle, froide, sans éclat, sans joie. Qui aurait voulu de cette dame pour confidente ou compagne de jeu? Certainement pas Luce!

Au cours d'une autre leçon de catéchisme, l'institutrice avait tenté de définir l'éternité à la classe, en recourant à la bonne vieille recette du cercle. Priant les enfants de détourner les yeux du tableau et de bien vouloir regarder par la fenêtre, elle avait tracé avec sa craie un grand cercle qu'elle voulait sans commencement ni fin. Sa figure terminée, elle avait donné aux enfants le signal de se retourner avant de leur demander:

— Où trouvez-vous le début et la fin du cercle?

Personne n'avait osé répondre, sauf Luce, pointant sans vergogne le raccordement du cercle et s'écriant: «Juste là!» L'expérience du cercle fut tentée trois autres fois et, à chaque reprise, Luce y alla gaiement d'un nouveau «Juste là!», mettant sans cesse plus de pourpre aux joues de la maîtresse, qui dut bien se résoudre à reconnaître la faillite de sa démonstration. La leçon d'éternité était ratée...

Pliée de rire, Luce avait expié sa faute en prenant place, sur l'ordre de l'institutrice, dans la corbeille à papier, s'exécutant avec plaisir, pour la plus grande joie de la classe. Dix minutes plus tard, les rires avaient déferlé de plus belle quand la maîtresse avait prié la

ricaneuse de retourner à son pupitre : s'étant doucement enfoncé dans le panier, son petit fessier y était
resté coincé. Ce jour-là, on s'était décidément beaucoup amusé à l'école...

Octave Varin, le père de Luce, n'avait pas fait de
grandes études comme son frère le médecin. Allergique au sacerdoce, il était resté auprès de son père à
pratiquer le métier de cultivateur. Ses débuts sur la
terre paternelle avaient été modestes, à la mesure de
son cheptel : cinq vaches, deux chevaux, quelques
poules. L'hiver, comme bien d'autres, il partait bûcher
dans le Haut-Saint-Maurice en laissant à sa femme le
soin de la ferme. Avec son potager et son petit élevage,
il avait de quoi assurer la subsistance de sa famille.

Après quelques années de ce régime, sous l'influence
de son beau-frère l'agronome, Octave s'était intéressé
à la pasteurisation du lait, qu'il avait étudiée en auto-
didacte. Après des stages d'observation dans les grandes
laiteries de Montréal, il s'était associé au propriétaire
de la crèmerie du village et était devenu un pionnier
de la pasteurisation du lait dans la région de Trois-
Rivières. Sans atteindre l'aisance matérielle de son
autre beau-frère, Alphonse Savard, Octave n'avait eu
de cesse d'étendre le champ d'action de son entreprise
et prospérait au point de pouvoir envoyer au collège
ses quatre derniers garçons.

C'est sur cette terre que Luce grandissait, amoureuse
des bêtes et des fleurs, dans ce monde qui était le sien :
celui de la nature. Dès son réveil, une impulsion
irrésistible la faisait se précipiter à l'extérieur de la

maison pour saluer le soleil – ou la pluie! Luce trouvait de l'agrément dans les choses les plus simples, que négligeaient tant de gens autour d'elle : le plaisir de respirer l'air pur, d'observer le règne animal, de contempler les étoiles. Elle courait parler aux vaches avant même que ses frères soient arrivés pour la première traite. Habile et volontaire, elle savait aussi bien qu'eux presser le pis pour en tirer le lait mais, coquette, préférait se réserver la traite de la brebis.

Partout où la menaient ses pas, la Puce était porteuse de bonheur. Elle irradiait tant la joie de vivre que certains la pensaient étourdie, insensible à la peine et au malheur des autres; la réalité était tout autre. Au contraire, elle était un baume pour la souffrance d'autrui par ses sourires, ses chansons, ses histoires, ses grimaces. Son seul regard bleu, magnétique, suffisait pour transformer la mélancolie en allégresse. Aux yeux de Luce, le monde se devait d'être heureux et ne pouvait que l'être.

La vie lui apprendrait bien assez vite qu'il n'en était pas toujours ainsi; personne n'osait pour le moment détromper ce petit soleil et porter ombrage à sa joie. Néanmoins, elle voyait bien par elle-même que tout n'était pas parfait en ce bas monde : sa mère avait mal aux jambes, Zéphirin bégayait et déchaînait les moqueries à l'école... Par petites touches, l'injustice et la cruauté du monde s'imposaient à elle, sans pour autant attenter à son entrain et à sa pétulance.

Au hasard d'une promenade en forêt un jour de printemps, les cousines, âgées de huit ans, avaient découvert, au-delà de la terre du docteur Varin, une petite île toute ronde, sertie dans un repli de la rivière Jonquille. En conquérantes accomplies, sans se formaliser que ce lieu pût appartenir à quelqu'un, elles en prirent résolument possession. Toujours pleine d'initiative, Luce proposa d'ériger un ponceau qui relierait leur nouveau fief à la terre ferme. Le lendemain, ces fières ouvrières de la construction étaient revenues avec le matériel nécessaire : planches, clous, marteaux. Quelques heures de travail leur avaient suffi pour faire surgir le ponceau qui donnait dorénavant accès à leur refuge secret, qu'elles baptisèrent du joli nom d'Île-aux-fleurs-de-mai.

Peu à peu, sous l'influence de leur bon goût et de leur fantaisie, la petite île s'embellit. Un chêne minuscule fut planté, autour duquel on disposa des cailloux, ainsi que trois épinettes ravies à la forêt. En guise de siège, l'île mettait à leur disposition de grandes roches plates léchées par les eaux de la rivière et un tapis de mousse épais.

Dans cette île, les trois cousines se réfugiaient à l'écart du monde pour pique-niquer, lire, jouer, se confier leurs joies et leurs peines. Elles la fréquentaient des tout premiers jours du printemps jusqu'aux premières neiges, s'y rendant même sous la pluie battante, coiffées de sac à patates. Chacune apportait dans un havresac à boire et à manger, et aussi de quoi surprendre les deux autres. Gertrude pouvait par exemple apporter son herbier, en espérant l'enrichir chemin faisant; Éliane, une partie de sa collection de timbres. Quant à Luce, elle arrivait avec de petits bâtons, du fil et des hameçons pour initier ses cousines à la pêche. Si celle-ci s'avérait bonne, les fillettes se faisaient un feu pour frire leurs prises sur la braise.

Il leur arrivait aussi, de loin en loin, de monter une petite pièce de théâtre pour leur propre agrément. Gertrude se chargeait d'écrire le scénario, Éliane s'occupait du décor et Luce, avec ses marionnettes, animait les personnages de cette création aussi collective qu'improvisée. L'une après l'autre, Éliane et Gertrude lisaient une partie de la saynète, de façon à ce qu'il y ait toujours une spectatrice.

En janvier et en février, quand la rivière Jonquille se muait en un long ruban de glace, elles patinaient jusqu'à leur chère île pour y allumer un feu de branchage. Le temps d'avaler un sandwich, elles tendaient l'oreille au crépitement des flammes. Un jour, elles observèrent avec amusement une colonie de mésanges peu farouches piétiner autour d'elles.

Les trois inséparables avaient douze ans, quand, un peu avant de devenir couventines, lors d'une cérémonie au caractère sacré dont elles avaient arrêté tous les détails, elles firent le serment de ne jamais laisser la vie les séparer, et de toujours se retrouver à l'Île-aux-fleurs-de-mai. Le texte de la cérémonie avait été soigneusement préparé par Gertrude, qui avait aussi fait des copies pour Éliane et Luce.

En plein midi, sous un soleil éblouissant qui semblait trôner exactement au-dessus de leur île secrète, une litanie s'éleva doucement dans l'air sec de l'été. Gertrude récita d'abord l'engagement, avant de joindre sa voix à celles, graves et émues, de ses cousines pour se jurer fidélité.

— Nous nous dirons tout sur nos joies.

— Nous le jurons.

— Sur nos peines.

— Nous le jurons.

— Sur nos occupations et nos préoccupations.

— Nous le jurons.

— Sur nos intentions, bonnes ou mauvaises.

— Nous le jurons.

— Sur nos réflexions.

— Nous le jurons.

— Sur nos dégoûts et nos répugnances.

— Nous le jurons.

— Sur nos regrets.

— Nous le jurons.

— Sur nos haines possibles.

— Nous le jurons.

— Sur nos amours, réelles ou rêvées.

— Nous le jurons.

Si ce serment avait encore les allures d'un jeu d'enfant, à compter de ce jour-là, pour les trois fillettes, l'enfance leur sembla faire définitivement partie de l'histoire ancienne.

Chapitre 2

Les couventines

Puis vint septembre, et ce simple mot annonça aux cousines, mieux que les plus longs discours, leur entrée imminente au pensionnat de Trois-Rivières.

Pour Gertrude, fille de médecin, ou Éliane, fille de l'homme le plus prospère du village, des études dans une institution privée allaient de soi. Comme elles avaient connu les Filles de Marie à la petite école de Sainte-Claudine, il était normal que le cours primaire fût suivi d'études dans un pensionnat de la même congrégation. Luce, quant à elle, n'avait nullement eu l'intention de moisir toute seule à l'école du village. Grâce à ses mines enjôleuses, elle n'avait pas tardé à convaincre son père de la laisser accompagner ses cousines dans la grande ville. Certes, son père était cultivateur, mais un agriculteur aisé, ce qui faisait de Luce, aux yeux des gens, une représentante des notables de la place, ou du moins de sa petite bourgeoisie, à cause de son oncle et parrain, le docteur Varin.

Les religieuses l'accueillirent donc à bras ouverts dans leur pensionnat, car, outre la volonté de financer leur œuvre, le désir de maintenir leur réputation revêtait à leurs yeux une importance primordiale. Elles recrutaient donc leur clientèle parmi les classes supérieures de la société, et leurs petites protégées provenaient d'une élite qui tranchait avec les effectifs de leur école publique contiguë à la section privée du couvent. Le *Coutumier* ne disait-il pas en toutes lettres qu'une distinction sociale était de mise parmi les écolières[1] ?

Pour avoir le privilège de confier leur enfant aux bons soins des religieuses, les parents devaient défrayer les coûts de la pension. Les pères de Gertrude et d'Éliane payèrent sans sourciller les frais annuels suivants :

Entrée	2,00
Pension	280,00
Lit	20,00
Solfège	50,00
Diction	40,00
Lait	20,00
Cellule	5,00
Total :	417,00

Luce, elle, dut s'abstenir des leçons de solfège et de diction, ce qui ne représentait pas une brimade, trop heureuse qu'elle était de pouvoir continuer à partager

---

1. « Il faut instruire et élever l'enfant dans les bornes et selon l'esprit de sa condition, car ce serait un véritable malheur si l'éducation qu'elle reçoit tendait à la faire sortir de sa condition respectueuse. »

le quotidien de ses cousines. Elle terminerait sa sixième année tandis que ses deux aînées commenceraient leur primaire-complémentaire.

Au cours de l'été de 1931, le trio s'était préparé mentalement à vivre ce premier déracinement loin de leur village, échangeant des réflexions sur leur avenir immédiat dans un mélange d'appréhension et d'excitation mal contenue. Pas un jour ne s'était écoulé sans un ralliement à l'Île-aux-fleurs-de-mai, là où elles s'étaient juré de ne jamais se séparer. Comme des adultes aux bagages lourds d'expériences, elles prenaient plaisir à ressasser les souvenirs d'une enfance encore si proche, mais qui semblait s'éloigner d'elles à la vitesse d'un météore. Dans leur rire haut perché perçait parfois l'accent de la mélancolie, exacerbée par l'échéance sans cesse plus imminente du départ. Elles couvaient cette entrée au pensionnat comme si elles fermaient un chapitre crucial de leur vie, anxieuses d'en ouvrir au plus tôt un nouveau dont elles ignoraient encore le fin mot.

L'inconnu préoccupait Éliane, qui se sentait déjà dépossédée de son environnement familier et des mille et un détails du quotidien. Gertrude, elle, attendait l'avenir de pied ferme, sachant qu'elle en tirerait le meilleur parti et qu'elle saurait bien s'y épanouir. Luce, toute à sa joie de découvrir un monde inédit, en oubliait la séparation d'avec les siens, la ferme, ses fleurs et ses animaux. Cette vie nouvelle l'emplissait d'une folle excitation, comme si elle s'apprêtait à sauter dans un train vers une destination secrète.

La perspective de porter un uniforme leur apparaissait comme un privilège. Le curé, le bedeau à l'occasion des grandes cérémonies, les religieuses, les zouaves, tous portaient des costumes dont le prestige en imposait aux paroissiens – sans compter les médecins et les infirmières. Avec le leur, les couventines seraient bientôt appelées à gravir l'échelle sociale. Toutes trois présenteraient le même uniforme, parmi deux cents autres pensionnaires pareillement vêtues.

— Va-t-on arriver à se reconnaître? demanda Luce.

— En tout cas, répondit Gertrude, tu vas devoir aller moins vite, car les robes que tante Léna est en train de nous coudre sont bien longues: à dix pouces de terre. C'est le règlement qui le veut.

— Tant que c'est l'été, intervint Éliane, ça me convient puisque la robe sera blanche. Mais à l'automne, ce sera une autre histoire. Si j'en juge par le tissu que maman a dû acheter, une robe noire et chaude nous attend... Au dire de la religieuse, c'est de la laine de mérinos, ou une autre étoffe laineuse.

— On pourra tout de même jouer au ballon sans s'enfarger, non? s'enquit Luce, d'une voix presque inquiète.

Éliane la rassura de son mieux:

— Les jours où l'uniforme n'est pas exigé, peut-être... Mais il est clair qu'on devra le porter les dimanches, les jours de fête, les jeudis... Et aussi chaque fois qu'un prêtre visitera le pensionnat. Et ce n'est pas tout. Pour harmoniser notre allure, nous devrons chausser des souliers noirs lacés et nous coiffer d'un béret noir.

Luce, impressionnée, voulut interrompre sa cousine, mais celle-ci leva prestement un doigt et poursuivit son exposé :

— Laisse-moi finir… À la chapelle, nous devrons porter un voile noir en semaine. Le dimanche et les jours de communion, nous en coifferons un blanc.

— Comme une mariée le dimanche ! En Mardi gras en semaine ! s'exclama Luce. Ce que tu en sais des choses, toi !

— J'en sais encore davantage, reprit vivement Gertrude, enchantée d'étaler un savoir si pratique devant un public conquis.

Elle sortit cérémonieusement de son sac trois grandes feuilles, qu'elle déplia et lissa avec soin.

— Je vais vous surprendre, ou à tout le moins vous instruire, en vous lisant ce qu'on appelle un « document », c'est-à-dire un texte exact du règlement que nous observerons dans nos habits. Je vous en lis une partie, vous êtes prêtes ?

Les deux cousines opinèrent du bonnet d'un mouvement parfaitement synchronisé et Gertrude se racla la gorge avant de lire, d'une voix appliquée :

— « En vue d'économiser, les élèves seront libres de porter leurs habits ordinaires aux jours ordinaires, pourvu qu'ils ne soient pas faits avec trop de vanité ni d'après ces modes qui blessent la modestie chrétienne : une mode est illicite quand elle admet les nudités, comme les bras, les épaules, la gorge ; quand elle admet

les demi-nudités, au moyen d'étoffes claires et trans-
parentes; quand elle laisse trop voir les formes du
corps. Toute mode contraire à ces règles est une mode
indécente et illicite; par conséquent, il est défendu de
s'en servir. Le péché est plus ou moins grave, selon
que l'immodestie est plus ou moins scandaleuse; mais
qu'on n'oublie pas que l'immodestie dans les habille-
ments peut aller au péché mortel. Les élèves se feront
un devoir de pratiquer maintenant, afin de les observer
toute leur vie, ces règles de modestie dans leurs vêtements. C'est pour cette raison qu'on ne doit tolérer,
au couvent, aucune mode inconvenante.»

Luce demanda d'une toute petite voix, avec la fraîcheur de ses onze ans:

— Est-ce qu'il y aura des choses plus amusantes
que la modestie et l'immodestie?

— Il vaut mieux envisager le pire, décréta sentencieusement Éliane. Maman m'a dit que le jeudi, le
dimanche et les jours de congé sont presque entièrement consacrés à des activités religieuses. Pour ma
part, ça ne me déplaît pas. Et vous? Il faut nous rendre
à l'évidence: les pique-niques dans notre île, c'est fini.
Nous partons au couvent pour dix mois et nous n'en
sortirons pas, sauf pour douze jours pendant le temps
des fêtes. Seule la mort d'un proche ou une maladie
grave pourra justifier une sortie.

Gertrude surenchérit:

— Nous ne pourrons pas non plus aller nous
promener en ville. Tout de même, j'ai lu dans le

prospectus qu'il y avait une chorale, une troupe de théâtre, des ateliers de dessin.

Les trois cousines observèrent le silence pendant un moment, semblant peser avantages et inconvénients, plaisirs et contraintes de leur future vie de couventines. Gertrude conclut d'une voix confiante :

— On verra !

Vint le grand jour que les cousines ne finissaient plus d'attendre et de redouter, le 1ᵉʳ septembre, où le docteur Varin les mena à Trois-Rivières dans son Overland. Une fois sur place, tels trois diables d'une boîte, les filles jaillirent de la voiture avant de se figer aussitôt, intimidées, devant le couvent haut de quatre étages et large comme un pâté de cinq maisons, érigé en grosses pierres de taille grises. Interdites, muettes, presque tétanisées, elles sentirent le sang se glacer dans leurs veines en comprenant soudainement tout ce qu'elles laissaient derrière elles : familles, jardins de fleurs, grands champs d'herbes fraîches, forêts bruissantes de bêtes et d'insectes, sentiers bordés de petits fruits... et l'Île-aux-fleurs-de-mai.

Devant elles, la grande enceinte du couvent qui barrait l'horizon leur parut bien morne. Personne ne venait au-devant d'elles et rien ne semblait indiquer que quelqu'un finirait par le faire. Chargée d'une lourde cargaison de malles, une voiture tirée par un cheval passait le portique du couvent. Sortant à son tour de l'Overland, le docteur Varin renseigna sa fille et ses nièces :

— C'est l'« homme des sœurs », il arrive de la gare. Cet homme à tout faire va chercher les effets des élèves au train avec le cheval du couvent.

Luce fut la première à sortir de sa torpeur et à s'animer. Elle prit les devants, sa valise à la main, entraînant dans son sillage ses cousines, et la petite procession, suivie du docteur, gagna l'intérieur du couvent. Dans le parloir, sœur Émérentienne, la maîtresse de discipline, salua bien bas l'homme de l'art puis se tourna vers le trio de nouvelles arrivantes.

— Bienvenue, chères élèves, fit-elle d'un ton chaleureux.

À tour de rôle, elle embrassa chacune des petites en appliquant ses mains sur leurs épaules.

« Une maman de rechange », ne put s'empêcher de songer Gertrude.

Avec sa robe noire qui descendait jusqu'au sol, le costume de la religieuse ne laissait voir qu'une toute petite portion de son visage, tandis que ses mains semblaient surgir de deux tuyaux. Cette vêture n'était pas de nature à surprendre les trois nouvelles puisque deux religieuses de la même communauté enseignaient à l'école du village. Ce qui, en revanche, étonnait les cousines, c'était la quantité de religieuses visibles autour d'elles : dans le parloir, dans le corridor, dans les escaliers… il y en avait partout ! Luce se demandait combien la maison pouvait en compter, et s'il s'en trouvait autant à tous les étages. Sœur Émérentienne mit fin à la curieuse comptabilité de Luce en proposant une visite de la maison aux trois cousines, qui accueillirent la suggestion avec plaisir.

Les corridors reluisaient, à perte de vue, d'une propreté méticuleuse ; garnis de crochets en attente de manteaux, les murs donnaient aux filles l'impression d'interminables palissades. Dans l'air flottait une odeur indéfinissable, mélange de bois frais coupé et de savon du pays. Luce, amusé par le bruit du plancher craquant sous leurs pas et le tintement des gros grains de chapelet contre la jupe de la religieuse, réprimait un fou rire caractéristique, tandis qu'Éliane, anxieuse, avançait en rasant les murs. De son côté, Gertrude marchait avec le détachement de celle qui aurait passé le dernier demi-siècle dans le couvent.

Leur première halte fut la chapelle où, des deux côtés de la nef, prosternées sur des prie-Dieu, des silhouettes noires étaient recueillies. La communauté entière semblait s'être donné rendez-vous dans ce silence aux lourds effluves d'encens.

Luce chuchota à l'oreille de Gertrude :

— C'est presque aussi grand que notre église, mais je ne vois pas les affiches « Défense de cracher par terre ».

Sœur Émérentienne se tourna vers l'étourdie, les sourcils froncés, l'œil perçant. D'un index fermement appliqué sur ses lèvres, elle lui signifia que le silence était ici de mise. Au bout de quelques instants supplémentaires de prières, la sœur tourna les talons et mena sa troupe jusqu'à une classe. Si celle-ci parut d'abord être aux petites une copie conforme de leur classe de Sainte-Claudine, un examen attentif leur révéla des différences notables : dimensions plus grandes, plafond plus élevé, fenêtres plus larges, décoration plus élaborée. Sans compter un absent de taille : le gros poêle du fond de leur bonne vieille classe brillait ici par son absence. Elles ne s'attardèrent pas longtemps : un autre groupe de nouvelles, menées par un autre cicérone, faisaient le pied de grue dans le couloir. Les têtes se saluèrent timidement, de part et d'autre.

Éliane avait eu le temps de noter qu'une ouverture ronde avait été ménagée à l'avant de chaque pupitre ; elle en déduisit que cet espace était prévu pour accueillir une bouteille d'encre. Elle contenait difficilement sa hâte qu'on lui remette la sienne et qu'on lui désigne sa place.

De plus en plus de couventines peuplaient les corridors. Chaque nouvelle rencontre, chaque nouveau regard échangé faisait germer la même question dans l'esprit de Luce : lesquelles de ces filles deviendraient ses amies ? Sœur Émérentienne expédia rapidement la prochaine escale du groupe – le « dortoir des grandes », avec ses cloisons de drap blanc entre les lits, séparant des espaces tous rigoureusement identiques, divisés de part et d'autre de la salle en deux rangs impeccables.

— Une religieuse vous indiquera votre dortoir et votre lit, se borna à dire la sœur aux trois petites qui, chacune pour soi, regrettèrent fugitivement l'intimité de leurs chambres respectives.

Elles traversèrent ensuite une salle équipée de quatre baignoires où leur fut expliqué l'art de faire sa toilette au moyen d'un bol qu'elle devrait préalablement remplir d'eau avec un broc.

— Vous vous laverez sous une mante fabriquée avec deux serviettes attachées ensemble. Vous pourrez vous laver les pieds quand vous le désirez et prendre un bain une fois par semaine. Le matin, au moment de vous habiller, vous devrez respecter la sainte décence.

Le regard interrogateur de Luce la poussa à préciser immédiatement sa pensée :

— Vous garderez votre jaquette pour enfiler vos bas et votre sous-vêtement.

— Ça va demander de la pratique, souffla Luce à Gertrude.

— Une jaquette ! ricana l'autre, habituée à dormir en pyjama.

Puis le groupe gagna le parloir, décoré d'un grand crucifix noir, sur le mur du fond, et d'une statue de la Sainte Vierge juchée sur une table, au beau milieu de la pièce. Deux rangées de chaises se faisaient face, dont les pattes garnies de feutre permettaient qu'on les glisse sur le plancher de bois franc sans le marquer. L'alignement parfait des chaises et les reflets des planchers luisants fascinaient Éliane, qui trouvait dans ce lieu matière à satisfaire son appétit pour l'ordre et la propreté.

Dans un coin de la pièce s'offrait au regard l'objet le plus inattendu : un insectarium ! Au travers de la cage vitrée allaient et venaient, dans un chaos digne de Babel, les insectes les plus étranges, ce qui fournit à Éliane l'idée de commencer une collection d'insectes, à son retour à Sainte-Claudine – un complément judicieux à l'herbier de Gertrude. L'entomologiste et l'herboriste pourraient alors échanger sur leurs sciences respectives…

Entraînées sans délai par sœur Émérentienne vers une autre destination, les cousines comprirent que l'heure n'était pas à l'observation des bestioles et lui emboîtèrent vivement le pas. Dernière escale de leur pèlerinage, la salle de récréation, presque déserte à cette heure, étonna favorablement les cousines par ses dimensions.

— Quand l'homme à tout faire aura amené vos malles, une religieuse vous aidera à vous installer en attendant le souper.

Paroles sur lesquelles la sœur eut tôt fait de disparaître dans le corridor. Un peu étourdie par toutes ces découvertes, Luce s'enquit auprès de ses cousines :

— Dites, vous deux, vous vous souvenez comment on se rend au dortoir ? Et au réfectoire ? Éliane, tu voudras bien me dessiner une carte ?

— Suivez le guide ! s'exclama joyeusement Éliane.

Au réfectoire, où s'étiraient les plus longues tables qu'elles aient vues de mémoire, elles purent étrenner leur vaisselle toute neuve. Sur l'inspiration du moment, au magasin, elles avaient opté pour un même modèle, mais de couleurs différentes : un bleu, un blanc et un rouge… « Pour célébrer la France ! » Chacune avait, en outre, une serviette de table enroulée dans un anneau et assortie à la couleur de sa vaisselle. C'était une partie du trousseau acheté à Trois-Rivières. Seuls ces objets distinguaient les pensionnaires les unes des autres. Dans la vaste salle à manger, deux cents couventines, plus ou moins à l'aise dans leur costume neuf et dans leur nouvelle vie, se regardaient à la dérobée. Une place, qui serait la sienne pour toute la durée de l'année, fut attribuée à chacune des cousines. La mort dans l'âme, elles durent se rendre à l'évidence : elles allaient être séparées. Éliane baissa la tête, Gertrude présenta une expression impassible et Luce, la plus impressionnable, retint ses larmes à grand-peine.

Comme un malheur ne vient jamais seul, cette contrariété fut suivie d'une plus grande encore quand fut déposé sur les tables un bœuf bouilli, blême et fade. Éliane eut pitié de cette pauvre bête si piteusement apprêtée, mais ne la mangea pas moins avec entrain, tandis que Gertrude la goba en quelques bouchées, pressée d'en finir. Luce, pour qui les choses n'allaient décidément pas de soi, ne voulut rien avaler. Au bout de sa table, une religieuse lui fit comprendre, sans un mot, par la seule magie de son visage de carême, que la répétition d'une pareille faute n'irait pas sans représailles. Luce se racheta en se rabattant sur les pommes de terre chaudes, cuites en « robe des champs », sur lesquelles elle laissa fondre du bon beurre au goût de la ferme.

Éliane, la mieux renseignée des trois, voulut croire que ce mauvais bœuf bouilli avait croisé leur route par erreur et ne représentait pas l'ordinaire de la cuisine du pensionnat, car les *Constitutions* de la communauté stipulaient que le plus grand soin devait être accordé à la santé des pensionnaires, à qui devaient être fournis «du bon pain et de bonnes viandes».

Après le souper, sœur Émérentienne, toujours débordante d'énergie, réunit toutes les pensionnaires dans la salle de récréation pour leur expliquer l'horaire et les règlements du pensionnat. Chaque élève se vit attribuer une copie, sur papier carbone, de l'*Ordre des exercices quotidiens*, un compte rendu détaillé des activités échelonnées du matin au soir, à la minute près; la sœur leur laissa un quart d'heure pour le lire avec toute l'attention qu'il méritait. Cette nomenclature dépassa l'entendement de Luce, qui souffla à sa voisine:

— Il va me falloir une montre à chaque bras et à chaque jambe...

Lorsque les élèves eurent bien pris connaissance du quotidien qui serait le leur pour les dix prochains mois, sœur Émérentienne reprit la parole:

— J'ai cru voir parmi vous des visages étonnés en lisant l'horaire de votre vie de pensionnaire. Je vous en prie, ne craignez pas d'en oublier des parties: une cloche ou un signal se fera entendre pour vous rappeler chaque exercice. Maintenant, j'apprécierais que vous vous entraîniez dès maintenant à éviter certaines fautes que je tire du règlement:

«Courir, rire, parler dans les passages; tourner la tête d'un côté et de l'autre à la chapelle; poser des questions impertinentes ; chanter des airs profanes ; tenir des discours, railler, contester, murmurer ; parler de mode, de toilette ; se tenir trop souvent avec les mêmes compagnes, se communiquer des histoires de famille ; se toucher ; ouvrir les fenêtres la nuit ; introduire au couvent des livres ou des lettres sans permission ; cueillir des fleurs et des fruits dans le jardin. »

La bonne mère n'en finissait pas d'enfoncer le clou :

— Manquer à la règle, mesdemoiselles, n'est pas un crime ; mais il faut éviter le plus possible de retomber dans les mêmes fautes. Vous en avez suffisamment entendu pour ce premier soir. Je vous permets maintenant une longue récréation d'une heure avant le coucher. Exceptionnellement, vous pouvez aller dans la cour, à la salle de récréation ou dans votre classe pour vous habituer aux lieux.

Éliane proposa à ses cousines qu'elles se livrent à une nouvelle visite systématique des locaux. Luce déclina l'invitation, trop pressée de confier à ses parents ses premières impressions du pensionnat :

Chère maman, cher papa, chers vous tous,

Je tiens à vous rassurer : je crois que je me plairai ici, même si, pour l'instant, je trouve le pensionnat trop grand et les odeurs bizarres. Je suis séparée de Gertrude et d'Éliane, mais nous pourrons nous retrouver pendant quelques minutes durant les récréations, du moins je l'espère. Comme nous sommes deux cents pensionnaires, je suis sûre que je me ferai des amies. Ce qui me fait un peu peur, c'est le règlement. Tout est décidé dans les moindres détails. On doit en tout temps être obéissante, polie, aimable, religieuse – parfaite, quoi. Peut-être que ce sera moins difficile à vivre que je ne l'imagine ce soir. Tout de suite après le souper, sœur Émérentienne nous a expliqué comment la vie doit se passer entre les murs de la maison et ça me fait drôle. Heureusement que la maîtresse de discipline – c'est comme ça qu'on doit l'appeler – est très gentille. Je sens qu'elle nous aime. Il reste que, pour une nouvelle comme moi, c'est beaucoup de règlements d'un seul coup. Je vous envoie une copie des recommandations concernant le réfectoire. Vous allez voir que je suis loin de la table de famille. Vous pourrez épingler les règlements du couvent sur un mur de la cuisine pour amuser les frérots et leur rappeler certaines règles de bienséance. Je cite :

1. *Se rendre au réfectoire et en sortir, à son rang et en silence.*

2. *Ne pas déplier sa serviette avant le signal donné.*

3. *Converser, quand la chose est permise, à voix modérée.*

4. *Se montrer polie et obligeante envers celles qui assurent le service aux tables.*

5. *Si quelque chose, dans les aliments, est contraire à la propreté, ne rien faire, ne rien dire qui puisse attirer l'attention des autres, mais plutôt en avertir la maîtresse présidente.*

6. *Observer les règlements de bienséance en évitant de se renverser sur le dossier de sa chaise ; de trop*

s'approcher ou de trop s'éloigner de la table; de tenir son visage trop près de l'assiette; de se nettoyer les dents; de parler ou de boire la bouche pleine; de gesticuler avec son couteau, sa fourchette ou de les tenir dans une position verticale.

7. *Veiller à ne pas gâter les nappes, ne pas émietter le pain ni rien laisser tomber sur le plancher.*

Je vous aime beaucoup. Je vous embrasse fort.

Votre Puce

Le lendemain matin, Luce se hâta de prier la maîtresse de discipline de poster sa lettre. La religieuse lui adressa un large sourire et lui tapota amicalement la joue avant de répondre doucement, pour ne pas trop brusquer cette jeune fille manifestement ignorante de certaines contraintes de la vie de pensionnaire:

— Mademoiselle Varin, les élèves n'écrivent aucune lettre sans la permission de leur maîtresse, qui la soumet à la supérieure pour qu'elle-même l'expédie. De même, les lettres reçues par la poste ou de toute autre manière sont d'abord aiguillées vers la supérieure qui les fait ensuite remettre aux élèves. En d'autres mots, toute lettre, envoyée ou reçue, doit être examinée par l'autorité.

Sur le conseil avisé de sœur Émérentienne, Luce s'empressa de réviser un passage de sa lettre, l'abrégea et s'efforça d'y insuffler davantage d'enthousiasme pour sa nouvelle vie.

Les cousines vécurent leur première semaine en terre étrangère dans l'attente impatiente du parloir du dimanche. Ces cinq jours leur avaient permis de se familiariser avec le petit monde du pensionnat : l'édifice lui-même, son mode de fonctionnement, les religieuses, le dortoir, les repas du réfectoire – leur nouvelle vie, en somme. La découverte d'amies et l'attitude maternelle des religieuses contrebalancèrent le choc de l'arrivée. Dotée d'une forte capacité d'adaptation, Gertrude se fit très vite au fait d'être pensionnaire, même si ses parents lui manquaient cruellement. La distance physique qui la séparait d'eux creusait en elle un vide que rien ni personne ne pouvait combler. Éliane, pour sa part, se sentait privée de tout ce qu'elle avait abandonné derrière elle, à la maison : ses chers livres, ses collections, les disques de son père. Quant à Luce, il ne lui manquait qu'une chose, et cette chose lui faisait défaut en permanence et dans toutes les situations : la fantaisie !

Samedi matin, la supérieure annonça la tenue d'une réunion, à trois heures, dans la grande salle, où elle les entretiendrait des règlements ayant cours au parloir. Les deux cents élèves attendaient son entrée comme on attend la levée du rideau au théâtre, mais dans un silence qui tranchait avec l'animation précédant un spectacle. Un imposant fauteuil avait été placé au centre de l'estrade. Au bruit d'un chapelet, provenant du fond de la salle, les couventines se redressèrent et les rares bruits parasites – toussotements, crissements des chaises sur le parquet – cessèrent tout à fait.

Bientôt, la mère supérieure, suivie de son assistante et de la maîtresse de discipline, gravit dignement les cinq marches de l'estrade et gagna son fauteuil. La supérieure reconduite, ses acolytes vinrent prendre place avec les pensionnaires, au premier rang. Après une brève entrée en matière, elle aborda le sujet principal de l'assemblée, jetant fréquemment de brefs coups d'œil sur un texte qu'elle devait pourtant savoir par cœur :

— Vous ne vous rendrez au parloir qu'avec ma permission. C'est le jeudi après-midi que vous irez ordinairement au salon mais, au besoin, je pourrai accorder une heure ou deux de plus le dimanche, avant ou après les offices. Dès que sonnera la cloche, peu importe l'exercice, vous prendrez immédiatement congé de vos visiteurs. Vous le ferez d'une manière aimable et polie, montrant par là même votre amour du devoir. Il n'y a jamais de parloir après le souper. Évidemment, les jeunes gens n'y sont admis en aucun temps, excepté les proches parents. J'ajoute que les personnes dont la conduite serait suspecte ou dont les rapports seraient dangereux pour vous ne seront pas admises au parloir.

Assise parmi les petites, Luce lorgna vers ses cousines, du côté des grandes, et articula sans un son, mais avec exagération, pour que celles-ci puissent lire sur ses lèvres : « Une vraie prison ! » cependant que la supérieure poursuivait sa lecture des règlements :

— Vous n'irez dans votre famille, hors du temps des vacances, que pour des raisons graves, et toujours selon le jugement de la supérieure. En cas de maladie, la vôtre ou celle de vos parents, un certificat d'un médecin sera requis pour autoriser votre sortie du pensionnat ou une visite à votre famille.

Quand la supérieure stipula qu'aucun livre ou revue ne pouvait être introduit dans la maison sans lui avoir été présenté au préalable, les yeux de Gertrude s'embuèrent. Il lui faudrait donc renoncer aux livres apportés par son père. Éliane, elle, devina que les gâteries de son père atterriraient tout droit sur le bureau de la supérieure. Pis encore, toute somme d'argent donnée par un parent devait être remise à la maîtresse surveillante. De même, le port de bijoux était interdit et les élèves qui en auraient par mégarde en leur possession étaient invitées à les remettre sur-le-champ à qui de droit.

— Les bijoux les plus précieux de la jeune fille sont la modestie et la grâce, énonça sentencieusement la supérieure.

Éliane sentit son cœur battre à tout rompre en se demandant où cacher sa bague et les biscuits que son père lui apporterait lors de sa visite. Elle découvrirait bientôt que les pensionnaires dont les parents étaient les plus riches jouissaient du privilège de puiser dans leur réserve personnelle de fruits et de gâteries, conservée dans une armoire attenante au réfectoire – en plus de pouvoir s'offrir un verre de lait supplémentaire par jour.

La supérieure termina son exposé en conseillant fortement aux élèves d'adopter entre elles le vouvoiement, une suggestion qui provoqua quelques grimaces parmi l'assistance. La réunion se termina sur une note de spiritualité :

— Il est du devoir de chacune d'entre vous de vous opposer aux mauvaises conversations et d'observer une grande modestie dans vos regards, dans votre maintien. Enfin, il vous faut éviter la moindre légèreté dans les exercices de piété.

C'est ainsi que la dimension religieuse de la vie au pensionnat était insufflée aux couventines, et qu'elle imprégnerait rapidement chacun de leurs gestes, chacune de leurs paroles, chacune de leurs pensées.

La rupture avec la famille, bien réelle, ne fut toutefois pas trop brutalement ressentie. Les religieuses de Sainte-Claudine ne les avaient pas habituées à autant de rigidité et de règles. Mais si elles entendaient pour la première fois ces formulations sèches et moralisantes, et découvraient l'importance accordée aux défenses et obligations de la vie de pensionnaire, l'esprit même de ces recommandations existait déjà au sein de leur famille. Toutefois, la discipline de la maison, qui les avait assurément préparées à la routine du pensionnat, ne pouvait se comparer avec l'extrême rigueur qui régnait en ces murs et qu'appréciaient diversement les trois cousines. Si Luce se montrait allergique à cette profusion de règles et de contraintes, Gertrude s'en accommodait plutôt bien tandis qu'Éliane les accueillait comme une bénédiction.

Née avec un goût presque obsessif de l'ordre, elle n'était nullement dérangée par l'enchaînement rigide des mouvements d'élèves. Pour elle, la vision de deux cents couventines se rangeant deux par deux au signal, en colonnes parfaitement droites, par ordre de grandeur impeccablement observé, revêtait un caractère éminemment esthétique. Un horaire précis lui faisait l'effet d'un menuet de Bach où les notes se succèdent les unes aux autres, sans accroc, pour former un tout harmonieux. Le défilé des activités, d'heure en heure, lui procurait une joie semblable à celle qu'elle retirait de la contemplation de ses timbres ou de ses pièces de monnaie. De la même manière, la posture recommandée à la chapelle, torture pour d'autres, se révélait pour elle un plaisir : en position assise, tête et torse devaient être gardés bien droit, avec la fixité d'une statue ; à genoux, les pieds devaient être joints et disposés perpendiculairement au plancher afin de ne pas salir les souliers.

Elle s'était adaptée avec une facilité déconcertante au programme quotidien du pensionnat. Levée à cinq heures trente, elle trempait aussitôt le doigt dans le pot d'eau bénite présenté par la religieuse affectée au réveil et exécutait le signe de la croix. Puis elle disposait de quelques minutes pour se livrer à une toilette sommaire et se vêtir, tout en priant à haute voix. Car les couventines n'étaient jamais laissées à elles-mêmes un seul instant et, durant ces moments d'intimité, une religieuse agitait une clochette en répétant d'une ton monocorde : « En me levant... », amorce que les grandes complétaient en récitant sur le même ton : « Béni soyez-Vous, mon Dieu, pour ce nouveau jour que Vous m'accordez. » La religieuse agitait derechef la clochette et reprenait : « En me lavant... », ce à quoi les élèves répondaient : « Mon Dieu, purifiez-moi de toutes mes fautes. » Puis, re-clochette et nouveau début d'antienne : « En m'habillant... », auquel de petites voix endormies faisaient entendre le répons : « Mon Dieu, revêtez-moi de la robe d'innocence. » La toilette achevée, à peine les jeunes filles avaient-elles le temps de prendre leur rang pour s'orienter vers la chapelle que la clochette tintait une fois de plus et que la religieuse reprenait : « En défilant... ». Les élèves concluaient ainsi l'échange : « Mon Dieu, que mes pas se dirigent sans cesse vers Vous. »

À la chapelle, prières et méditations débutaient à six heures, suivies à six heures trente de la messe. Une heure plus tard, le réfectoire ouvrait ses portes aux pensionnaires affamées qui devaient encore, avant qu'on leur permette de s'asseoir, réciter en chœur le bénédicité en latin. Suivait le petit-déjeuner, dans un silence de qualité, propice à la réflexion sur un thème spirituel. Puis, retour à la chapelle pour le chapelet. Les classes ne débutaient qu'après une brève récréation, la plupart du temps employée à des tâches domestiques.

La cloche de onze heures trente appelait les couventines au dîner, qui s'amorçaient encore une fois par le bénédicité, et se terminait sur le coup de midi par la récitation des grâces. Dans le réfectoire, le signal de la récréation était attendu avec une frénésie presque palpable par tout un petit peuple dont le quart d'une fesse reposait sur le bout de sa chaise, fin prêt à délasser ses jambes et délier sa langue.

À une heure, les classes reprenaient jusqu'à trois heures, où une courte pause était l'occasion d'un goûter fait de tartines de mélasse, accompagnées d'eau pour la plupart, et de lait pour celles qui pouvaient se l'offrir. Devant la grande table du réfectoire, où se dressaient cinq tours de tartines érigées dans des assiettes, autant de files d'élèves faisaient la queue. De l'autre côté de la table, des sœurs souriantes veillaient au grain, à l'affût d'éventuels abus et dégâts. Les jeunes filles s'employaient à se détacher une tartine, parfois deux et, dans la bonne humeur ambiante, certaines s'enhardissaient à s'en servir une troisième sans que leur gourmandise entraîne de représailles. Ces tartines providentielles étaient le loisir de l'après-midi, l'oasis tant attendue de ce que certaines – Luce, par exemple – vivaient comme une traversée du désert.

À trois heures et quart, la cloche annonçait une nouvelle période de classe et d'études jusqu'à cinq heures et demie. Puis suivait le souper, long d'une demi-heure, après quoi les pensionnaires jouissaient d'une dernière récréation d'une heure. À huit heures, l'étude reprenait ses droits. La récitation du chapelet et la prière du soir réunissaient les élèves à la chapelle pendant trente minutes. D'un banc à l'autre, on voyait les dos se voûter, les épaules s'arrondir et les têtes s'incliner lourdement vers les prie-Dieu. La cloche du coucher résonnait à huit heures trente, déclenchant une ultime manifestation de piété : signe de la croix, invocation du cœur de Jésus, de Marie et de Joseph, un acte de contrition – au cas où une mort subite surprendrait une élève dans son sommeil – et, enfin, une demande de bénédiction à la Sainte Vierge. Cet emploi du temps valait pour les lundi, mardi, mercredi et vendredi de chaque semaine.

Le jeudi, jour de « congé », l'horaire prévoyait une période de temps pour les classes d'élocution et de politesse. Tout en se livrant à des travaux d'aiguille qui répugnaient à Luce, les couventines écoutaient une lecture édifiante avant de réciter le rosaire, c'est-à-dire trois chapelets, soit cent cinquante *Je vous salue, Marie*, quinze *Notre Père* et quinze *Gloire soit au Père*. Il était permis, ce jour-là, de recevoir de la visite – privilège dont chacune faisait bon usage. Le samedi, des activités « spéciales » étaient prévues : raccommodage, cirage de souliers, épouillage et réunions des congrégations. Chacune était censée, dans ce vaste éventail de loisirs, trouver son bonheur...

Le dimanche, autre jour de « congé », était celui de la dévotion. Si les jours de la semaine étaient consacrés à des matières scolaires – religion, français, sciences et mathématiques, histoire, géographie et économie domestique –, le jour du Seigneur l'était presque entièrement à la formation religieuse. Préparation à la sainte communion, communion, action de grâce, messe à la chapelle, grand-messe à l'église paroissiale, vêpres et complies puis bénédiction du Saint-Sacrement meublaient la journée, renchérissant sur les prières normales de la semaine. Le reste du temps, les élèves pouvaient, si la muse les inspirait, écrire à leurs parents (de neuf heures à dix heures et demie) et devaient assister à la lecture des notes (d'une heure à une heure et demie). Entre deux et cinq heures, les pensionnaires pouvaient se rendre au parloir, si visite il y avait.

Cet horaire excessivement encombré empêchait Gertrude de s'adonner à ces activités de prédilection. À voix basse, elle s'en ouvrit à ses deux complices :

— Va pour un emploi du temps qui remplit bien la vie, mais j'aimerais quand même avoir du temps pour lire ce qui me plaît et pouvoir parler davantage.

Ses réserves trouvaient certainement une oreille attentive auprès de Luce, qui en avait long à dire sur la relative liberté d'expression dont les élèves disposaient entre les murs du pensionnat :

— D'accord, je veux bien comprendre l'imposition du silence au dortoir, mais j'ai de la misère à garder le silence en classe, dans les corridors, au réfectoire, en allant d'un endroit à l'autre, en me mettant en rang... Partout et tout le temps, quoi... sauf à la salle de récréation, et encore ! Quand je vois des élèves se déplacer sans dire un mot, elles me font l'impression de prisonniers surveillés par des gardiens déguisés en religieuses. Sœur Émérentienne dit que le silence incite au recueillement et à l'union avec Dieu... Il me semble plutôt que parler quand j'en ai envie m'aiderait à me recueillir ensuite. Avoir à rester muette pendant les repas me tue. Une langue n'est pas faite que pour manger... Une langue, ça sert à parler !

Jamais à court d'initiative ou d'imagination, Luce et quelques-unes de ses nouvelles amies avaient mis au point un langage fait de petits gestes qui offrait, autour de la table du réfectoire, le spectacle de mémorables pantomimes. Deux tapes sur la table signifiaient qu'on voulait du pain ; le petit doigt en l'air, le sel ; la main au cœur, de l'eau ; deux pouces qu'on joignait, du beurre. À la fin du repas, pour demander le peu ragoûtant plat des restes, on se pinçait tout bonnement le nez. Par ailleurs, l'index et le majeur croisés promettaient des propos passionnants à la récréation. Toute une galerie de signaux dignes de sémaphores, dont les élèves usaient avec une dextérité et un à-propos d'une précision chirurgicale, partagées entre le plaisir fou de contourner les règles et l'appréhension d'être prise en flagrant délit.

Au bout de quelques semaines, à leur grande surprise, les cousines – y compris Luce – se mirent à apprécier sans réserve le régime du pensionnat. Une fois les règlements assimilés, elles les respectèrent sans jamais les remettre en question, comme par automatisme. Entre les classes et les périodes de silence et de prières se glissaient dans l'horaire toute une variété d'activités, dont certaines tâches que leur confiaient les sœurs et que les élèves considéraient comme autant de marques de confiance à leur égard. Dans l'esprit des religieuses, c'était une occasion de développer, chez les jeunes filles, les vertus de charité et d'humilité.

Accessoirement, elles gardaient leurs protégées sur un pied d'alerte tout en leur procurant une activité salutaire.

Une douzaine de « fonctions honorifiques » s'offraient aux élèves : sacristine, bibliothécaire, infirmière, présidente de table, lectrice, ménagère, cuisinière, portière, intendante des pauvres ou des jeux et intendante réglementaire (une charge qui consistait à faire respecter le bon ordre dans le pensionnat). Aux élues sélectionnées pour assumer l'une de ces responsabilités, la religieuse s'enquérait d'abord de leur préférence.

On devine sans peine que Gertrude demanda d'être affectée à la bibliothèque, ce qui lui conférait le privilège de voir, sentir, toucher et parcourir l'objet de sa passion : ses chers livres. Elle devait veiller à leur conservation, procéder à leur distribution et tenir un registre soigné des prêts, toutes charges qui l'enchantaient.

Éliane, elle, préféra la tâche d'infirmière, désireuse d'exercer la plus haute responsabilité. Devant veiller sur la santé de ses camarades, elle s'employait à détecter chez elles les symptômes de maladies et s'empressait de prévenir la sœur surveillante quand une élève refusait de manger ou paraissait indisposée. Visitant les jeunes filles malades à l'infirmerie, elle rendait toutes sortes de petits services. Seul manquait à cette garde-malade en herbe le costume immaculé. Sa tâche préférée ne s'attachait toutefois pas aux soins des malades, mais au rangement des médicaments et des outils médicaux.

Sans surprise, Luce jeta son dévolu sur l'intendance des jeux, fonction taillée sur mesure pour cette amoureuse du mouvement et du grand air. Lors des récréations extérieures, elle s'occupait de tous les accessoires de jeux : croquet, balles au camp, boules, balles, ballons, poches, filets, échasses, etc. Se déplaçant à vive allure entre les groupes d'élèves, elle multipliait les encouragements et les cris de ralliement :

— Allez, un peu d'entrain ici ! Votre équipe est formidable ! Qu'est-ce que Margot a mangé ce matin pour être aussi bonne ?

Lors des récréations intérieures, elle devait organiser, avec le concours de la surveillante, des joutes de jeux de société : parchési, charades, parties de cartes. Dedans comme dehors, la joie communicative de Luce se propageait d'une table à l'autre, emportant l'adhésion de toutes.

Quand vint Pâques, toutes les pensionnaires, petites et grandes, s'ennuyèrent cruellement de leur famille en imaginant les réjouissances auxquelles elles ne pourraient prendre part. Luce, chargée des jeux pour les plus jeunes, et Gertrude, pour les plus âgées, joignirent leurs efforts pour organiser la tenue d'un bingo. De mèche avec les organisatrices, la maîtresse de discipline obtint ce jour-là de la supérieure cinq boîtes de chocolat, en plus de deux poules et de quatre lapins. Chaque gagnante eut droit à une boîte de chocolat, tandis que poules et lapins constituèrent les gros lots réservés pour les six dernières cartes à jouer. Avec ses paniers pleins de friandises, la maîtresse de discipline conquit le cœur des couventines au bec sucré.

Quelque temps auparavant, elle avait été gratifiée, évidemment à son insu, du surnom de « sœur Bénitier », à cause de sa mâchoire inférieure qui faisait saillie comme un vase et, dans son dos, les moins bien intentionnées esquissaient le geste de tremper un doigt dans le bénitier et de faire le signe de la croix. Le chocolat du bingo eut pour effet de faire rentrer la plupart des rires là où ils n'auraient jamais dû sortir : au plus profond des petites gorges mesquines. La religieuse vit alors converger vers elle la plus durable des reconnaissances : celle du ventre.

Au-delà de ces charges plutôt agréables, les pensionnaires assumaient parfois des responsabilités nettement moins nobles. Ainsi, à la chapelle, on voyait des élèves, pliées en deux, épousseter des bancs, chiffon à la main. À d'autres avait échu la chance de récurer les baignoires, les éviers ou les bols de toilette, ou de cirer les planchers des interminables corridors. Autant d'activités susceptibles de déclencher des fous rires pour un rien, et de transformer une corvée en un joyeux passe-temps. Les plus fortunées pouvaient s'adonner aux arts d'agrément. Éliane s'inscrivit aux cours de piano, Gertrude, de violon. Luce, elle, n'avait ni les moyens ni le goût d'apprendre les rudiments d'un instrument de musique ; si elle avait été plus riche, elle se serait plutôt initiée à la confection de fleurs de papier.

Au travers de cet horaire bien meublé, les religieuses trouvaient le moyen de proposer aux élèves des loisirs où l'éducation et la religion se confondaient afin de faire se développer des vocations religieuses. Sans en avoir pleinement conscience, les trois cousines, comme toutes leurs condisciples, s'installaient dans un solide encadrement religieux.

Éliane et Gertrude s'inscrivirent à la Société des enfants de Marie. Cette société prônait un programme d'action où les membres donnaient le bon exemple par leur tenue modeste et par un zèle discret d'accomplissements édifiants, par une parole aimable, un mot d'encouragement, un service gratuit. Luce, plus jeune, s'enrôla dans la Société Notre-Dame du Sacré-Cœur, qui exigeait d'elle trois *Ave Maria* par jour et développait chez ses adhérentes humilité, charité et pureté.

Éliane s'inscrivit également à la congrégation de l'Immaculée Conception, qui lui fournit l'occasion de correspondre avec une cousine de sa mère, provinciale chez les sœurs de cette congrégation, à Montréal. En fait, la jeune fille poursuivait par cette affiliation un but inavoué : recueillir des timbres de divers pays où œuvrait cette communauté.

Rien n'empêchait les couventines d'appartenir à plus d'une association, et la plupart s'attachaient en fait à plusieurs, puisque les missions de celles-ci ne s'opposaient pas entre elles. Bon nombre d'élèves avaient joint les rangs de la Ligue eucharistique, dont l'objectif visait à entretenir l'amour avec Jésus Hostie, ou de l'Apostolat de la prière où l'on s'entraînait à surmonter tous les obstacles et embûches par des prières appropriées. Toutes ces associations aux noms infiniment austères luttaient contre les spectres de l'indécence et des mauvaises influences.

À la fin de l'année, la bonne conduite de chaque élève était récompensée par des croix d'honneur, en fonction du nombre de points qu'elle avait accumulés dans sa lutte contre la frivolité tout en développant son esprit de sacrifice. Aux détentrices de croix d'honneur était décernée la récompense ultime : faire partie de la Société des Saints-Anges, fine fleur de l'aristocratie religieuse du couvent.

À Noël, les parents des trois cousines eurent la joie de voir figurer leur progéniture parmi les meilleures élèves du pensionnat. Depuis septembre, leur nom avait été affiché chaque mois au tableau d'honneur afin de souligner leurs excellents résultats scolaires. Gertrude ne se fit pas prier pour annoncer à ses parents de si bonnes nouvelles :

Vous serez fière de moi, comme de Luce et d'Éliane, d'ailleurs. Depuis quatre mois consécutifs, mon nom apparaît au tableau d'honneur. Comme vous le savez sans doute, il y a, le premier dimanche de chaque mois, une lecture publique des notes, en présence du curé de la paroisse et de l'aumônier de la communauté. Lors de la cérémonie – émouvante, je ne vous le cache pas –, on félicite publiquement les élèves qui se sont distinguées par leur rendement scolaire et par leur comportement, et des remarques sont adressées à l'intention de celles qui n'ont accompli aucun progrès.

Au sommet du tableau des grandes figura le nom de Gertrude tout au long du semestre, sous les aspects de la composition, la bonne conduite et l'application au langage. Il était plus souvent qu'autrement suivi du nom d'Éliane, pour l'application aux ouvrages manuels et à la composition. Celui de Luce, lui, avait figuré deux fois au tableau pour la composition, deux fois pour l'économie domestique – discipline qu'elle n'aimait même pas – et autant de fois pour l'application au bon langage.

Au terme du semestre vint enfin le jour de la remise des récompenses. On donna dans chaque classe, en vertu des votes des élèves, ratifiés par ceux des religieuses, un prix de bonne conduite à la plus sage. Un deuxième prix d'application fut accordé à celle qui avait cumulé le plus de bonnes notes et un troisième, dit d' « instruction religieuse », à celle qui s'était mérité la note « très bien ».

Afin d'exciter l'émulation entre les classes, les religieuses établirent un système de « rubans de mérite », bleus pour les élèves du premier cours, verts pour celles du deuxième et rouges pour les plus jeunes qui s'étaient distinguées par leur bonne conduite. Ces récompenses étaient remises trois fois dans l'année : après l'examen du premier semestre, à Pâques et en juin. Les couventines méritantes arboraient alors fièrement leur ruban, afin de se distinguer de celles qui ne l'étaient pas. Du côté des petites, Luce se faisait un devoir de ne pas hériter d'un ruban rouge, pour ne pas avoir à exhiber une décoration qui, à ses yeux, n'honorait que des « saintes-nitouches ».

La fin de l'année scolaire réservait aux couventines une cérémonie grandiose, forme d'apothéose dont l'anticipation était nourrie pendant dix mois. Tout le gotha y assistait : curé de la paroisse, aumônier, supérieure, assistante, maîtresse de discipline et quatorze autres religieuses ; parfois même le député, le médecin et le notaire. Bien entendu, les parents des pensionnaires s'efforçaient d'être présents pour la distribution des grands honneurs : le prix de bonne conduite, décerné à la plus sage ; le prix d'instruction religieuse ; le prix de succès, offert à celle qui se classait première dans les diverses matières. Si une élève décrochait les trois prix, elle recevait une gratification exceptionnelle, le prix d'excellence, qui la classait parmi l'élite estudiantine.

Ce prix tant convoité, Gertrude l'obtint à la fin de sa première année de pensionnat et eut donc le privilège de porter, durant tout le semestre suivant, le médaillon et le premier ruban de mérite, en plus d'être investie du pouvoir d'imposer des punitions à ses camarades coupables de certaines fautes – droit dont elle ne se prévalut jamais. Enfin, ce prix était assorti d'une couronne blanche, tout comme celui de bonne conduite, qui se mesurait à l'aune de la piété et de l'obéissance.

Lors de cette première année, malgré ses excellentes notes dans toutes les matières scolaires, Luce ne parvint pas à décrocher l'une de ces couronnes. Cela s'expliquait aisément par sa propension à bavarder en tout lieu et à tout moment. Ses parents, présents à la cérémonie, en conçurent une vive déception, ce qui chagrina Luce bien plus que l'absence d'une couronne sur sa tête.

La liste des matières primées semblait se décliner à l'infini : composition, grammaire, arithmétique, géographie, lecture, histoire, économie domestique, travaux manuels, musique, peinture, dessin... Le tableau d'honneur des titulaires était exposé au parloir jusqu'à l'automne suivant, provoquant de légitimes bouffées d'orgueil chez les intéressées, dont les trois jeunes filles.

À l'âge de douze ans, Luce terminait sa sixième année. Au chapitre de l'instruction religieuse, elle avait révisé toutes les prières apprises depuis six ans en français et en latin, les 508 questions et réponses du *Petit catéchisme* ainsi que les Évangiles des dimanches et des fêtes. À treize ans, Éliane et Gertrude complétaient la première année de leur primaire-complémentaire, à mi-chemin du cours de l'École normale menant à l'obtention du diplôme d'enseignement élémentaire.

Sans en avoir pleinement conscience, les trois cousines entraient dans un moule dont le but était de former les jeunes personnes à la vertu et aux préceptes de l'Évangile. L'instruction dispensée au pensionnat reposait sur un seul et grand principe : tout enseignement était motif à apprentissage de la religion et au développement de la piété, peu importe la matière : grammaire, arithmétique ou zoologie.

Les trois couventines terminaient cette première année de pensionnat en beauté, profondément investies de la valeur des vertus et du sens du sacrifice, riches d'un idéal inculqué avec douceur et fermeté par des religieuses qui, à leur façon, portaient un véritable amour à leurs élèves. Pour leur bien, elles orientaient toute chose vers la vertu : pensées, sentiments et actions. Entre autres apprentissages importants, les cousines ne priaient plus et ne prieraient jamais plus comme avant : les sœurs leur avaient appris à éloigner des distractions telles que les regards égarés, la hâte et les postures irrespectueuses. Elles avaient également acquis l'habitude de débuter chaque journée par un quart d'heure d'oraison. Enfin, pour corriger leurs défauts, on leur avait inculqué un exercice éprouvé : l'examen de conscience.

Un nombre quasi infini de manières de développer leur piété leur avait patiemment été enseigné tout au long de cette première année. Afin de donner un sens au sacrifice et de s'approcher du Christ, on leur avait recommandé de suivre le chemin de croix chaque vendredi, les bras en croix. Tout comme à Sainte-Claudine, elles avaient accompli les exercices des mois de saint Joseph (mars), de Marie (mai) et du Sacré-Cœur de Jésus (juin), en y insufflant encore plus de ferveur qu'auparavant. Trois fois par jour, elles avaient récité l'*Angélus* pour s'unir à l'archange Gabriel, un acte qui honorait le mystère de l'incarnation du Fils de Dieu. Et, pour faire bonne mesure, elles avaient récité chaque jour un chapelet à l'intention de l'Immaculée Mère, instruites par les sœurs que l'Église avait enrichi cette dévotion d'un grand nombre d'indulgences propres à sauver les âmes du purgatoire.

Avant de quitter le pensionnat pour les vacances, les cousines, comme toutes les autres, firent acte de consécration à la Sainte Vierge. Vêtues de leur robe au collet blanc et coiffées d'un voile non moins blanc, les deux cents adolescentes réunies dans la chapelle se tournèrent vers la grande statue de la Sainte Vierge et récitèrent à l'unisson, d'une voix cristalline :

— Ô Marie ! Le moment de nous séparer s'approche ; bientôt nous allons quitter ce cher asile où nos jours se sont écoulés, si purs et si sereins dans la paix du Seigneur... Ô Marie ! Songez que nous sommes vos enfants et daignez répandre sur nous vos bénédictions les plus tendres ! Nous allons retourner au milieu d'un monde qui ne respecte guère les vertus qu'on nous a appris à pratiquer... Ô Marie ! Veillez sur nous dans le danger ; éloignez de nos yeux les images et les occasions du péché... Daignez nous ramener vous-même dans cet asile ; rendez-nous toujours dignes de vos regards et de votre amour. Ainsi soit-il.

Une fois cette prière terminée, la supérieure aurait pu se contenter de donner congé aux élèves, mais elle ne put résister à la tentation de ramener à la grande salle sa « petite armée du Christ » pour lui tenir un dernier discours sur le danger que représentaient les vacances et le monde extérieur pour la vertu :

— Prenez garde au démon qui fait bien souvent tomber dans ses pièges les jeunes personnes imprudentes… Pour aborder vos vacances avec une âme forte, vous vous préparerez par la prière, la réception des sacrements et par de sages résolutions que vous formulerez par écrit afin de mieux les mettre en pratique. Entre autres tentations, vous apporterez un soin jaloux à éviter toute parure mondaine.

Cette dernière restriction fit courir sur l'échine d'Éliane un frémissement, car elle anticipait depuis déjà plusieurs semaines le plaisir de porter ses belles petites robes d'été, et tout particulièrement la rose, dont le décolleté en pointe mettait si bien en valeur sa chaînette en or. Gertrude et Luce partagèrent le même discret effarement que leur cousine et combattirent de leur mieux le malaise presque physique que faisaient naître en elles les paroles de la supérieure, qui poursuivait sur sa lancée :

— Mesdemoiselles, dois-je vous rappeler Rose de Lima, qui coupa elle-même sa chevelure dont elle ne pouvait souffrir la beauté… Rose de Lima qui alla même jusqu'à défigurer son visage en déchirant la peau de ses joues avec l'écorce d'un arbre.

Luce ne put retenir un petit cri d'horreur, comme si ses propres joues venaient d'être griffées au sang.

— Vous éviterez encore, continuait la supérieure, les parties de plaisir défendues, les compagnies dangereuses, la lecture des romans, les assemblées de jeunes filles et de jeunes gens, si funestes pour la vertu. Si vous sortez, pour un voyage ou pour une promenade, vous ne le ferez qu'en compagnie de vos parents, et jamais sans leur permission.

Ce discours mettait rudement à l'épreuve les capacités d'attention et de patience des couventines, qui s'imaginaient déjà entourées de leur famille, loin, très loin des propos moralisateurs. Impassibles, Gertrude et Éliane, chacune pour soi, tuaient le temps en se livrant dans leur tête à un tri des idées à prendre et à laisser de cet exposé. Luce, plus vulnérable, était à deux doigts de suffoquer d'indignation. Un instinct de bienséance l'empêchait de se planter un doigt dans chaque oreille pour ne plus entendre les interdits de la supérieure, désormais intarissable :

— Pendant votre séjour chez les vôtres, vous devrez, par votre modestie, votre obéissance, votre zèle au travail, donner sans relâche l'exemple. Soyez fidèles à vos exercices de piété en récitant votre chapelet, en assistant à la messe et en rendant visite, si vous le pouvez, au Saint-Sacrement. Que la vie de Marie soit sans cesse comme un miroir pour vos yeux.

C'en fut trop pour Luce qui, peu entichée de la Sainte Vierge, se mit à ronger ses ongles tout en piétinant le sol. Ce subtil appel à la vocation religieuse était superflu. La supérieure aurait été mieux avisée de quitter ses protégées sur une note plus douce, après dix mois d'horaires astreignants, de morale stricte et de prescriptions incessantes. La vie religieuse avait déjà laissé une profonde empreinte au cœur de ces jeunes âmes, et le précieux enseignement de cette première année de pensionnat ne se dissiperait pas au fil de vacances pleinement méritées.

En fait, l'univers au sein duquel les cousines avaient vécu pendant près d'un an ressemblait étrangement à la vie rigide et austère des religieuses elles-mêmes. Dans leurs conversations, le mot «couvent» s'était lentement mais sûrement substitué à celui de «pensionnat». Elles n'avaient pas discipliné leur esprit, leur conduite et leurs émotions avec moins de piété que celle qui animait les sœurs. Une réalité confuse leur apparaissait fugacement: elles étaient déjà, à leur manière, des «petites sœurs».

Au moment où, enfin, la mère supérieure leur dit «Allez en paix, mes enfants, et bonnes vacances», Éliane, Gertrude et Luce n'avaient en tête qu'une seule vision: leurs retrouvailles dans l'Île-aux-fleurs-de-mai.

Voilà qu'elles étaient enfin libres pour un été. Libres, mais différentes – tellement différentes!

La voiture du docteur Varin était toujours en marche quand les trois cousines s'en expulsèrent. Sur le perron de la maison du docteur, un comité d'accueil aussi improvisé qu'inattendu, constitué des cousins Savard et Varin, sautillait et criait:

— Vive nos trois plus belles! Bon retour à la maison! Bienvenue chez vous!

Sous les applaudissements de l'assistance, Éliane, Gertrude et Luce durent se rendre à l'évidence: elles leur avaient manqué. Et cette agitation bruyante – bien loin des chants grégoriens du pensionnat – n'était pas pour leur déplaire. Un frère de Luce lança une poignée de confettis ; un petit-neveu l'imita et jeta deux ou trois cailloux aux pieds d'Éliane.

Les mamans avaient préparé assez de beignes et de gâteaux pour soutenir un siège et tous se dirigèrent vers quelques tables dressées dans le jardin. Pour ne pas être en reste, Alphonse Savard, aidé de ses fils, se fraya un chemin jusqu'à la table d'honneur de la fête pour y déposer des bouteilles de bière d'épinette, des millefeuilles, des éclairs au chocolat et des « petits cochons » faits de guimauve recouverte de chocolat.

La fête battit gaiement son plein pendant tout l'après-midi. Si les jeunes filles en avaient long à raconter sur leurs dix mois loin de Sainte-Claudine, elles comptaient tout autant de mois d'actualités à rattraper, dont le fil fut remonté avec verve et brio par leurs parents. Les cousines retrouvèrent vite l'atmosphère de leur village, qui leur fit bientôt tout oublier de celle du couvent, en même temps qu'elles recouvraient une liberté d'expression qui leur avait si cruellement manqué. Points de mire de la joyeuse assemblée, elles ne se firent pas prier pour relater leurs expériences de couventines :

— Quel spectacle de voir toute cette file d'élèves attendre leur tour pour se faire épouiller ! se remémora Luce, les yeux ronds.

— Moi, enchaîna Gertrude, le samedi après-midi, j'aurais fait n'importe quoi plutôt que de frotter une paire de souliers !

Éliane, elle, remisa durant quelques minutes ses principes de charité chrétienne pour régaler l'auditoire de quelques histoires glanées dans les longs couloirs du couvent :

— Vous ne pouvez pas vous imaginer à quel point la petite Cossette a mauvaise réputation, et cela même si elle fréquente l'école publique, de l'autre côté de notre pensionnat. Vous savez bien, Pauline, des Cossette du troisième rang. (Murmures d'assentiment.) Figurez-vous que cette petite dinde est tombée amoureuse du fils du concierge, puis de l'enfant de chœur. Même qu'elle lui faisait passer clandestinement des lettres d'amour ! On raconte même qu'elle s'est sauvée avec lui dans un bosquet, derrière le couvent et que, prise sur le fait, la maîtresse de discipline l'a menée en la tirant par l'oreille jusque dans les combles, au quatrième étage, pour l'y enfermer, à côté des poches de patates. Et savez-vous qui l'a sortie de là ? Je vous le donne en mille : Gertrude ! Et la supérieure l'a approuvée. Même qu'elle l'a félicitée !

Ces trois petites images pieuses étaient revenues à leur vraie nature : celles de moulins à paroles, de jeunes filles espiègles et insouciantes. Elles ne tardèrent pas non plus à convenir d'un rassemblement à l'Île-aux-fleurs-de-mai. Les fleurs sauvages de la fin juin leur souhaitèrent la bienvenue, par un bel après-midi ensoleillé. Luce s'occupa de repeindre le ponceau, Gertrude de chauler les pierres et Éliane d'émonder les arbustes. Une fois remise en beauté, l'île fit germer en elles un projet grandiose.

Au couvent, lors des visites du dimanche, les cousines avaient entendu parler de la pauvreté qui était le lot de certaines familles de leur village. Pendant les cours d'histoire, les religieuses leur avaient tracé le portrait du krach boursier et de la grande crise qu'il avait engendrée. De retour au village, la pratique se substituait à la théorie et elles pouvaient voir sur place, *chez elles*, les effets de la crise. Une vente aux enchères organisée par le curé, au centre du village, et à laquelle les gens des paroisses environnantes avaient été invités, leur avait permis de distinguer, çà et là dans la foule, quantité de « quêteux ». Le spectacle de ces personnes démunies alimentait aujourd'hui leur discussion.

— Au couvent de Montréal, dit Gertrude, où la cousine de mon père est supérieure provinciale, il y a une société qui s'appelle la Saint-Vincent-de-Paul, qu'une religieuse a fondée avec un groupe d'élèves. Ses membres recueillent des vêtements usagés, les lavent, les raccommodent et les donnent aux pauvres.

— Pourquoi ne pas en faire autant ici, dans notre village ? demanda Luce.

— C'est une bonne idée, dit Éliane. À nous trois, on pourrait recueillir pas mal de linge, de souliers, de jouets, et pourquoi pas de la nourriture que nous distribuerions aux plus pauvres.

— Je marche ! clama résolument Gertrude. Et je vous annonce que nous disposons même d'un entrepôt : ma chambre !

Aussitôt l'idée lancée, les cousines retroussèrent leurs manches et s'activèrent. Luce dressa d'abord une liste des « gens à l'aise », dont Éliane ordonna les noms selon un itinéraire méthodique et commode, d'ouest en est du village.

Gertrude se promut la buandière du groupe, Éliane, la couturière, tandis que Luce se chargea de regrouper les pièces recueillies en fonction des besoins identifiés par leurs mères. Après avoir avisé les paroissiens de leur grand projet, par un avis affiché sur la porte de l'église, les jeunes filles se firent « bonnes quêteuses ».

La première récolte s'avéra mince, pour ne pas dire décevante; les petites soulevaient sur leur passage davantage de scepticisme que de générosité, et les remarques désobligeantes fusaient:

— Qu'est-ce que vous comptez faire, mes belles petites filles, avec ce qu'on met dans votre panier?

— C'est comme ça que vous allez passer l'été, mes petites chéries? À faire du porte-à-porte comme des quêteuses?

— Franchement, les enfants, vous devriez vous trouver un autre jeu!

Au bout de quelques accueils plus ou moins charitables, les filles tinrent un bref conciliabule.

— Si on demandait à monsieur le curé de nous donner un coup de main? suggéra Gertrude.

— Pour quêter avec nous? demanda Luce, l'air étonné.

— Mais non... Pour le prier de dire un mot en chaire pour promouvoir notre initiative.

Les deux autres opinèrent énergiquement du bonnet, et toutes se hâtèrent d'aller cogner au presbytère, où le curé accueillit ces trois fébriles jeunes filles avec une expression amusée.

— Non, mes petites, dit le curé, quand il fut informé de l'objet de cette démarche singulière. La chaire n'est pas l'endroit approprié pour en parler. Toutefois, je dirai à mon bedeau d'annoncer votre projet de guignolée sur le perron de l'église, après la grand-messe. Arrangez-vous pour vous camper à ses côtés quand il fera sa criée.

L'homme d'église marqua une pause avant d'incliner légèrement la tête et de complimenter le trio :

— Les sœurs de Trois-Rivières vont être fières de vous !

Luce se lissa nerveusement les sourcils et fendit son visage d'un large sourire, convaincue que cette publicité inespérée constituerait la genèse d'une fabuleuse entreprise. Éliane, elle, se disait qu'elle était beaucoup trop timide pour se tenir aux côtés du bedeau et attirer autant d'attention sur sa personne. Seule des trois à n'avoir pas perdu l'usage de la parole, Gertrude remercia chaleureusement le curé et l'assura qu'elles seraient fidèles au rendez-vous et talonneraient le bedeau le dimanche suivant.

C'est peu dire que l'annonce du projet aux paroissiens, après la grand-messe, fit sensation. Cautionnée par l'autorité religieuse du village, cette guignolée gagnait en crédibilité et prenait une dimension plus officielle. Le père d'Éliane fournit cheval et voiture, et les trois quêteuses entamèrent leur tournée. Dans les rangs, elles visitèrent chaque famille pour demander des vêtements usagés ou devenus trop petits. Une cueillette s'avérait, ici et là, moins brillante, car il était fréquent que les mères recousent les habits de l'aîné pour vêtir le suivant, et ainsi de suite, le même morceau de linge servant successivement à tous les enfants, jusqu'au petit dernier... neuvième, douzième ou quinzième du lot !

Les jeunes filles acceptaient tout sans rechigner : vêtements, jouets, denrées. Les dons étaient aiguillés chez Gertrude, où un comptoir avait été dressé pour déposer le contenu des sacs. C'est là qu'elles triaient le linge, dont une certaine partie était apportée chez Éliane pour être lavé ; les vêtements nécessitant des réparations étaient pour leur part répartis entre les trois mamans, qui marquaient ainsi leur soutien pour la bonne œuvre de leurs filles.

Début août, elles sollicitèrent le concours du curé, qui consentit à libérer un coin du presbytère pour entreposer le trop-plein de leurs cueillettes, que la maison du docteur Varin ne suffisait plus à contenir. Le curé dressa alors une liste de « gens dans le besoin » et les cousines organisèrent leur programme de distribution. Elles prirent autant de plaisir à rendre visite à « leurs pauvres » qu'elles en avaient pris à recueillir les dons qu'elles leur offraient. Joyeuses, vivantes, pimpantes, Éliane, Gertrude et Luce amusaient les enfants en les entraînant dans des jeux et en leur racontant des histoires. Pour les parents, cette visite providentielle fit l'effet d'une éclaircie dans une existence dure, où le mot «cadeau» ne figurait pas au vocabulaire.

En deux mois, elles mirent sur pied à Sainte-Claudine ni plus ni moins qu'une petite société de Saint-Vincent-de-Paul – œuvre qui serait éventuellement poursuivie par des aînés au moment où elles repartiraient pour le couvent, en septembre. En fait, pendant les vacances, elles s'engagèrent avec tant d'intensité dans leur mission qu'elles en perdirent totalement la notion du temps. Outre leur œuvre, les activités ne manquaient pas: elles participèrent à la récolte des petits fruits, préparèrent des confitures, ramassèrent les légumes du potager et firent des conserves. Un été à Sainte-Claudine ne pouvait s'imaginer sans ces gestes, rituels qui contribuaient à garder les cousines bien enracinées dans leur communauté.

Dès le début des vacances, Éliane demanda à son père de lui inculquer les rudiments de la comptabilité, afin qu'elle puisse acquérir l'expérience des affaires et suivre l'évolution de «ses grandes entreprises». Son initiation se déroula avec bonheur; elle développa rapidement un goût certain pour les livres de comptes et le calcul des dollars. Les chiffres ne lui suffirent pas: elle se mit aussi aux lettres, en commençant à tenir un journal quotidien. Lors des visites à l'île, elle l'apportait avec elle et ses deux complices l'aidaient alors à se remémorer les événements de la journée dont elle couchait le récit sur papier.

Après la messe du matin, les cousines se retrouvaient généralement chez le docteur Varin, lieu de ralliement où elles déjeunaient et planifiaient le programme de leur journée. Désormais adolescentes, elles discutaient volontiers avec le docteur, qui prenait plaisir – sans mettre à mal le secret professionnel – à leur raconter les histoires vécues par certains de ses patients. Plusieurs concernaient des filles-mères, dont le sort touchait tout particulièrement Éliane. Elle se sentit presque exaltée d'apprendre, toujours par son oncle, que des bénévoles venaient en aide à des « délinquantes » dans certains villages de la région. De ces filles démunies, certaines étaient tombées enceintes. Les bénévoles s'employaient à les épauler dans ces moments pénibles ; d'autres femmes généreuses aidaient discrètement des mères nécessiteuses. Le plus souvent, les bébés de ces délinquantes étaient placés en adoption par l'entremise du Placement familial. Des travailleuses sociales se chargeaient de trouver de bonnes familles pour prendre soin de ces jeunes personnes dont la vie avait si mal débuté.

Cet été-là, le journal d'Éliane fut souvent le confident de réflexions bien senties sur ses délinquantes, même si les mots pour le dire jaillissaient avec peine de sa plume. C'était maintenant de jeunes filles aux pensées d'adultes que l'île, témoin de leurs passe-temps, entendait s'exprimer sur les problèmes du monde et sur ce qu'elles pourraient faire pour aider à les résoudre.

La fin des vacances leur apparut brusquement, comme un coup qu'elles n'avaient jamais vu venir. Le discours de la supérieure leur revint alors en mémoire et elles se posèrent toutes les trois la même question : avaient-elles observé ses recommandations ? Elles avaient récité le chapelet quotidien ; assisté presque tous les jours à la messe, à la grand-messe et aux vêpres le dimanche, et mis sur pied une petite société de Saint-Vincent-de-Paul. Mais elles devraient confesser un secret : elles s'étaient aussi bien amusées, car outre les pique-niques répétés dans leur île, elles avaient aussi joué au tennis, un sport qui les avait révélées à elles-mêmes.

Elles jouaient à deux ou trois, et parfois même en double lorsque Luc, le fils du notaire, faisait équipe avec Gertrude. Quand cette dernière disputait un simple avec Éliane, Luce « courait les balles » pour les joueuses – un exercice qui, selon elle, la réchauffait en vue du match qu'elle livrerait à la gagnante. Les trois cousines étaient d'égale force : Éliane puisait la sienne dans sa concentration, Gertrude, dans son calme, et Luce, dans sa rapidité. De temps à autre, elles s'arrêtaient pour retrouver leur souffle ; c'était alors l'occasion de souligner leurs bons et mauvais coups. Au terme de chaque partie, elles échangeaient sur la satisfaction que procurait une bonne frappe en plein milieu de la raquette, un revers bien réussi, ou encore un retentissant *smash* au-dessus du filet. C'était, selon les termes précis de Gertrude, « une seconde d'absolu plaisir ». Le tennis représentait pour elle une leçon d'humilité, de ténacité, en même temps qu'un formidable exercice de concentration. Peu importait le résultat de leurs efforts, elles quittaient tous les jours le court en se promettant d'être meilleures le lendemain.

Mais voilà : on en était à la dernière semaine d'août, et le tennis faisait partie, tout comme l'île, des plaisirs auxquels il fallait dire adieu pour les dix prochains mois.

— Ça m'ennuie de retourner en prison... dut reconnaître Luce. Tape-tape, le signal ! Allez, en rang ! Tape-tape, le signal !

— Je n'aime pas devoir remettre le moindre objet personnel à la maîtresse de discipline, enchaîna Éliane. C'est une pitié de n'avoir qu'un peigne, des serviettes et un bol. Une cellule vide, avec rien à soi dedans. Obéir, ça me va, mais j'accepte mal qu'on m'enlève les choses qui m'appartiennent.

— Moi, dit Gertrude, le règlement, ça ne me dérange pas. Mais je commence déjà à m'ennuyer de maman et de papa. Je me sens si seule au pensionnat ! Bien sûr, vous êtes là, vous deux, mais on ne peut pas tout se dire comme on l'a fait pendant l'été...

Luce soupirait profondément :

— L'*Angélus*, le *Credo*, le *Sub Tuum*, le *Confiteor*... Pour moi, c'est comme du chinois appris par cœur. Si un seul mot m'échappe, je perds tout le reste dans la brume...

À leur grande surprise, le retour à la vie de couventine ne leur pesa pas tellement et elles ne regrettèrent pas trop la grande liberté des vacances. Éliane et

Gertrude reprirent leurs instruments de musique, négligés pendant l'été. Elles étaient maintenant finissantes du cours complémentaire tandis que Luce faisait son entrée chez les grandes.

Le premier trimestre de cette nouvelle année fut fait d'activités inédites et stimulantes. Dès le début d'octobre, on confia aux cousines la responsabilité d'organiser la fête de la Sainte-Cécile, qui avait lieu le 22 novembre. Pour l'occasion, Gertrude écrivit un petit scénario racontant l'histoire de la sainte et Luce se chargea des décors. Le privilège d'interpréter le rôle de la sainte revint tout naturellement à Éliane, à cause de sa longue chevelure. Ce coup d'essai théâtral fut une réussite, d'autant plus agréable pour les jeunes filles qu'elles avaient pu y contribuer ensemble.

Le clou de l'automne fut la mise sur pied, avec l'aide de sœur Marie-Paule-de-Rome, d'une société de Saint-Vincent-de-Paul. Forte de leur expérience de l'été, les trois cousines se comportèrent en vieilles routières. Chaque équipe, formée de trois couventines, fut associée à une famille pauvre de la ville, qu'elle visitait tous les quinze jours.

Début novembre, Luce eut l'idée d'organiser une chorale d'enfants pauvres. Durant la première semaine, sœur Marie-Paule-de-Rome inscrivit douze enfants; durant la seconde, dix-huit. La répétition hebdomadaire de cette chorale offrait le merveilleux spectacle de ces enfants heureux mais dépenaillés, aux frimousses émouvantes. De ces petites bouches, parfois édentées, sortaient des cantiques de Noël aux intonations souvent maladroites, mais qui touchaient tous les cœurs. Le 23 décembre, la chorale, dirigée par Luce, s'exécuta devant le gotha du couvent, les élèves et les parents des enfants, qui applaudirent les jeunes artistes sans égard pour l'impression de cacophonie qui émanait de l'ensemble. Subjuguée, la directrice de la chorale n'aurait pas été plus émue si elle avait conduit le chœur d'une grande cathédrale.

La fréquentation de familles pauvres, tant à Sainte-Claudine qu'à Trois-Rivières, et l'attitude des religieuses face aux différentes classes sociales de leurs élèves fournirent aux trois cousines de riches motifs de discussion…

— Je ne comprends pas, dit Gertrude, comment les sœurs peuvent à la fois nous inciter à l'esprit de partage et à l'amour des pauvres quand elles établissent une telle distinction entre les élèves riches et celles des familles plus modestes. Vous comprenez, vous ?

— D'une certaine façon, oui, dit Éliane. Prends par exemple ta famille, Gertrude. Parce que ton père est médecin, vous êtes portés sur la main. On vous respecte, on vous traite bien partout dans le village. Compare ta famille à celle des Saint-Onge, les pauvres du deuxième rang, en bas de la côte… Ils n'iraient jamais prendre place dans votre banc, à l'église. Bien au contraire, ils préfèrent s'effacer pour vous laisser passer sur le trottoir. Je suis d'accord avec toi. Les sœurs nous répètent *ad nauseam* que nous, les pensionnaires, sommes l'élite de la société. Valons-nous plus que les autres ? Je me permets d'en douter !

— C'est vrai que dans la société, reprit Gertrude, certaines personnes imposent davantage le respect que d'autres, de par leur scolarité ou leur fortune. Mais ici, à l'intérieur de ces murs, les différences de classes ne devraient pas exister. Et pourtant, elles existent bel et bien !

— Je crois que je devine le fond de ta pensée : les sœurs ne tiennent pas à ce que les pensionnaires des familles bien nanties se mêlent aux autres...

— C'est un peu ça. Je pense qu'elles sont poussées à agir ainsi pour des raisons moralistes. Mais je ne serais pas capable de bien vous les expliquer.

— C'est drôle, observa Luce, jusqu'à tout récemment, je n'avais pas remarqué que les élèves externes avaient leurs classes à des étages différents des nôtres. Pis encore, quand les externes descendent, les sœurs prennent soin de fermer les portes aux étages des pensionnaires. Elles désirent fermement éviter que nous ayons des contacts avec celles qui fréquentent le monde.

— Puisqu'on parle de différences, pensez aux dortoirs et, si vous me permettez, à la ségrégation qu'on y fait régner entre les petites et les grandes... Les petites n'ont pas le privilège d'être isolées par des rideaux, tandis que les grandes dorment dans des cellules séparées les unes des autres par des draps. Des différences, il y en a partout, à tous les niveaux. C'est normal...

— En tout cas, reprit Luce, toujours sensible à l'injustice, ce n'est pas normal que les grandes des familles modestes dorment dans le dortoir sans rideau.

— Luce a raison, dut convenir Éliane. Comme si ça ne suffisait pas, elles doivent compenser leur maigre pension en faisant du ménage ou en lavant la vaisselle.

— Bon, ce n'est pas bien, admit Gertrude, mais je pense que le couvent est le reflet de la société…

Pour les trois cousines, la deuxième année dans l'établissement religieux se passa encore mieux que la première. Cette vie dominée par les règlements devint pour elles comme une seconde nature; l'obéissance, un automatisme. Au deuxième semestre, sous l'influence joyeuse de Gertrude, Éliane et Luce joignirent les rangs d'une petite troupe de théâtre qui montait des pièces édifiantes sur la vie des saints.

À la fin novembre, Luce, d'ordinaire si vivante, si remuante, perdit de son éclat et de sa vigueur. Constatant sa grande fatigue et son manque d'entrain, la maîtresse de discipline la fit admettre à l'infirmerie où l'on découvrit que sa glande thyroïde était la cause du problème. Elle y resta tout un mois au cours duquel les religieuses la gâtèrent, ainsi qu'elle le relata à ses parents dans une lettre:

Je suis chouchoutée. Sœur Louise-Marie, l'infirmière, me prépare des repas spéciaux, que je prends avec le concierge, ce qui me permet de parler à table. Et de parler avec un homme, qui plus est! Mère supérieure vient souvent me rendre de petites visites, comme vous le faites à la maison, maman, quand je suis grippée. De plus, comme Éliane aide à l'infirmerie, je peux la voir tous les jours.

Il arriverait éventuellement aux deux autres cousines d'avoir à séjourner à l'infirmerie durant un certain temps; toutes trois se rappelleraient leur vie durant, avec nostalgie et bonheur, de ces moments particuliers où les religieuses les avaient soignées avec compassion, savoir-faire et patience – comme des mères.

Éliane et Gertrude achevèrent leur complémentaire en beauté, se classant respectivement première et deuxième, comme toujours. Avant la fin du «petit pensionnat», le docteur Varin incita sa fille à poursuivre ses études en l'inscrivant au primaire-supérieur, un cours de trois ans. Comme on devait s'y attendre, Éliane la suivit.

Les programmes quotidiens, hebdomadaires et mensuels de ce cours étaient composés d'activités scolaires, religieuses, artistiques et récréatives, toujours accompagnées d'une surveillance rigoureuse, quoique plus discrète du côté des grandes. Les trois années du primaire-supérieur se déroulèrent donc dans la continuation des deux années du cours complémentaire. Plus que jamais, les jeunes filles vivaient dans le respect des principes que les religieuses leur avaient inculqués dès leur arrivée au pensionnat.

Au terme de cinq ans de vie de pensionnaire, diplôme en main, Éliane, âgée de dix-sept ans, pria son père de lui accorder un temps d'arrêt qu'elle désirait employer à réfléchir. Ce dernier respecta la volonté de sa fille, devinant que celle-ci s'interrogeait sur sa vocation religieuse. Elle aussi diplômée, Gertrude l'imita, mais sans être préoccupée par les mêmes graves questions que se posait sa cousine.

La cadette avait encore un an d'études devant elle, mais ne pouvait s'imaginer la vie au couvent privée de la présence de ses aînées. Par un curieux effet de réaction en chaîne, elle se mit bientôt en tête de prendre elle aussi congé du pensionnat, prétextant vouloir donner un coup de main à sa famille, qui comptait douze enfants. Pour tout dire – et Luce se garda bien de l'avouer aux religieuses ! –, c'est l'attrait des travaux de la ferme et du jardinage qui motivait cet impérieux retour aux sources. Octave, son père, s'opposa net à la décision de sa Puce devenue grande : une Varin n'abandonnait pas ses études, à plus forte raison si une année la séparait de son diplôme. Après d'âpres négociations entre les deux parties, un compromis fut trouvé : Luce poursuivrait son cours au pensionnat, mais en qualité d'externe, et logerait chez une cousine de sa mère, à proximité du couvent.

En cinq ans, c'est peu dire que l'apparence des jeunes filles avait changé. Entrées au pensionnat au début de l'adolescence, elles en ressortaient presque femmes. Gertrude atteignait maintenant cinq pieds et demi et, sans qu'on pût la taxer d'obèse, était un peu enveloppée. Luce l'avait dépassée d'un pouce et affichait toujours sa taille de guêpe, conséquence de sa perpétuelle activité. Éliane avait peu grandi ; on eut dit que sa croissance s'était freinée en passant la barre des cinq pieds et deux pouces, et cela valait aussi pour son poids : pas plus qu'auparavant la graisse ne trouvait de prise sur sa petite ossature.

Le trio, naguère véritable tornade, déplaçait aujourd'hui moins d'air dans son sillage. Sans être nonchalantes, les cousines affichaient moins d'enthousiasme que par le passé. Les deux aînées s'abîmaient souvent dans des songeries qui tranchaient avec leur vitalité d'antan. Luce avait perdu une part de sa spontanéité et de sa fougue. Elle se déplaçait moins vite ; parlait plus posément. Quand elles se trouvaient réunies dans leur chère Île-aux-fleurs-de-mai, leurs échanges n'avaient plus rien du charmant coq-à-l'âne d'autrefois. Les silences se faisaient plus nombreux et plus longs ; les sujets de conversation, sans être austères, prêtaient moins à rire.

L'enfance heureuse et insouciante avait fait place à l'adolescence, avec tout ce que ce cap laisse supposer d'inquiétudes, de surprises, d'interrogations. Dans cette délicate transition entre l'enfant et la femme, chacune réagissait de manière fort différente. Pour Gertrude, le passage se faisait sans encombre. Elle devenait une femme sans trop s'en rendre compte, son esprit tout entier à l'art et la littérature, où sa sensibilité trouvait des terrains privilégiés qui lui permettaient de mieux comprendre et aimer les êtres qui l'entouraient.

Pour Éliane aussi, l'enfance et l'âge adulte se liaient plutôt aisément, mais son avenir était ombragé par d'innombrables questions sur l'autonomie, la liberté, l'amour, l'argent, sa carrière et, bien sûr, sa relation avec Dieu – autant de questions auxquelles elle ne se sentait pas apte à répondre. La plus lourde de toutes concernait son avenir : que lui réservait la vie adulte ? Ses modèles oscillaient entre les images d'une mère pieuse et d'un père prospère et dominant. À quoi ressemblerait bien la femme sur le point d'éclore en elle ?

Quant à Luce, la peur de l'âge adulte ne la taraudait pas, et aucune question existentielle ne venait ternir le cours de ses jours. Un seul mot aurait pu suffire à résumer son état d'esprit : hâte, hâte de vivre une nouvelle étape. Dès l'âge de onze ans, Luce s'était découverte une attirance pour le sexe opposé, et cette inclination avait crû avec les années. Faute de ne pouvoir côtoyer aucun garçon hormis ses frères, il lui arrivait de s'imaginer qu'elle en fût elle-même un, et elle appréciait cette sensation que lui procurait son esprit fécond. Si elle aimait l'amour, en revanche, elle n'avait jamais connu aucune amourette. Peu à peu, elle prit conscience de son instinct sexuel et comprit qu'elle devenait femme. Cette lente métamorphose la fit alors réfléchir sur l'amour, le mariage, le célibat qu'imposait la vie religieuse. Elle savait qu'il existait pour elle une seule façon de s'accomplir : en aimant – en aimant tout et tous. Luce aurait voulu connaître tous les chemins qui s'ouvraient devant elle afin de pouvoir choisir où s'accomplir le mieux dans cet amour immense que lui inspirait le monde.

Le 1ᵉʳ septembre 1937 marqua pour Luce le début de sa vie d'étudiante externe. Elle avait déjà connu au couvent la discrimination entre élèves riches et pauvres, et elle avait vu la différence dans l'accueil qu'on réservait aux externes et aux pensionnaires. Maintenant, elle était à même de vérifier les présomptions dont elle avait discuté avec ses cousines : les externes – qui suivaient à peu de chose près les mêmes études que les pensionnaires – formaient bel et bien un univers à part, que les religieuses tenaient délibérément à l'écart des couventines, de peur que celles-ci soient contaminées par l'esprit du monde extérieur. Il leur était donc interdit d'adresser la parole aux externes, d'accepter par leur intermédiaire toute chose quelle qu'elle soit ou de s'amuser avec elles (les deux groupes avaient leurs cours de récréation respectives). Par conséquent, Luce ne pouvait revoir ses grandes amies de l'année précédente que dans la salle de cours où, bien entendu, il était hors de question de faire causette.

Après la classe, elle se sentait isolée, avec pour seule présence humaine la vieille cousine qui l'hébergeait. Jusqu'au moment où elle fit la connaissance de Benoît, externe au Séminaire de Trois-Rivières, grand garçon à la crinière blonde dont une large mèche retombait sur le front, accentuant le contraste avec ses prunelles d'un brun profond. Ne se privant guère de détailler les charmes de son nouvel ami, Luce trouva tout particulièrement sensuelle sa fossette au menton.

Un hasard soigneusement programmé les mit régulièrement en présence l'un de l'autre : d'abord à l'épicerie, puis au parc et enfin dans le Vieux-Trois-Rivières. Leurs conversations s'allongèrent et se diversifièrent, tout comme les itinéraires de leurs promenades. Leurs mains en vinrent bientôt à se joindre, premier contact qui atteignit Luce de plein fouet dans son corps, et auquel elle surenchérit en accentuant sa pression sur la main de Benoît. Quelques jours plus tard, elle osa tenir le bras de Benoît sur son flanc ; il la saisit par la taille. Bien vite, ils prirent goût aux longues balades durant les soirs d'automne, quand le jour tombe de plus en plus tôt. À la faveur de l'obscurité, leurs sens s'échauffaient à la promesse de plaisirs défendus.

Benoît révéla à Luce la femme qui sommeillait encore en elle et la fit s'embraser d'un feu inédit. Elle ne vivait plus que dans l'espoir de revoir Benoît, que par le désir de le toucher, de le sentir pressé contre elle. L'approche de cette rencontre quotidienne l'électrisait. Les baisers, de plus en plus prolongés, la jetaient dans une exaltation qu'elle n'aurait jamais cru connaître un jour.

Un soir, dans le parc flanquant la cathédrale, l'amoureux de Luce mit plus de temps que d'habitude à la rejoindre. Seule sur son banc, elle laissait chaque minute faire germer en elle des raisons sans cesse plus dramatiques expliquant le retard, puis l'absence de Benoît. Le lendemain, elle fit face à la même attente interminable. Le surlendemain, elle aperçut enfin sa silhouette, qui prit un temps infini à s'approcher. Toute à sa joie de le retrouver, Luce ne fut pas sensible à certains signes qui auraient dû l'alerter : Benoît était muet, réservé, peu expansif. Soudain, il la saisit pour l'embrasser passionnément, et Luce chavira dans une autre dimension, comme si on l'avait projetée en orbite autour de la Terre, dans une bulle d'euphorie. Puis, Benoît lui prit lentement la main, caressa ses doigts ; il n'avait toujours pas prononcé un mot. Réintégrant doucement le monde réel, Luce commença à se questionner sur le comportement singulier de son amoureux. Il y eut un regard profond, soutenu, puis une longue inspiration, et enfin le ressac chaud de son souffle réchauffa son cou, porteur de deux phrases brèves, insupportables crève-cœurs :

— C'est notre dernier baiser. J'ai pris la décision d'entrer chez les oblats.

Une fois la glace brisée, la suite vint plus aisément. Il lui expliqua que son « idée était faite » depuis quelques mois, mais que leur rencontre avait chambardé ses plans. Ces derniers jours, il s'était repris en main et avait résolu de poursuivre son itinéraire initial. L'œuvre des missionnaires oblats de Marie-Immaculée correspondait à ses attentes par le large éventail de son apostolat : prédication, éducation, pastorale, missions en terres étrangères, aumôneries d'hôpitaux et de prisons.

La brusque fin de ce premier amour agit sur Luce comme une fin du monde – une apocalypse confidentielle, dont elle était la seule à faire les frais. Ses traits adoptèrent l'impassibilité d'une statue et son cœur, la sécheresse d'un désert désolé. Elle n'était ni choquée ni irritée : elle n'était plus rien du tout.

Son abattement sentimental dura des mois entiers. Luce ne savait comment peupler sa solitude, comment remédier à cet abandon ; elle n'osa même pas confier son chagrin à ses cousines. Elle connut la pire souffrance de sa jeune vie : le lancinant sentiment que Benoît était à la fois présent et absent de sa vie, pour toujours.

De son côté, Gertrude vécut une merveilleuse année dans sa famille, se délectant des beaux livres d'art de son père et de la dernière cuvée des romans français et canadiens. Elle avait souffert de ne pouvoir lire tout son soûl au couvent, et était consciente que le plaisir de la littérature lui échapperait sous peu, et de manière durable. De même, elle écouta immodérément ses musiques préférées, et particulièrement les œuvres de Mozart, Haydn, Boccherini et Vivaldi. Peut-être les plus belles heures de cette année sabbatique furent-elles celles qu'elle passa à jouer leurs airs préférés, sa mère au violon et elle au piano ?

S'étant procuré des livres sur la généalogie, elle retroussa ses manches et entreprit de dresser l'arbre des Varin, tâche qui la plongeait dans une absolue frénésie. Elle accueillait les patients, jouait au tennis avec Éliane, visitait la parenté avec sa mère, retrouvait au terrain de jeux du village d'autres filles et jeunes gens de son âge.

Un jour de mai, un jeune homme vint à sa rencontre, à la fin d'un match de tennis.

— Tu te souviens de moi ? Je suis Martin. Il y a six ou sept ans, on s'est vus de temps à autre au magasin général.

Prise de court, Gertrude plissa le front malgré elle, cherchant à épingler dans sa mémoire le jeune garçon qu'il devait être à ce moment-là. Martin vola à son secours :

— Je prenais les commandes téléphoniques et je faisais la livraison à bicyclette.

— Oui, bien sûr ! finit par s'exclamer Gertrude. Le petit Martin du bout du village… La bicyclette au gros panier. Tu avais l'air d'un petit gars, dans le temps…

— C'est comme ça… On change avec les années.

— Et qu'est-ce que tu as fait pendant tout ce temps-là ?

— J'ai fait trois ans d'études chez les clercs de Saint-Viateur.

La conversation s'anima. Il la reconduisit chez elle et lui demanda la permission de la rencontrer de nouveau. Ils se prêtaient des livres, puis en discutaient. Mais c'est d'un amour tout cérébral dont s'éprit Gertrude pour ce jeune homme.

Un jour de juin 1937 – elle avait maintenant dix-huit ans –, Martin l'accompagna à Trois-Rivières pour l'inauguration du parc Duplessis. À brûle-pourpoint, il la regarda bien au fond des yeux et lui fit cette demande surprenante :

— Gertrude, je veux que tu sois ma femme.

Une seconde lui suffit pour reprendre sa contenance et lui répliquer, presque du tac au tac :

— C'est impossible. Je vais entrer en communauté.

La détermination que Gertrude avait insufflée à sa réponse interdit au jeune homme d'insister. Elle persista pourtant à le voir, comme un bon ami, jusqu'à son départ pour le couvent.

Une période d'intense réflexion la fit se détacher peu à peu de ceux et celles qui l'entouraient. Elle approfondissait l'appel du Christ, appel dont elle se disait convaincue depuis l'âge de cinq ans. Sa résolution de devenir religieuse était prise depuis des années, mais elle avait respecté le désir de son père d'attendre ses dix-huit ans avant de dire adieu au monde. De nature accommodante en toute chose, cette attente ne constituait pas pour elle un sacrifice.

Tout comme Gertrude, Éliane avait décidé d'interrompre ses études afin de voir bien clair en elle-même et de prendre une décision irrévocable. Elle avait profité de ses premières semaines de liberté pour enrichir sa collection de timbres. Mais Éliane ne démontrait pas pour la littérature ou les beaux-arts le même appétit que sa cousine, et elle dériva bientôt dans une spiritualité qui frôlait la démesure, surtout pour une laïque. Elle continua de tenir son journal, mais celui-ci parlait davantage de vie intérieure et de ses élans vers le Christ que des menus faits de sa vie quotidienne.

Les conditions idéales s'étaient liguées pour faire de ces couventines des religieuses en herbe : une discipline rigoureuse, un attachement aux pratiques de la religion, une progression dans la dévotion, un détournement des choses du monde et l'édification d'une foi forte.

Au pensionnat, pépinière de religieuses, on avait vu en Gertrude, Éliane et Luce des porte-greffes. Les jeunes pousses pourraient-elles être repiquées avec bonheur ? En tout cas, les graines de la vocation étaient plantées, et celle-ci ne demandait qu'à s'épanouir sous le soleil du Seigneur.

Chapitre 3

Pourquoi ?

Le congé sabbatique de Gertrude fila à toute allure. Un an après avoir quitté le pensionnat, le moment vint pour elle de répondre au mystérieux appel entendu longtemps auparavant : « Viens et suis-moi. »

Un soir, après le repas familial, son père sentit le besoin d'éprouver sa résolution :

— Chère Gertrude, ce n'est pas facile, pour ta mère et moi, de comprendre ta décision. Toute une vie dans un couvent, c'est long ! Tu nous sembles pourtant avoir ce qu'il faut pour t'épanouir dans le monde…

— Je sais, papa : grâce à vous deux, je suis choyée. Je vous aime tellement ! Vous ne pouvez vous imaginer comme ça me fait mal de m'éloigner de vous. D'une certaine manière, c'est un non-sens que de se séparer délibérément de ceux qu'on aime le plus. Pour tout vous dire, ces derniers temps, je me demande si je serai capable de vivre loin de vous. J'en suis obsédée… C'est un renoncement, une déchirure presque physique…

— Comment peux-tu faire, sans jeu de mots, une croix sur les livres, la musique, les musées, nos échanges quotidiens ? Tout ton monde ! Est-ce que ça ne va pas te manquer? Si tu as besoin d'être valorisée par le statut de religieuse, alors je ne reconnais plus ma Gertrude. À mon avis, tu pourrais mener une vie dévote, comme tu l'entends, sans pour autant te séparer du monde. Est-ce que je me trompe?

— Besoin d'être valorisée? Pas du tout. Ma motivation est beaucoup plus simple: je réponds à l'appel de Dieu. Bien sûr, je pourrais fonder une famille, gâter mes enfants comme vous nous avez gâtés. Mais je ne veux pas m'arrêter à cette idée. Dès l'âge de cinq ans, j'ai entendu l'appel quand maman m'a expliqué, avec des mots d'enfants, que Dieu m'avait créée par amour. Je désirais déjà m'approcher de Lui. Vous vous souvenez, papa, quand nous partions, avec une sœur de la Providence, pour quêter? J'accompagnais la religieuse de porte en porte et je revenais à l'automobile avec les bras pleins de savons, de sucre, de denrées pour les pauvres. Déjà, je rêvais d'être sœur. J'avoue que son costume m'impressionnait. Il représentait un monde différent du mien, inaccessible, presque surnaturel. Je me suis sentie appelée. C'est la principale raison qui motive ma décision. Mais il y en a aussi une autre: j'ai envie de faire carrière, non pas à la petite école du rang, mais à un niveau d'enseignement supérieur. Pour cela, il me faudra étudier. Je ne vous cache pas que tante Blanche, votre sœur, y est pour quelque chose dans mon choix de communauté. Vous parliez d'épanouissement... N'a-t-elle justement pas l'air épanouie, elle?

— C'est vrai, elle l'est bel et bien. Mais revenons plutôt à ton cas. Tu sais que je peux te payer toutes les

études que tu voudras. Pourquoi n'irais-tu pas à étudier
à l'université pour ensuite me succéder ? « Je vous
présente le docteur Gertrude Varin, fille de Louis... »
Ta clientèle serait déjà toute faite. Dans un milieu que
tu connais bien, avec des gens que tu aimes.

— Je ne veux pas vous décevoir, papa, mais je
nourris un autre but : témoigner de Dieu en enseignant.
Pas par vanité ou pour le prestige, croyez-moi, mais
simplement parce que je prends plaisir à apprendre,
autant aujourd'hui qu'à mon entrée à la petite école
du rang. J'aimerais faire découvrir le plaisir de la découverte – celle de la lecture, par exemple. C'est d'une
motivation terrestre dont il s'agit ici. Puis, comprenez-
moi, je ne veux pas me marier, mais je veux encore
moins me retrouver vieille fille. Que me reste-t-il,
sinon devenir religieuse, faire mon cours classique et
poursuivre des études avancées ? Je veux accomplir
quelque chose de grand. Pas par ambition mais plutôt
par idéal, par désir de me surpasser. C'est vrai que je
pourrais étudier en restant dans le monde, mais je me
dois de répondre à l'appel du Christ. Me faire religieuse me permet de concilier ces deux aspirations.
Vous n'ignorez pas qu'il me sera plus facile de réaliser
mon rêve d'enseigner en devenant religieuse. La
communauté est l'encadrement idéal pour favoriser
une carrière d'enseignante.

Le père n'eut d'autre choix que de se rendre aux
arguments de Gertrude. L'idéal spirituel de sa fille
l'entraînait vers la vie consacrée, et il en était bien
conscient. Depuis des années, elle se cramponnait à la

même phrase : « Si tu veux être parfaite, viens et suis-moi. » Rien ne saurait entamer sa conviction : seule la vie religieuse lui offrait les moyens véritables de s'approcher du Seigneur.

Le choix de Gertrude se révélait pour elle d'autant plus évident qu'elle n'avait encore éprouvé aucune attirance particulière pour le sexe opposé – cela même si un prétendant avait déjà demandé sa main. Le temps de découvrir ce genre d'amour n'était pas arrivé pour elle, et peut-être ne se produirait-il jamais. Avant d'entrer au couvent, elle s'ouvrit d'ailleurs de cette question à la supérieure, qui lui répondit que c'était certainement là un indice supplémentaire de sa vocation.

Gertrude ne réfléchirait d'ailleurs que beaucoup plus tard, bien après son entrée au couvent, à l'épineux sujet du mariage. À quelques reprises, elle se ferait la remarque qu'elle aurait dû envisager plus sérieusement cette possibilité avant de se dire que, décidément, le monde ne répondait pas à ses aspirations et que le destin l'appelait ailleurs, près du Seigneur.

La pleine satisfaction de ses ambitions reposait à la fois sur la consécration religieuse et sur le service gratuit que la vie en communauté lui permettait d'offrir à travers l'enseignement. Les parents de Gertrude avaient toujours placé très haut l'exercice du bénévolat ; ils le pratiquaient d'un bout à l'autre de l'année par leur compassion à l'égard des patients du cabinet. Ce désintéressement, une idée qui s'accordait intimement aux vues de Gertrude, lui avait été transmis comme par hérédité. Pour elle, se dévouer s'accompagnait d'un désir de dépassement. Aussi, sa vocation semblait-elle s'être affirmée tout naturellement, entre autres par le spectacle de cet exemple concret et quotidien que lui offraient ses parents.

Gertrude s'apprêtait donc à joindre les rangs des sœurs des Saints-Anges. L'idéal des premières années allait-il durer ?

On savait Éliane profondément remuée par le récit des parcours de petites délinquantes placées dans des familles de Trois-Rivières. Mais son émotion atteignit un nouveau sommet lorsqu'elle entendit la bouleversante histoire d'un bébé de quelques jours déposé dans un panier et abandonné sur le parvis de l'église. Sur une couverture rose, on avait déposé un hochet en caoutchouc et un bouquet de marguerites. Recueilli par le curé, le poupon avait par la suite été placé dans une famille. Sitôt après avoir entendu cette histoire, Éliane, pour qui l'expression des sentiments n'était pas chose facile, courut à sa chambre se pelotonner dans son lit. Elle tentait d'imaginer la misère à laquelle un être en était réduit pour poser un tel geste, réflexe qui lui était devenu familier puisqu'elle était rompue aux récits de cas dramatiques observés par son oncle Louis dans le cadre de sa pratique.

Que des familles anonymes accueillent généreusement les enfants abandonnés par de malheureuses filles-mères déclencha chez Éliane une profonde réflexion sur la façon dont elle pourrait elle-même se rendre utile aux démunis. Apparemment, au dire de l'oncle Louis, bien au fait de la situation, il existait autant de manières d'aider que la misère humaine comportait de facettes : cécité, ventres affamés, pieds bots, becs-de-lièvre, femmes battues, enfants abandonnés ou maltraités. La liste de tous ces maux physiques ou psychologiques et de leurs victimes se déclinait à l'infini.

« Où me dévouer ? Et pour qui ? » se demandait-elle éperdument.

Gertrude lui avait suggéré l'enseignement, mais Éliane s'estimait trop timide et trop piètre oratrice pour affronter une classe. L'idée de partir en mission lointaine, en Afrique ou en Asie, comme sa tante, n'avait même pas effleuré son esprit. Le tempérament d'Éliane excluait toute fantaisie, tout imprévu, et ne pouvait s'accorder avec l'abandon d'un environnement familier et la privation totale de toute possession. « Pourquoi ne pas aider les jeunes délinquantes ? » pensa-t-elle. Avant toute chose, il lui fallait savoir où l'appelait son destin : fonder une famille ou devenir religieuse ?

Le premier choix ne l'attirait guère. Elle avait grandi auprès d'une mère soumise, ancrée dans son devoir de fidélité, qui n'était jamais à court de raisons pour excuser la conduite souvent répréhensible de son mari. Maintenant adulte, Éliane ne se méprenait plus sur la légèreté des mœurs de son père. Par des bribes de conversation en provenance de la chambre de ses parents, elle avait compris depuis un certain temps que son père dépensait autant d'argent qu'il en gagnait, buvait trop et négligeait les siens. Plus d'une fois Éliane avait entendu sa mère demander à son mari de justifier ses absences prolongées, sans jamais recevoir le moindre mot d'explication.

Éliane adorait cet homme d'une nature expansive, fantaisiste, explosive, même s'il n'était ni un bon époux ni un père modèle. Il était en somme tout ce qu'elle aurait aimé être : un homme fort et charismatique. Elle n'était jamais parvenue à l'approcher, à l'apprivoiser, à échanger avec lui. Cet homme dissipé et démonstratif était loin de sa nature à elle, si ordonnée en toute chose, prévoyante, maîtresse du moindre de ses propos et de ses gestes – une introvertie dans toute sa sobre splendeur. Cet être si différent d'elle excitait sa curiosité. Malgré cette relation filiale un peu boiteuse, père et fille s'aimaient. Deux mots d'Alphonse suffisaient pour qu'Éliane puisse prendre la mesure de toute la tendresse qu'il lui vouait, quand il l'appelait « ma Fifille ». Néanmoins, rien de ce que ses parents lui montraient du mariage n'aurait pu l'inciter à suivre leur exemple et à convoler en justes noces, du moins pas dans l'état actuel des choses.

À ce manque d'engouement pour le mariage s'ajoutait une parfaite absence de désir pour les hommes, ainsi que du désir de leur plaire. Elle ne possédait et ne portait aucune tenue affriolante, et n'affectait jamais le moindre comportement séducteur. L'idée ne l'effleurait même pas. Tout ce qui impliquait l'intimité entre un homme et une femme lui inspirait un profond dégoût; la pensée de l'amour physique et du plaisir lui répugnait. La virginité représentait pour elle la pureté, l'élévation de l'âme. N'avait-elle pas été consacrée à la Vierge à l'âge de trois ans? Pour Éliane, la chasteté était la seule issue possible. Quand des camarades du couvent lui avaient expliqué les «mystères de la vie», sa déception avait été proportionnelle à son aversion: immense. Elle avait en fait été si chavirée par ces révélations qu'elle s'était empressée d'aller à confesse.

Toutes ces considérations la plongèrent dans une profonde réflexion sur sa vocation religieuse. Toujours méthodique, elle dressa une liste d'arguments en faveur du couvent. En tête vint tout d'abord sa piété; puis, la vie de foi dans le Christ, que rendrait plus facile l'éloignement des futilités du monde extérieur; enfin, la fameuse phrase «Si tu veux être parfaite, viens et suis-moi» qui l'avait, tout comme Gertrude, interpellée, et qui ne cessait de s'imposer à son âme éprise d'absolu dans l'amour de Dieu. Portée à l'introspection, elle tentait de découvrir les motivations inconscientes qui se mêlaient peut-être à son idéal religieux. Qui était-elle et que désirait-elle vraiment? Dans sa recherche de la vérité, elle confia sa réflexion à son journal:

Devenir religieuse me conférerait un vernis social que je ne connaîtrai jamais en restant vieille fille. Le statut de religieuse me permettrait d'étudier et de démontrer à mes parents que je suis une personne hors du commun. Par ailleurs, comme la communication n'est pas chose facile pour moi, je pourrais rejoindre le monde entier par la prière. Ces aspects ne représentent certes pas le côté le plus sublime de la vie religieuse et je confesse une certaine honte en avouant ces motivations. Mais sœur Angéline ne m'a-t-elle pas cent fois répété que j'avais reçu l'appel ? S'il fallait que je n'y donne pas suite… Le simple fait d'évoquer cette possibilité me fait me sentir coupable, infidèle. Se pourrait-il que ce tissu de raisons soit le fruit de mon imagination et que je sois au contraire appelée à fonder une famille ?

Éliane tourna et retourna dans sa tête les arguments prêchant en faveur de son retrait du monde et ceux s'y opposant. Elle les ordonna même selon diverses classes d'ordres – logique, émotif, social, religieux – et, enfin, par ordre d'influence. Son instinct persistait à lui suggérer que des éléments échappaient à sa conscience. Au bout du compte, elle finit par dégager de son classement la raison qui revenait sans cesse : le désir de se consacrer aux laissés-pour-compte de la société. « Pour atteindre cet objectif, pensa-t-elle, je ne vois pas d'autre solution que d'entrer en communauté. »

Elle n'en était pas moins taraudée par l'envie de gagner des sous, de les épargner, de les consommer, de les partager – le bonheur de posséder. Elle se confia derechef à son journal :

Oncle Louis nous a parlé de ces femmes qui œuvraient au service social auprès des délinquantes. Pourquoi me priver d'un salaire alors que je pourrais être rémunérée tout en me dévouant ? Mais de quoi aurais-je l'air sans famille ? D'une vieille fille dont on se moquerait ?

Éliane avait développé une conscience aiguë de son physique, froid et sec, qu'elle avait hérité de sa mère. Son apparence la désolait au point qu'elle détestait se voir dans un miroir – secret dont elle n'aurait jamais osé s'ouvrir à personne. Le costume rehausserait son allure et, qui sait, l'aiderait peut-être à surmonter sa timidité. Elle soupçonnait que le prestige social rattaché au costume représenterait pour elle une sécurité psychologique bienvenue.

En revanche, il lui faudrait renoncer pour de bon au confort, du moins tel qu'elle était habituée à le connaître. L'idée de franchir ce passage de l'aisance au dénuement l'effrayait. La perspective de ne rien posséder en propre la faisait frémir. Avoir à se départir de ses possessions – sa garde-robe, ses livres, ses jouets, ses collections de timbres, de pièces de monnaie et d'insectes – était pour elle une terrible épreuve, difficilement surmontable. Quand elle jetait un regard panoramique sur toutes les choses qui meublaient sa chambre douillette, elle échappait des soupirs à fendre l'âme et se disait : « Je ne pourrai jamais m'en détacher. Tout ça est à moi ! » Éliane n'y aurait pas mis moins de forme si elle avait eu à laisser derrière elle un empire !

Des mois durant, elle fut en proie à une valse-hésitation, oscillant entre doutes et certitudes, avancées et reculs, joies spirituelles et sensations de désert. Le couvent ou le monde ?

Il était ardu pour elle de faire abstraction des pressions exercées à son endroit. On lui avait tant répété, au pensionnat, que la vie religieuse était supérieure à tout autre état qu'elle en était intimement convaincue. Au cours de sa première année d'études, une religieuse avait tracé à la craie deux chemins sur le tableau noir. Le premier était représenté par deux lignes nues, sans autre enjolivement. Le second était agrémenté d'arbres et de fleurs. Si la couventine décidait d'emprunter ce dernier, elle suivait sa vocation. Éliane se souvenait presque mot pour mot du laïus que leur avait ce jour-là servi la religieuse :

— Si vous êtes appelée à la vie religieuse et que vous ne suivez pas ce second chemin, vous irez en enfer. Et l'enfer est peuplé de personnes qui n'ont pas répondu à leur vocation.

Éliane avait été prise de panique et s'était alors sentie forcée de devenir religieuse.

— L'Esprit saint vous dira si vous êtes appelée à la vie religieuse, répétait sœur Angéline.

Bien des jeunes filles avaient par la suite entendu cet appel ; Éliane avait été l'une d'entre elles.

Son élan spirituel s'accompagnait d'autres justifications moins nobles. Sa famille ne comptait qu'une religieuse, et une seule personne donnée à Dieu ne suffisait pas. Sa propre mère était naguère entrée en communauté, mais n'y était pas restée. Éliane se sentait en quelque sorte obligée de racheter les aspirations ratées de sa mère – en somme, de se sacrifier. Mais cette notion de sacrifice, elle s'en rendait bien compte, se confondait avec la peur de l'enfer et le désir de s'approprier une place de choix dans l'au-delà.

De sa longue réflexion, Éliane dressa enfin une ultime liste, plus courte celle-là, de ses raisons essentielles pour entrer au couvent. Parmi celles-ci en figurait une, bien en évidence : obtenir la conversion de son père, qui ne pratiquait guère sa religion et qui menait peut-être une vie de débauche. Depuis déjà longtemps, elle priait pour qu'il renonce à boire et à courir les jupons. Elle ferait ainsi d'une pierre deux coups : assurer sa sanctification personnelle en même temps que celle de son père. « Une âme qui s'élève, élève le monde. » Son refus de consacrer sa vie à Dieu signifierait pour elle rien de moins que la chute de son père en enfer. Elle n'avait pas le droit de laisser se produire une pareille chose, car elle vivrait ainsi sa propre condamnation.

Luce avait ressenti la fin abrupte de son premier amour comme un coup de poignard en plein cœur. Devait-elle y voir une manifestation de la volonté divine ? Le choix de Benoît d'entrer en religion ne signifiait-il pas qu'elle devait envisager le même sacrifice ? S'ensuivit une douloureuse réflexion sur son avenir. Cette blessure qu'elle avait subie et dont elle n'avait pas encore absorbé entièrement le choc, n'était-ce pas l'appel ? Elle se mit à prier avec encore plus de ferveur qu'à l'accoutumée, ce qui n'empêchait tout de même pas ses prières d'être constamment entrecoupées de distractions. « Comment passer toute ma vie sans serrer un homme dans mes bras ? » se demandait-elle, avant de s'abstraire de plus belle dans la prière. Puis, pressant un oreiller sur sa poitrine, elle ressentait alors la chaleur du corps de Benoît quand il l'étreignait. Elle imaginait son haleine si fort qu'elle en venait à la respirer, comprimait ses propres joues en inventant les mains de Benoît, rêvait d'ardents baisers, s'entendait répéter des «Je t'aime» à l'infini. Elle aurait voulu ne jamais ressortir de ce rêve. Dès qu'elle replongeait dans la prière, Benoît ressurgissait.

Lors d'une communion, pendant le mois du Sacré-Cœur, elle éprouva la vive sensation que le Christ l'appelait – un appel qui la sortait de son être physique et la mettait dans un état d'esprit indéfinissable. En guise de réponse, elle murmura du bout des lèvres : «Peut-être...»

Ce fut à Gertrude qu'elle confia, pour la première fois, son intention encore incertaine d'épouser la vie religieuse :

— J'ai été amoureuse d'un garçon extraordinaire du nom de Benoît. M'entendre prononcer son nom me fait frissonner et me trouble en même temps. Il aurait été l'homme de ma vie, j'en ai la conviction. Je brûlais de me donner à lui. Bien des fois, j'ai pensé au mariage. Y as-tu déjà songé ? Vivre le grand amour pour le reste de ta vie ! Trois, six, dix enfants à mettre au monde et à regarder grandir avec ton homme. Tu vois, je suis toujours amoureuse de lui. As-tu déjà aimé, toi ? As-tu déjà senti ton cœur battre à tout rompre à la simple pensée d'une personne que tu aimes ?

— Moi ? Non. Je n'ai connu que l'amitié. Le mariage ne m'attire pas et ce n'est pas par peur des hommes que j'entre au couvent. Cependant, il me semble que, toi, tu ferais une bonne épouse et une bonne mère de famille. Si tu te voyais quand tu parles de Benoît... Tu resplendis !

— Ce fut un bonheur bien éphémère. La réalité me ramène maintenant à la même question : suis-je ou non appelée au couvent ? Le plus souvent, c'est oui. J'ai l'impression que je pourrais apporter davantage aux autres en devenant religieuse. Je ne sais plus. Tout est pêle-mêle dans ma tête. J'ai besoin d'en parler avec toi. Dis-moi, quand tu as pris la décision d'entrer au couvent, quel était ton désir le plus fort ? Te rendre utile aux autres, je suppose ?

— À vrai dire, Luce, je veux me donner au Seigneur depuis mon enfance. Pour moi, cela va de soi : l'appel, le goût de la prière, l'envie d'apprendre et d'enseigner.

— Moi, si j'entrais, ce serait pour me dévouer auprès des malades.

— Alors il existe peut-être pour toi un autre moyen de réaliser ton idéal. Pourquoi ne pas devenir infirmière dans le monde ?

— Je sais bien que je pourrais me dévouer tout en demeurant laïque... mais je ne veux sous aucun pré-texte me « ramasser » vieille fille. Pas moi ! Si je reste dans le monde, ce sera pour me marier.

— Donne-moi une bonne raison pour laquelle tu entrerais en communauté ? Réfléchis bien...

— Ce serait avant tout pour le service gratuit aux malades. Est-ce que cette réponse te satisfait ? Pour tout te dire, l'idée de la consécration religieuse m'attire assez peu. Tout cela est bien abstrait, bien mystérieux pour moi...

— Je te connais, Luce. Tu cherches une façon de te dépasser. Mais je ne peux pas trouver de réponse pour toi.

— Évidemment, je ne veux pas passer ma vie à me bercer sur le perron ! Je vais te dire, j'aimerais commencer mon cours d'infirmière. Que penses-tu de cette idée ? Je crois que papa et maman seraient fiers de leur Puce. Auprès des malades... comme mon parrain !

— En effet, ton père serait ravi de te voir œuvrer auprès des malades. Le mien, lui, aurait tant aimé que je suive ses traces !

— Je te le répète, Gertrude, l'idée de devenir infirmière m'enthousiasme beaucoup plus que la vie spirituelle.

— Tout comme pour moi le désir d'enseigner. As-tu songé à la réaction de ta sœur aînée, qui vient tout juste de quitter la maison pour se marier ? Est-ce qu'elle ne comptait pas sur toi pour aider ta mère avec ses sept enfants encore à la maison ?

— Je sais déjà qu'elle m'en voudra à mort de laisser maman toute seule avec la marmaille... Quant à maman, je ne sais trop comment elle réagira. Je sais, en revanche, qu'il est temps pour moi de lui en parler.

Lorsque la mère de Luce fut informée des intentions de sa fille, elle ne se départit pas d'un iota de son calme. En fait, loin d'être prise au dépourvue par cette annonce, elle voulut faire profiter sa fille de sa propre expérience :

— Je n'ai pas à te dire mon opinion : c'est ta décision. Au cours de mon noviciat, que je n'ai jamais terminé, j'ai entendu plusieurs novices répéter qu'elles étaient entrées sous les pressions de leur famille. Trop souvent, elles s'étaient senties obligées de se consacrer à la vie religieuse pour faire plaisir à leurs parents, parce qu'il n'y avait ni prêtre ni sœur dans la famille. Une novice, je m'en souviens, avait failli mourir à l'âge de trois ans, et sa grand-mère avait dit à sa mère : « Si la petite guérit, tu la donneras à Dieu plus tard. » L'enfant avait grandi avec cette idée. Je me souviens d'une autre compagne du noviciat qui m'avait confié que la vie religieuse ne l'attirait pas, mais qu'elle avait planifié son avenir selon les désirs de sa mère et aussi pour gagner une bonne place au ciel. Au parloir, j'ai entendu une mère demander à la supérieure de l'aider à faire de sa fille une religieuse. Cette mère avait treize enfants et vivait dans une extrême pauvreté. Une bouche de moins à nourrir, c'était améliorer le sort de sa famille tout en assurant le confort matériel de sa fille…

Dans sa réflexion, Luce en était arrivée à cette curieuse équation : vingt-cinq ou trente ans de sacrifice pour une éternité de bonheur représentait un bon marché. D'autres rêveries lui firent imaginer qu'elle pourrait être appelée à mourir martyre et à devenir une sainte. Ces pensées adoucissaient la perte de son Benoît et le sort qui l'attendait : entrer dans un couvent pour ne jamais en sortir, sous peine d'être promise à l'enfer. C'était sans compter certains propos des religieuses du pensionnat qui lui revenaient à l'esprit en martelant sa conscience : « Le bon Dieu t'appelle ; qu'est-ce que tu attends pour répondre ? » À force de ressasser toutes ces pensées éparses, Luce ne savait plus, sans jeu de mots, à quel saint se vouer. Elle finit par retourner voir Gertrude, pour qui le parti à prendre semblait si simple, définitif et serein.

— Je suis tiraillée... L'épouvante que m'inspire l'entrée au couvent est aussi forte que celle de rester dans le monde. Et si je renonçais à ma vocation ? J'hésite à laisser maman avec le fardeau d'une si grosse famille. Peut-être est-ce une raison suffisante pour me dérober à l'appel ? Comment le savoir avec certitude ?

— Luce, je vais te dire ce que je pense... Comme moi, tu as dû te sentir valorisée lorsque tu étais au pensionnat, car tu n'y avais pas l'air malheureuse – en tout cas pas pendant les quatre années où nous y étions en même temps. Rappelle-toi : des études passionnantes, les rituels des grandes fêtes, une existence bien remplie et toute tournée vers le spirituel. Pour toi comme pour moi, c'était ça, la vie : une vie religieuse, intellectuelle et culturelle. Mais ne te laisse pas induire en erreur par cette atmosphère qui a pu t'amener à croire que tu avais la vocation. Aujourd'hui, tu n'es plus au pensionnat, tu es dans le monde, et tu dois décider de la direction que tu prendras pour le reste de ta vie. Tente de mettre le doigt sur la raison essentielle qui motiverait ton choix pour la vie consacrée. Il ne devrait pas y en avoir cinquante !

— Je t'envie de pouvoir regarder l'avenir avec autant de calme et de logique.

Luce soupira et eut le regard vague pendant quelques instants, avant qu'une pensée vienne redonner à ses traits son pétillement habituel :

— Je me rappelle d'un souvenir d'enfance. Je devais avoir six ans quand grand-maman m'a dit, en me voyant embrasser le petit voisin sur la joue : « Je pensais pourtant que tu ferais une sœur ! » Elle m'avait alors expliqué qu'une sœur, ça ne se mariait pas et ça ne faisait pas d'enfants. C'était le tout premier jalon d'un long conditionnement. Puis, il y a eu le pensionnat, pendant cinq ans. Un vrai lavage de cerveau ! Moi, Luce Varin, religieuse ? Comment t'expliquer à quel point cette idée me semble étrange ? Car j'aime les garçons !

— Moi aussi... Il m'arrive de regretter les enfants que je pourrais avoir, mais je ne réussis jamais à imaginer l'homme avec qui je les concevrais. Pas par dégoût, mais plutôt par indifférence.

— Gertrude, puis-je changer d'idée et te donner une nouvelle raison ? Voilà : si j'abandonne tout ce que j'aime, c'est pour me gagner une bonne place au ciel.

Quelle autre raison profonde pourrait m'inciter à entrer au couvent?

— Je te vois bien hésitante. Heureusement, avant de prendre une décision définitive, tu as devant toi plusieurs années qui te permettront d'approfondir ta relation avec Dieu. Si ton choix ne se révèle finalement pas le bon, tu seras alors libre de sortir. Je pense que pour la plupart d'entre nous, aspirantes, notre choix n'est pas encore tout à fait éclairé, mais qu'il le deviendra avec le temps. Je t'en prie, n'entre pas en communauté par peur de l'enfer ou dans l'intention de te gagner une bonne place au ciel!

— Tantôt, je rêve à l'homme de ma vie, tantôt je sens des grâces particulières: je médite sur la Passion du Christ et j'en ai les larmes aux yeux. Puis, cette vague d'émotion s'apaise et je reviens sur terre. Je me demande en permanence si j'ai la vocation. J'éprouve une seule certitude: j'aimerais m'occuper des malades.

— Mais Luce, une vocation de dévouement, c'est merveilleux!

— J'ai un secret à te confier: au cours de l'année dernière, pendant six mois, je sortais de la messe du matin dans un état d'exaltation, prête à donner ma vie. En fin de journée, j'avais l'impression d'avoir perdu la vocation. Et ça recommençait le lendemain. J'ai le sentiment de m'engager sans savoir ce qui m'attend.

— Une vie, c'est long… À mon avis, tu devrais retarder ton entrée.

— Non, Gertrude. Malgré toutes mes hésitations, ma résolution est prise. Je dois me faire religieuse chez les Soignantes-de-Jésus. Je vais rencontrer la supérieure aussitôt que possible. Comme tu le disais, il sera toujours temps de sortir avant les vœux si je ne me sens pas à ma place. Cette pensée m'aide à aller de l'avant...

L'entrée des nouvelles postulantes chez les sœurs des Saints-Anges aurait lieu le 16 septembre. Pour Éliane et Luce, le postulat commencerait deux semaines plus tard, presque en même temps. Comme il restait peu de temps avant son départ, Gertrude suggéra qu'elles se rencontrent une dernière fois dans l'île.

Les papillons semblaient s'être tous donné rendez-vous pour former un comité d'accueil à trois jolies nymphes. Dans la lumière du soleil qui enveloppait l'Île-aux-fleurs-de-mai, les fines écailles de leurs ailes étincelaient à chaque battement pour laisser miroiter leurs minuscules vitraux irisés. Les gracieux insectes allaient et venaient, tantôt montant, tantôt descendant, toujours virevoltant. Tout près, des hirondelles y allaient d'une dernière ronde avant de fondre sur leurs proies dansantes. De l'herbe et de la mousse des pierres, fraîches et ragaillardies par la pluie matinale, émanait une odeur qu'on eût dite sortie du creux de la terre. Au bas du ponceau, les feuilles jaunies du bouleau frémissaient et, en s'entrechoquant, émettaient un bref bruissement d'adieu avant de piquer en vrille vers le sol.

Éliane avait revêtu une robe brune au col de dentelle blanche qui évoquait la bure des franciscains; Gertrude, la même jupe vert pomme qu'on lui avait vue tout l'été. Quant à Luce, fermement résolue à égayer cette ultime rencontre, elle avait enfilé la robe rouge de sa sœur aînée.

Gertrude s'engagea la première sur le ponceau, suivie d'Éliane et de Luce, toutes trois silencieuses, d'un silence oscillant entre le bonheur et la tristesse. Elles prirent place sur la mousse et s'adossèrent au petit rocher. Dans le bleu du ciel, une volée de canards s'apprêtaient à migrer. Les clapotis de l'eau s'agençaient à merveille à l'état d'âme des trois inséparables. De l'autre côté de la rivière, un héron bleu les considérait sans gêne, entre deux assauts gourmands dans les profondeurs de l'étang.

Luce entonna soudainement *La Truite* de Schubert. Elles la turlutèrent à trois reprises, chaque fois de plus en plus faiblement. Éliane voulut à son tour prendre l'initiative, chercha une chanson, gonfla les narines, serra les lèvres, se racla la gorge, mais fut incapable d'émettre le moindre son.

Gertrude prit sur elle d'aborder les choses sérieuses:

— Vous vous rendez compte que nous allons franchir une étape importante...

— Le début d'un chemin encore mystérieux pour moi, dit Éliane, d'une petite voix traînante.

— Un chemin sur lequel nous reviendrons peut-être un jour, ajouta Luce, comme pour se garder toujours ouverte une porte de sortie sur le monde.

Bientôt, leur gaieté naturelle reprit le dessus et elles se rappelèrent les bons moments vécus dans leur île, riant aux éclats en parodiant leur petit théâtre de guignols.

Sur le point de quitter leur repaire, Luce, toujours théâtrale, s'agenouilla, sous le regard intrigué de ses cousines, baisa la terre et chantonna :

— Ce n'est qu'un au revoir…

À la veille de son départ, Gertrude fit ses adieux à la parenté, au curé, aux voisins – au village. Le lendemain, elle se leva avec le soleil, comme d'habitude, et se rendit dans le jardin prendre un bon bol d'air en suivant du regard une première volée d'oies sauvages qui se dirigeaient vers le sud. Des mésanges à tête noire faisaient leur provision de graines du matin. Rêveuse, Gertrude arpenta les allées de pommes les terre, de carrés de choux, d'oignons et de betteraves, de tous ces légumes qui seraient bientôt cueillis.

Quand elle rentra, elle se dirigea droit au salon et, pour la dernière fois, fit jouer sur le tourne-disque la *Symphonie pastorale* de Beethoven afin de rester jusqu'au bout dans l'atmosphère de la vie à la campagne. Il y eut d'abord l'*Allegro ma non troppo*, puis l'*Andante molto moto*, la scène au bord du ruisseau, puis l'*Allegro*, aux trompettes triomphales, explosives. L'alternance des fracas et des quasi-silences la remuait au plus profond d'elle-même. Au point culminant de l'orage, la clameur des trombones lui fit perdre sa sérénité, mais, la tourmente apaisée, le chant des bergers, à l'*Allegretto*, répandit en elle une vague de joie et la plongea dans la contemplation de la nature.

Pour recouvrer son calme, Gertrude écouta la *Symphonie en sol mineur* de Mozart, une merveille qui la bouleversait à chaque nouvelle écoute. L'harmonie des bassons et des cors se répondant les uns aux autres l'entraîna vers la plénitude. « Le silence qui suit l'*Allegro con brio*, pensa Gertrude, contient en lui-même la beauté achevée. » Alors que le soleil déferlait dans la pièce avec à-propos, les échanges entre les cordes et les bois de l'*Andante* allaient droit à son âme. Jusqu'à la dernière note de l'*Allegro*, elle tendit une oreille fiévreuse aux dialogues des instruments. Puis, elle se leva, salua Pompon une dernière fois, respira le parfum de ses pommes.

Gertrude était désormais prête à changer d'univers.

Ce fut une fois encore dans l'Overland de son père que Gertrude fit route vers une étape décisive de sa vie. Pour l'occasion, Éliane et Luce encadraient leur cousine sur la banquette arrière tandis que sa mère, à l'avant, tenait compagnie à son père.

Gertrude demanda d'être conduite en droite ligne au couvent et, une fois sur place, refusa qu'on lui porte assistance pour monter sa valise. Au-dessus d'une large porte voûtée, on pouvait lire les lettres « Sœurs des Saints-Anges » gravées dans un linteau de pierre. Au bas de l'escalier de ciment qui menait à la porte, Gertrude étreignit longuement sa mère, puis son père, puis les deux à la fois, sans qu'un seul mot fût échangé. Le cœur gros, mais en pleine maîtrise d'elle-même, elle fit signe à Luce et Éliane de l'accompagner jusqu'en haut des marches. Là, les cousines s'enlacèrent, ne devinrent plus qu'une. Quand elles se séparèrent, deux mots à l'unisson se firent faiblement entendre : « Au revoir. »

Deux semaines plus tard, Luce fit sa valise à son tour et le docteur Varin prêta l'Overland à son frère Octave en vue d'un nouveau périple vers la métropole.

L'entrée au couvent avait lieu le 30 septembre, entre trois et quatre heures. Avant de s'enfermer entre les murs du cloître, Luce manifesta le désir de partir tôt, la veille, afin de voir un peu Montréal, sa nouvelle ville d'adoption, qu'elle n'aurait plus jamais le loisir de visiter. Le voyage se fit dans la gaieté, avec ses parents et ses deux plus jeunes frères. Dans un motel, aux abords de la ville, Octave Varin loua deux chambres contiguës, y laissa les bagages et en ressortit aussitôt. Il n'était encore que dix heures du matin, et une journée de découvertes en famille les attendait.

On se rendit d'abord au mont Royal, plus précisément au lac aux Castors, où les canards faisaient les jolis cœurs en glissant mollement sur l'eau. Partout autour du lac, des mamans promenaient leur bébé en « carrosse » pendant que des enfants s'amusaient à courir en tout sens, délivrés pour quelques heures du bitume de la ville. On se dirigea ensuite vers Côte-des-Neiges, car le père Varin tenait à tout prix à ce que la famille visitât le musée de cire. Là, Luce fut proprement éberluée par le degré de réalisme des sculptures et le souci de mise en scène de chacun des tableaux proposés aux visiteurs. Aussi incrédule que Thomas, elle se permit même de chatouiller le menton d'un premier ministre canadien pour s'assurer qu'il ne s'agissait pas d'un comédien costumé.

Vint le clou de la journée : le pèlerinage à l'oratoire Saint-Joseph, le grand œuvre du petit frère de Sainte-Croix. On laissa la voiture au bas de la montagne, sur Queen Mary, et on grimpa le fameux escalier, mais à pied, et non pas à la façon des pèlerins chevronnés, c'est-à-dire à genoux. Les deux jeunes garçons s'étaient lancé le défi de parvenir en haut en moins de cinq minutes : trois petites minutes leur suffirent. Luce, plus sage, préféra prendre tout son temps et arriva deux minutes plus tard, mais presque aussi essoufflée que ses cadets. Tout ce petit monde attendit patiemment les parents, et surtout le précieux panier à pique-nique qu'ils transportaient. On trouva deux bancs où dévorer le goûter, en savourant la vue magnifique qu'offrait ce site sur l'ouest de la ville, jusqu'au lac des Deux Montagnes, miroitant à l'horizon. La visite de l'oratoire dura deux bonnes heures tant il y avait à voir : la basilique elle-même, la maison du frère André, le chemin de croix, la crypte avec ses centaines d'ex-voto, le magasin de souvenirs…

Le lendemain matin, Luce laissa à ses deux frères le choix de la visite, qui se porta sur le Palais des nains, rue Rachel. Devant la demeure des «petites personnes», la mère Varin enjoignit les enfants de ne pas rire et de ne passer aucun commentaire pendant toute la durée de la visite. C'est peu dire qu'ils furent fascinés par les dimensions lilliputiennes de tout le mobilier : lits, chaises, tables, cuisinières, comptoirs, autant de meubles spécialement conçus pour la commodité de ceux qui les utilisaient.

Enfin, le père suggéra à sa troupe un dernier repas en famille, et pas n'importe où : au *Café Cherrier*, au coin des rues Saint-Denis et Cherrier, secteur prisé de la petite bourgeoisie canadienne-française. Si les deux cadets se régalèrent sans arrière-pensée, les trois adultes manifestèrent bien peu d'appétit en regard d'une carte si variée. Les sourires se faisaient rares et forcés. Chaque minute qui s'écoulait les rapprochait de celle qui marquerait la séparation tant redoutée.

— Ne vous en faites pas, dit Luce. J'ai encore beaucoup de temps devant moi avant de dire le «oui» définitif.

— Est-ce que tu pourras sortir à Noël? demanda son père, anxieux.

— Qui fera l'arbre si tu n'es pas là? demanda sa mère, sans se rendre compte du saugrenu d'une pareille préoccupation en cette belle journée de fin d'été.

Moins d'une heure plus tard, les cinq Varin franchirent la porte du couvent des Soignantes-de-Jésus, où une religieuse les accueillit avec chaleur avant de leur faire voir la chapelle et le parloir.

De longues étreintes exprimèrent, mieux que tous les mots du monde, la douleur de chacun. Fidèle à son tic familier, Luce se lissa les sourcils, empoigna sa valise et emboîta le pas à la sœur dans un long corridor, en résistant jusqu'au bout à la tentation de se retourner vers les siens.

Le 4 octobre suivant, Éliane fut la dernière des trois à faire ses « adieux au monde ». Pour souligner le départ de sa fille, Alphonse Savard voulut faire les choses en grand, et cela même s'il possédait la conviction, sans pour autant l'ébruiter, que la décision d'Éliane ne tiendrait pas et que sa « Fifille » ne tarderait pas à déserter sa prison vertueuse. Il loua donc à l'hôtel *Windsor* une suite constituée de deux chambres et d'un salon. Le soir de leur arrivée, veille de la grande entrée, il réserva au restaurant de l'hôtel une table pour trois personnes.

Une surprise attendait Éliane dans sa chambre : un bouquet de deux douzaines de roses éclatantes. Ravie par la beauté des fleurs, elle les respira longuement et en caressa les pétales. Le parfum pénétrant lui avait-il tourné la tête ? Elle se demanda pendant un instant si elle pourrait les apporter au couvent pour décorer sa cellule. Elle se ramena elle-même sur terre :

« Mais non, évidemment, l'esprit de pauvreté me défend seulement d'y penser... »

Éliane prit tout son temps pour se livrer à un examen attentif de sa somptueuse chambre. Couvre-lit, fauteuils et tentures d'un même tissu s'harmonisaient aux teintes des vitraux révélées par le soleil. Jamais n'avait-elle pu voir d'aussi près une telle manifestation de luxe.

«Est-il possible, se demanda-t-elle, que je dorme demain soir dans une pauvre cellule dénuée de la moindre décoration, si ce n'est un crucifix et deux ou trois images pieuses?»

Son émerveillement fut bientôt freiné net par l'irruption de son père dans la pièce:

— On bouge! Que dirais-tu d'une virée au parc Belmont? Viens, il faut bien que tu t'amuses un peu avant que tu t'emmures chez les sœurs... Allez, en route!

Sitôt dit, sitôt fait. Alphonse démontra aux siens sa connaissance de la métropole en empruntant le chemin le plus court vers le nord de l'île, plus précisément jusqu'à Cartierville, là même où le parc, ceinturé d'impressionnantes montagnes russes, dominait le paysage.

Sans ses cousines, Éliane ne trouva rien de bien divertissant à l'expérience, à plus forte raison quand ses réflexions l'amenaient à penser à la journée du lendemain. Seul parvint à la dérider le labyrinthe aux miroirs, où elle s'amusa comme une petite folle à se métamorphoser à volonté devant une panoplie de glaces trompeuses. Les transformations auxquelles se livraient de bon cœur sa mère et son père n'étaient pas moins drôles à observer. Les tailles s'affinaient à l'extrême ou s'empâtaient à l'excès; les nez s'épataient ou s'allongeaient à la façon de Pinocchio; les bras s'étiraient jusqu'au sol et les jambes disparaissaient de telle sorte qu'on pouvait se croire cul-de-jatte. Les larmes aux yeux et les côtes douloureuses d'avoir trop ri, le trio Savard sortit du dédale pour réintégrer le *Windsor*.

À six heures, ils descendirent à la salle à manger, dont la magnificence éberlua proprement Éliane. Si elle avait encore le moindre doute quant aux intentions de son père, elle ne pouvait plus être dupe: il désirait naïvement l'éblouir et la détourner du cloître. Pour cette grande première – et dernière! – dans un lieu aussi élégant, Éliane et sa mère avait apporté un soin tout particulier à leur toilette. Vêtues de robes en crêpe aux couleurs sobres, les deux femmes portaient de fausses perles au cou, des gants en dentelle assortis, des sacs à main neufs. Elles se dirigèrent vers leur table d'un pas posé, sur un épais tapis aux couleurs chaudes, comme de grandes dames dont le luxe est le fardeau quotidien. La tête haute et l'air blasé, Alphonse fermait la marche.

Éliane ne put s'empêcher de penser que son paternel avait dû abriter sous le toit de cet hôtel quelques amours coupables. Cette idée fugitive la confirma dans sa résolution de donner sa vie pour sauver son père. Désinvolte, celui-ci ne semblait pas trop s'en faire pour son salut et mena nonchalamment ses convives à une table au pied massif qu'entouraient des fauteuils Louis XIII.

Les murs de la pièce étaient tendus de velours rouge vin, éclairés de loin en loin par de grandes lampes torchères de bronze. Sur la table, verres, porcelaines et couverts jetaient des éclairs aux yeux d'Éliane, subjuguée. Alphonse n'avait négligé aucun détail : un bouquet d'œillets blancs et rouges trônait au centre de la table, et le nom d'Éliane, calligraphié avec soin, ornait sa serviette de table.

Lorsque le sommelier vint lui porter le grand cru qu'il avait commandé, Alphonse, en fin connaisseur, expliqua à Éliane comment lire l'étiquette. C'était plus qu'il n'en fallait pour fasciner sa fille, portée vers les biens de ce monde. La perspective de renoncer à ceux-ci en prononçant le vœu de pauvreté lui traversa l'esprit comme un trouble-fête et la démonta pendant un moment, où l'angoisse se lut aisément sur son visage. Alphonse Savard savait où frapper pour dissuader sa fille de se donner à Dieu. Il pensa avoir gagné une manche du match singulier qui l'opposait au Tout-Puissant.

Le lendemain matin, le moment vint de sonner à la porte des sœurs du Saint-Berger, devant laquelle Alphonse stationna sa Packard. Avant d'en descendre, Éliane remit à sa mère ses parures. Puis, elle extirpa d'un sac une casquette de toile ornée du personnage de Mickey Mouse, une gâterie achetée la veille au parc Belmont, qu'elle demanda à sa mère de remettre à Yves, le petit dernier de ses frères et son préféré. Enfin, elle ouvrit son sac à main, en sortit son porte-monnaie et pria sa mère d'en répartir le contenu entre les cinq autres enfants. Dans la foulée, elle pressa sa mère de conserver en lieu sûr ses chères collections, qu'elle espérait peut-être un jour récupérer si une supérieure bienveillante y consentait.

Les parents descendirent de la voiture pour étreindre leur fille une dernière fois.

— Toi, Léna, ordonna Alphonse, tu restes ici pendant que je reconduis Éliane.

La jeune femme finit par desserrer un peu la prise qu'elle exerçait sur son sac à main et l'offrit à sa mère, non sans s'agripper pendant un moment à l'objet. Séparée de ce dernier objet familier, elle éprouva un curieux sentiment de vide autour de son être. Elle ne possédait maintenant plus rien, plus rien qu'elle-même. Elle demeura un bon moment immobile, comme pétrifiée, les bras ballants ; seul le frétillement de ses narines la distinguait d'une statue. Elle se réanima tout doucement, semblant s'ébrouer. Sa main effleura, avec une lenteur presque sensuelle, en un geste de va-et-vient, l'aile de la Packard – un autre objet de rêve auquel elle devait renoncer.

Elle se tourna vers sa mère, considéra ses cheveux grisonnants coiffés en rouleaux et couronnés d'un bibi incliné vers le front, puis ses joues, ses yeux, et enfin ses lèvres, qui s'arquèrent en un sourire. Secouée par des spasmes, elle enfouit soudainement sa tête dans le creux du cou de sa mère et l'y laissa cachée assez longtemps pour que son père s'impatientât.

— Tu vas être en retard, ma chérie. La sœur supérieure va te gronder!

On se mit donc en marche. Une religieuse fit pénétrer dans le couvent le père et sa fille, puisqu'il apparaissait maintenant évident qu'Alphonse avait en tête autre chose que de simplement porter la valise d'Éliane.

— Ma sœur, prenez soin d'elle, lui dit-il sentencieusement. Quand je reviendrai la chercher, et le plus tôt sera le mieux, je n'aimerais pas la retrouver toute pâle et maigre à l'os.

Puis, se retournant vers sa fille, le gros homme craqua. Les yeux embués, il articula difficilement:

— Pourquoi entres-tu dans cette prison? Pourquoi?

Éliane le regarda droit dans les yeux.

— Papa, vous n'êtes pas fait pour comprendre certaines choses...

Elle baissa la tête et ajouta d'une toute petite voix:

— Je vous aime tellement...

Elle se blottit dans les bras de son père, à qui une violente émotion ne permettait plus que de dire deux mots:

— Ma Fifille!

Chapitre 4

À l'essai

Le 15 octobre 1938, *Le Nouvelliste* de Trois-Rivières publiait en première page les portraits de Gertrude Varin, de Luce Varin et d'Éliane Savard avec la manchette «Adieu au monde». Un petit texte accompagnait les trois photographies: «Mourir au monde signifie mourir à tout ce qui est séduisant. Trois belles âmes de chez nous viennent de se donner à Dieu. Avec elles, louons le Seigneur! Et demandons-leur de prier pour nous.»

Les trois cousines avaient donc exprimé la même volonté: entrer au couvent pour se consacrer à Dieu. Gertrude s'intégrait dans une congrégation enseignante; Éliane, dans une communauté dévouée aux délinquantes; Luce, elle, devenait une hospitalière. Malgré la joie toute spirituelle qui les animait, elles n'en appréhendaient pas moins la plongée dans cet univers inconnu. Elles refermaient derrière elles, en théorie pour la vie, une lourde porte pour pénétrer à l'intérieur de ces épaisses et hautes murailles, semblables à celles d'une forteresse imprenable.

Gertrude marcha calmement en direction de la supérieure, sœur Zéphirin, qui l'accueillit avec d'autres membres de la communauté :

— Voici notre nouvelle postulante, Gertrude Varin. Bienvenue chez nous.

— Je suis heureuse d'être avec vous, ma sœur, répondit-elle posément.

Elle déposa entre les mains de sœur Zéphirin ses extraits de baptême et de confirmation, un certificat de médecin signé par son propre père ainsi qu'une promesse de dot de cinq mille dollars – le docteur Varin pouvant se permettre le don de cette somme pour le bonheur de sa fille unique.

Une fois qu'elle eut rangé ses habits laïques, Gertrude endossa une robe d'un bleu sombre descendant au-dessous des mollets, qui fut recouverte d'un tablier bleu ciel. «Quel accoutrement», pensa-t-elle. Elle nuança bien vite son jugement lorsque sœur Zéphirin, exhibant un large sourire, lui dit à mi-voix :

— Une religieuse vient de naître.

Gertrude ne se sentait plus, déjà, tout à fait la même personne que quelques minutes plus tôt, quoiqu'elle ne pût encore deviner l'être humain qu'elle deviendrait en sacrifiant peu à peu son individualité.

Une visite du couvent s'imposait – tout comme celle du pensionnat, naguère, avait été de mise. Gertrude éprouva un court épisode d'une intense nostalgie. Elle avait tant aimé la chère maison familiale sertie au cœur du village de Sainte-Claudine, l'église, le presbytère et la rue Principale bordée de résidences aux teintes pastel. Elle se rappela la fenêtre de la cuisine d'où on pouvait voir les jardins, et son cher Pompon se balançant en liberté ; elle n'avait dès lors qu'à porter son regard vers l'horizon pour s'immerger tout entière dans la verdure des grands champs bordés par la forêt.

La réalité la ramena sèchement au couvent, cet antre mal éclairé, aux longs murs gris et nus, exception faite de quelques portraits de fondateurs, fondatrices et supérieures. Par réaction, ce décor désolant lui fit songer aux tableaux des grands musées et des galeries d'art qui l'avaient tant ravie lors de ses escapades montréalaises.

La suite de la visite ne lui fit découvrir que des enfilades de pièces, presque toutes vides, aux parquets de bois bien propres, reluisant de vernis, où le moindre craquement s'amplifiait démesurément. L'austérité des lieux n'inspirait guère Gertrude à se sentir un nouveau membre de cette famille, mais elle suivit machinalement la maîtresse des novices au parloir, presque identique à celui du pensionnat, avant de traverser le réfectoire et, à l'étage, le dortoir.

Bientôt, sœur Zéphirin s'immobilisa devant deux portes et annonça à la nouvelle arrivante :

— Vous allez maintenant voir, chère Gertrude, le joyau de notre maison.

Elle ouvrit les portes, lui laissant la surprise de découvrir une chapelle plus grande que l'église de son village, qui lui donna presque l'impression d'une cathédrale.

— J'avais imaginé votre chapelle beaucoup plus petite, dit-elle, dépassée par la vision.

Du coup, sa nouvelle adresse lui parut soudainement moins rébarbative. Gertrude entra dans le cénacle en éprouvant un plaisir tout esthétique, au son d'une fugue de Bach interprétée par une organiste en pleine répétition. L'accompagnatrice perçut aisément chez Gertrude l'envie de toucher au clavier, mais se garda d'énoncer le moindre commentaire. Éblouie par la lumière ambiante, Gertrude se fit la réflexion qu'il s'agissait sans doute de la seule pièce du couvent où le soleil était autorisé à entrer. Longeant les bancs, elle s'approcha du chœur en palpant, ici et là, les sculptures qui les rehaussaient.

Par son vaste chœur, son maître-autel richement ornementé, ses vitraux, sa chaire avec son escalier en colimaçon, ses jubés, l'ensemble invitait au recueillement tant prisé par Gertrude, même si le moment ne se prêtait pas à la prière. Elle eut soudain un instant d'absence où elle ressentit l'étrange impression d'être agenouillée auprès de sa mère en lui soufflant à l'oreille : «Je m'ennuie déjà de vous.» La vision se dissipa aussi vite qu'elle était venue, en lui laissant les yeux embués.

À la sortie de la chapelle, la maîtresse l'attendait pour la poursuite de la visite.

— Venez, venez, vous n'avez pas tout vu !

Gertrude vit déambuler dans le couloir trois postulantes, jeunes et rayonnantes – qui lui firent tout naturellement penser au trio qu'elle formait avec ses cousines, lorsqu'elles débarquaient dans leur chère île. Au bout du corridor, Gertrude et son guide franchirent une porte donnant sur un jardin ombragé par de grands arbres, sous lesquels des bancs semblaient appeler les religieuses à la flânerie.

— C'est si beau, pensa-t-elle. Pourquoi n'y a-t-il personne pour en profiter ?

Encastrée dans un rocher naturel, une grotte abritait une statue de la Sainte Vierge et promettait, au cœur de ce jardin merveilleux, d'innombrables promenades solitaires. Elle conçut immédiatement le projet d'emmener ici ses parents, sous un pommier qui ressemblait à s'y méprendre à Pompon, plutôt qu'au parloir.

Le lendemain, lors d'une cérémonie, Gertrude fut officiellement reçue au postulat. Aux côtés de trente-deux autres aspirantes, elle s'agenouilla près de la balustrade de la chapelle. En chœur, elles récitèrent la formule de leur demande :

— Désirant me consacrer à Dieu dans la congrégation des sœurs des Saints-Anges pour y vivre, jusqu'à la mort, dans l'observance des règles qu'elle impose à chacune des sœurs, je consens à les respecter et demande qu'il soit permis d'entrer dans la maison comme postulante.

Ce à quoi l'aumônier répondit :

— Nous permettons aux demoiselles qui sont devant nous d'entrer dans la maison comme postulantes.

Elles se levèrent et récitèrent le psaume *Lætatus sum* («Je me réjouis») suivi de l'antienne *Fecit mihi magna qui potens est, et sanctum nomen ejus* («Celui qui est puissant m'a fait de grandes choses et son nom est saint.»)

Elles s'agenouillèrent et le célébrant, tourné vers l'autel, dit:

— Que soit béni le nom du Seigneur.

Toujours en chœur, les postulantes déclamèrent:

— Et maintenant et jusque dans les siècles, rendez-moi digne de vous louer, Vierge consacrée, donnez-moi la force contre vos ennemis.

Suivit un *oremus*:

— Dieu qui avez institué votre Fils unique, Sauveur du genre humain… Trouvez favorable que nous invoquions son saint nom sur terre et que nous jouissions de sa vue dans les cieux… Que vos fidèles servantes puissent obtenir la protection de la très Sainte Vierge Marie et soient délivrées de tous maux sur terre nous méritant de parvenir aux joies éternelles dans les cieux.

Enfin, l'aumônier mit fin à la cérémonie par une bénédiction.

Gertrude appréciait sa maîtresse de postulat, femme intelligente aux grandes qualités de cœur, vertueuse sans être rigoriste. Sœur Saint-Henri savait écouter, comprendre, encourager les jeunes filles qui lui étaient confiées et leur permettait de progresser dans la vie religieuse sans contrainte déraisonnable, la joie dans l'âme.

À la fin de cette journée solennelle, elle s'agenouilla une dernière fois, seule, devant l'autel où elle avait connu sa première véritable expérience mystique.

De son côté, Éliane découvrit, guidée par la maîtresse des novices, le monastère des sœurs du Saint-Berger, congrégation semi-cloîtrée, à la fois contemplative et active. Sœur Sainte-Cécile, femme plutôt costaude, ouvrit une porte massive à l'aide d'une clé bizarrement dentelée qui l'impressionna par sa taille énorme, son poids apparent et les grincements qu'elle produisit une fois introduite dans la serrure.

Éliane lut, de loin en loin, sur les murs, des phrases destinées à faire réfléchir sur un programme de vie : « Tout passe, Dieu seul demeure », « Que sert à l'homme de gagner l'univers s'il vient à perdre son âme ? »

Au dortoir, sœur Sainte-Cécile désigna sa cellule à Éliane, qui y déposa sa valise. Le mobilier se résumait à un lit bas et étroit, une chaise au siège de paille et une petite armoire, le tout entouré de rideaux blancs. Ce dénuement, cette pauvreté fit pour un instant bouillir son sang. Elle ne put s'empêcher de comparer sa cellule avec le luxe de sa chambre du *Windsor*, et le luminaire de cristal à ce petit bougeoir d'aluminium. L'ère du dépouillement avait commencé.

Au bout du corridor du dortoir, au-dessus de la porte, une autre inscription attira l'attention d'Éliane : « Apprendre à renoncer au monde. » Sa détermination habituelle s'estompa un moment et son cœur se serra.

Le corridor débouchait dans une grande salle bien éclairée mais aussi dépouillée que sa cellule. Une longue pièce de bois posée sur des tréteaux servait de table, cernée de part et d'autre de bancs dépourvus de dossier. Rangées le long d'un mur, une vingtaine de chaises droites faisaient face à un fauteuil surélevé, celui de la maîtresse. À la vue d'un piano, dans un coin, Éliane ne put s'empêcher de demander à la maîtresse quand il lui serait possible d'en jouer. La réponse tomba sèchement :

— Jamais ! dit la maîtresse. On n'en joue que lors des exercices de chant.

Éliane baissa la tête, déçue.

Les fenêtres de la pièce, qui ne laissaient filtrer la lumière que dans leur partie supérieure, suscitèrent une fois encore chez la jeune femme le souvenir de sa superbe chambre de l'hôtel *Windsor*, aux larges fenêtres. Ici, on préférait en dissimuler la moitié inférieure au moyen d'une grosse toile noire cirée pour que personne ne puisse voir le monde ; à l'hôtel, on en égayait le haut par de splendides vitraux multicolores.

Mais ses profanes réflexions furent bien vite interrompues par deux novices et trois postulantes qui l'abordèrent pour lui souhaiter «la persévérance». Elle ne put réprimer une certaine surprise. «Persévérer pour triompher ?» pensa-t-elle. Était-ce donc si ardu de devenir religieuse ? Éliane en était toujours à digérer ce choc quand l'horloge marqua les onze heures. Au dernier coup, une voix au ton monocorde débita la formule suivante :

— Ô signal très aimable, tu m'avertis que le temps de la vie passe vite et que le moment de voir mon Dieu s'est avancé d'une heure.

Éliane se posa alors cette question avec autant de brusquerie que de franchise :

« Est-ce que je me sens plus près de Dieu, vraiment ? »

Mais elle ne se sentit ni la force ni le cœur d'y répondre.

En seulement trois jours de postulat, Éliane avait déjà eu tout le temps d'apprécier la personnalité de sœur Sainte-Cécile. Sa façon de se comporter face aux autres postulantes lui avait permis de constater ses grandes qualités : c'était une femme compréhensive, ferme, austère comme il le fallait, et ordonnée – ce qui n'était pas pour lui déplaire.

Elle avait appris que son horaire quotidien présenterait un équilibre entre la prière, l'étude et le travail manuel ; le principe de base de la congrégation était de n'être jamais désœuvrée. En cela, sœur Sainte-Cécile prêchait par l'exemple, en proie à une perpétuelle activité, cousant, reprisant, réparant de menus articles. Entre deux tâches, elle allait faire une prière au chœur. L'idée de se laisser initier à la vie religieuse par une telle guide enchantait Éliane.

« Seigneur, pensa-t-elle, c'est avec confiance que je me laisse diriger vers Vous. »

Lorsqu'on l'invita à se rendre à la chapelle avec une autre postulante, elle sentit son âme se survolter. Tant de fois elle avait imaginé la beauté et la sérénité de ce lieu où les âmes consacrées chantaient les louanges du Seigneur. Pour la première fois, elle offrirait sa vie au Christ et le remercierait de l'avoir choisie.

La postulante ouvrit la porte. La fraîcheur humide de la pièce et une joie profonde pénétrèrent son âme comme une onde de choc. Éliane contempla longuement le chœur, vaste, sobre, dépouillé de toute ornementation. De chaque côté de l'allée centrale, on ne voyait que des stalles. En guise de tabernacle, elle ne trouva qu'un rideau d'étamine derrière lequel on pouvait deviner une grille qui courait sur toute la largeur de la pièce, et du plancher au plafond.

— Ma sœur, dit Éliane, dites-moi, où est le tabernacle ?

— Derrière le rideau et la grille.

— Ne peut-on jamais prier devant le tabernacle ?

— On peut le voir pendant la messe et lors de l'exposition du Saint-Sacrement. À ces moments-là, le rideau est ouvert.

— Et je suppose que les laïcs, de l'autre côté de la grille, peuvent alors nous voir ?

— Pas du tout. Dès que le rideau s'ouvre, les religieuses abaissent leur voile sur leur visage. Vous êtes ici dans une communauté semi-cloîtrée, vous savez...

— Nous est-il permis, de temps à autre, d'aller prier de l'autre côté ?

— Jamais. C'est de toute façon sans importance. Ce qui compte, et vous le comprendrez bien vite, c'est de se laisser former à l'obéissance, à la fidélité, au silence et à l'étude de ce qu'on appelle la « doctrine chrétienne » – fort éloignée, je vous le dis tout bas, de celle qu'étudient les jeunes séminaristes. J'ai deux frères aînés qui sont passés par le séminaire, j'en sais quelque chose.

Éliane avait imaginé tant de fois pouvoir prier seul à seule avec l'Époux bien-aimé, devant le tabernacle ; elle devrait renoncer à cet autre plaisir.

Le premier soir, elle fut présentée, à titre de nouvelle postulante, à la communauté entière : postulante, novices, professes – ces dernières ainsi appelées parce qu'elles avaient prononcé leurs vœux. Au-dessus de la porte de la grande salle communautaire, Éliane lut l'inscription en lettres dorées sur fond argenté : « J'avais faim et vous m'avez donné à manger. J'avais soif et vous m'avez donné à boire. J'étais nu et vous m'avez revêtu[2]. »

Éliane, recueillie, était aux anges lorsqu'on lui dit :

— Voici Éliane qui, comme vous, a répondu à l'appel de Dieu. Bienvenue parmi nous !

---

2. Matthieu 25,35-36.

En chœur, les religieuses chantèrent un cantique avant de venir, à tour de rôle, souhaiter la persévérance à Éliane. Une fois encore, la jeune femme sentit monter à ses lèvres la même question :

« Faut-il donc tant de courage ? »

Quand vint le moment de monter à sa cellule, elle sentit frémir tout son corps : il lui rappelait qu'elle venait de passer son premier test d'aptitude au cloître à vie. Ce frisson marquait la prise de conscience de sa totale dépossession des biens de ce monde. Elle ne put réprimer une larme, puis une seconde, et bientôt une pluie de sanglots. Pleurait-elle de joie ? Pleurait-elle les affres de la solitude ? Du dénuement matériel ? Les trois à la fois peut-être ?

Elle en avait au ventre un mal intolérable.

L'initiation de Luce à la pratique de la règle monastique l'exalta au point qu'elle en avait presque oublié le souvenir de Benoît. Tout comme les maîtresses de postulat d'Éliane et de Gertrude, celle de Luce possédait le doigté voulu pour ne pas pousser trop loin l'austérité de la vie quotidienne, accordant, ici et là, à ses protégées de petits privilèges, tels que lire les pages amusantes de la biographie de saint François d'Assise – les *Fioretti*, les *Petites fleurs* – en lieu et place d'arides passages de doctrine chrétienne. Elle leur permettait aussi de se lever plus tard ou leur suggérait une promenade dans le jardin – manières habiles d'amener Luce à s'adapter peu à peu à la vie monacale.

Dix jours après son entrée au monastère des Soignantes-de-Jésus, sœur Solange-de-Jésus, la maîtresse des postulantes, accorda la permission à Luce de recevoir, hors de l'enceinte, son père, sa mère et trois de ses frères et sœurs cadets, venus à Montréal pour assister aux obsèques d'un grand-oncle. À l'annonce de cette primeur, Luce ne put s'empêcher de bondir en tapant dans ses mains, comme une petite fille, ce qui lui mérita de la part de sœur Solange une réprimande, suivie de près par un sourire. Luce put ainsi voir et entendre les siens, toucher leurs mains, leurs bras, leurs visages et, même, prendre la petite dernière sur ses genoux. En proie à une épouvantable carence d'affection, elle embrassait tour à tour les membres de sa famille, pressait les épaules de l'un, pinçait la joue de l'autre, se constituant des réserves insondables de chaleur humaine.

Pour sa plus grande joie, sa mère revint, seule, lui rendre visite le lendemain. La mère et la fille avaient bien des choses à se dire. Cette fois, Luce reçut la permission de la recevoir dans le jardin – dans la balançoire, si elle le désirait. Pressentant qu'il s'agirait de sa première et dernière visite libre, c'est-à-dire sans religieuse jouant le rôle d'ange gardien, elle en profita pour confier à sa mère l'aventure amoureuse vécue avec Benoît, provoquant chez celle-ci une légitime inquiétude :

— Es-tu sûre, ma Puce, que tu ne regretteras pas ton choix ? C'est difficile, pour ne pas dire impossible, de remplacer par des prières les étreintes de l'homme qu'on aime. Je respecte ta décision, mais j'ai du mal à la comprendre, moi qui suis toujours restée amoureuse de ton père. La preuve : tes nombreux frères et sœurs

Luce écoutait, la tête lovée contre l'épaule de sa mère. Elle se redressa en sursaut :

— Je vous remercie pour le délicieux gâteau maison que vous m'avez apporté. C'est si bon de le manger ensemble. Vous souvenez-vous du premier gâteau que j'avais tenté de cuisiner ? Je l'avais fait trop cuire et il était plus dur qu'une roche. Le second a atterri dans nos assiettes comme une costarde : pas assez cuit, cette fois...

— Chère Luce, ma Puce ! Je te reconnais bien. Tu cherches, et tu trouves toujours le moyen d'éviter de faire de la peine aux autres.

— Croyez-moi, je suis heureuse. Non pas que j'étais malheureuse à la maison, loin de là. Ici, je me sens transportée dans un autre monde, un monde pur, spirituellement stimulant, où mes compagnes et moi regardons toutes dans la même direction.

— Ne m'en veux pas, mais tes paroles sonnent à mon oreille comme une leçon apprise par cœur.

Le gâteau à la crème et le lait au chocolat avaient donné chaud à Luce, lourdement vêtue. Souffrant de voir ses joues rougies et la sueur perler à son front, sa mère entrouvrit le collet de sa robe pour lui permettre de se rafraîchir un peu. De retour au monastère, Luce, qui avait oublié de rajuster son décolleté, tomba nez à nez avec la supérieure.

— Pourquoi êtes-vous décolletée, ma fille ? C'est un peu indécent.

«Indécent, ceci ?» pensa Luce. Elle eut envie de rire : l'événement lui rappelait le jour où, dans l'église paroissiale, le curé lui avait reproché d'exhiber ses coudes lorsqu'elle s'était présentée à la communion vêtue d'une robe aux manches jugées trop courtes.

Le reproche de la supérieure embarrassa Luce :

— Maman voulait seulement...

— Mon enfant, ce n'est pas chose à faire si vous voulez être religieuse... Votre robe est peut-être chaude, mais il faut vous entraîner au sacrifice.

Avec des gestes maternels, la supérieure rattacha les trois boutons de façon à ce que le collet de la robe enserre de nouveau le long cou de Luce. Le léger sourire qui flottait sur ses lèvres laissa entendre à la supérieure qu'elle estimait son intervention exagérée, mais n'obtempérait pas moins à sa volonté.

Le lendemain, une fois le dîner terminé, Luce n'eut pas le temps de finir son blanc-manger. En quittant le réfectoire, elle s'empara d'une banane oubliée sur une table et l'enfouit dans la poche de son tablier pour un éventuel en-cas. Elle ne fit pas trois pas qu'une sœur s'était dressée devant elle, son regard braqué dans le sien, en lui murmurant sèchement :

— La règle défend de manger hors du réfectoire.

Décidément, Luce avait beaucoup à apprendre et à assimiler. Mais elle était déterminée à consentir tous les efforts pour devenir religieuse, à accepter toutes les remarques, toutes les remontrances, tous les renoncements.

Le jour même de son entrée, elle avait dû délaisser sa belle robe aux rayures bleues et blanches pour enfiler une longue enveloppe noire lui retombant au ras des chevilles – une robe d'allure mi-laïque, mi-religieuse – et revêtir un bonnet blanc. Les sœurs avaient-elles oublié de lui fournir de nouvelles chaussures ? Après douze jours au monastère, elle portait toujours ses souliers à talons hauts, qui lui avaient valu de curieux regards de la part de ses compagnes. Peu à peu, elle s'était faite à l'idée que les chaussures devaient manquer.

Or, bientôt, la maîtresse envoya Luce à la cordonnerie, accompagnée de la novice chargée de l'initier à certaines tâches. Cette visite la divertit au plus haut point, entre autres choses à cause du spectacle d'une religieuse s'activant sur une machine à coudre, pédalant sans arrêt à une cadence qui lui parut effrénée. Aux murs étaient suspendus des outils de toutes sortes, en bois, en fer et en cuir. Sur une longue table s'alignaient des formes en bois de différentes tailles, impeccablement rangées, des plus petites aux plus grandes – «dans un ordre, pensa-t-elle, qui eût sûrement ravi Éliane». La cordonnière en chef interrompit la visite de l'atelier pour apporter deux paires de souliers à Luce, qui les considéra l'une et l'autre, perplexe, d'abord sans mot dire. Au bout d'un long moment, cependant, elle osa émettre la remarque suivante :

— Ma sœur, il y a sans doute une erreur, les quatre souliers sont faits pour le même pied.

— Pas du tout, répondit calmement la cordonnière. Ces chaussures, fabriquées par les sourds-muets, sont conçues pour être portées indifféremment dans l'un ou l'autre pied. Comme elles doivent être usées également, n'oubliez pas de les changer de côté de temps à autre.

— Elles me font mal, se plaignit Luce après quelques secondes d'essai.

— Vous verrez, on s'y habitue, dit la cordonnière, compatissante. Il vous faudra attendre la prise d'habit, dans six mois, pour en avoir une vraie paire.

« Six mois d'attente, est-ce possible ? se demanda Luce. Qu'ont-elles fait de mes souliers à talons hauts ? Qui va les porter ? Maman serait bien heureuse de les retrouver... »

Pendant un moment, Luce balaya du regard les deux extrémités du corridor afin de s'assurer que personne ne venait. Elle pensa téléphoner à Gertrude en cachette pour lui parler de ses nouvelles chaussures qui l'empêchaient de marcher normalement et lui compressaient les orteils – ce qui n'était rien à côté de l'humiliation qu'elle ressentait à devoir porter ses choses grotesques. Mais, bien entendu, il fut impossible de trouver un téléphone et elle dut garder pour elle-même sa déconvenue, en se disant que, chacune de son côté, Gertrude et Éliane devaient probablement s'entraîner, elles aussi, à la pauvreté.

❧

Après quinze jours de postulat, Luce reçut la visite de son père au parloir. Ce dernier eut la surprise d'y voir arriver non pas une, mais deux personnes : sa Puce, affublée d'une robe misérable, était accompagnée d'une autre femme habillée, elle, en religieuse, et qui tenait lieu à Luce d'ange gardien, l'empêchant ainsi d'avoir avec son père un tête à tête digne de ce nom. Le père devait non seulement composer avec cette intruse, mais souffrir la vision de sa fille marchant péniblement, comme si le plancher était jonché de clous.

— Papa, ne soyez pas triste, je ne suis pas en prison. Je suis heureuse ici. Oui, je dois consentir de grands sacrifices, mais le bonheur que la vie religieuse m'apporte en vaut bien quelques-uns ?

— Ma Puce, tu n'es pas faite pour cette vie. Pas faite pour ce couvent qui ressemble à un cloître... Tes paroles sonnent faux, je le sens au plus profond de moi...

— Si un jour vous tombez malade, ne serez-vous pas heureux de vous faire soigner à l'hôpital par votre fille infirmière ? « Puce l'hospitalière... » Cela ne sonnerait pas trop mal, non ?

Le père soupira longuement, rompu aux parades de sa fille, avant de prendre le parti de sourire.

— Toujours tes entourloupettes... Je t'aime, ma Puce, va !

Les paroles de son père plongèrent tout de même Luce dans une lancinante réflexion. Pourrait-elle pendant bien longtemps préférer l'abnégation aux plaisirs de la vie ?

En attendant le jour où elle répondrait à sa vocation, elle devait s'adapter à l'horaire de la maison. Les religieuses se levaient à quatre heures et demie pour se livrer à une oraison de trente minutes. En raison de sa grande fatigue, causée en partie par ses souliers inconfortables, la maîtresse alloua à Luce, pendant trois jours, une demi-heure de sommeil supplémentaire, lui épargnant l'oraison. À cinq heures et demie prenait place la prière du matin à voix haute, dans laquelle Luce mettait une telle dévotion que celle-ci en devint contagieuse chez ses compagnes du postulat. Venait ensuite la célébration de la messe, rehaussée par l'harmonium, dont la simplicité de la sonorité inclinait à l'élévation des âmes. Après quoi une demi-heure était réservée à un petit-déjeuner pris dans un silence qui affligeait Luce, mais dont elle se consola grâce aux confitures et au pain fraîchement sorti du four.

Un emploi strict du temps rythmait ainsi ses journées, du lever au coucher, précédé des complies, dernier office divin du jour, propre à sanctifier le repos.

Cette période de probation au noviciat dura six mois. Luce avait compris la justesse des mots de saint François de Sales, qui définissait le postulat comme «une école de perfection où l'on apprend à porter la croix de Notre-Seigneur par l'abnégation, le renoncement à soi-même, la résignation à la volonté divine». Dans les faits, le temps imparti à la formation spirituelle durant cette période était plutôt maigre. Pendant ces six mois, elle avait appris à axer sa vie sur des dévotions et sur tout un arsenal de rites, de normes, d'interdits et de disciplines.

Quand Luce s'agenouillerais devant l'évêque pour solliciter la faveur d'être admise à la prise d'habit, elle s'entendrait demander :

— Gardez-vous silence ? Vous entendez-vous bien avec la maîtresse ? Faites-vous régulièrement les pénitences d'usage ? Demandez-vous vos permissions ?

Après avoir répondu quatre fois « Oui, mon père », elle serait acceptée dans la communauté. L'examen de formation doctrinale lui paraîtrait si facile à passer en comparaison de l'examen final de son cours primaire !

Parvenue, donc, à la fin du postulat, Luce, avec la ferveur de la néophyte, posa sa candidature à la « prise du saint habit ». La demande se fit publiquement, à genoux, au beau milieu du réfectoire, devant la supérieure. Pendant le mois suivant, elle se prépara au merveilleux événement de la vêture. Durant les trois jours qui précédèrent la cérémonie, elle observa une retraite pour méditer sur la mort au monde, la mort à soi-même et la pratique du renoncement.

Le matin même de la prise d'habit, une vive émotion s'empara de Luce. Elle savait que ses parents assisteraient à la cérémonie, mais ignoraient lesquels de ses frères et sœurs les accompagneraient. Elle eut également une pensée pour Benoît et put mieux mesurer le chemin qu'elle avait parcouru depuis leur rupture. Elle reprit le cours de ses méditations religieuses, s'employant à chasser ces futilités, ces images mondaines et malsaines. Pour demander pardon à Jésus de la pensée de Benoît, elle saisit la croix de son chapelet et l'embrassa.

— Loué soyez-Vous, Seigneur, car Vous avez ouvert mes yeux à votre amour.

Vint le moment crucial de la cérémonie. Luce s'étonna de son calme. Aucun doute ne planait dans son esprit sur la justesse de sa décision. Elle avança lentement dans l'allée de la chapelle, en direction de la sainte table, vers Celui qu'elle aimait par-dessus tout.

La prise du saint habit débuta et Luce se sentit aussitôt baignée d'une joie indicible, céleste. Vêtue d'une robe blanche, sa tête voilée et couronnée de roses blanches, elle avança jusqu'à la grille, un cierge dans sa main droite. Dans quelques instants, elle s'approcherait encore davantage de son futur Époux.

Comme les autres postulantes, elle revêtit alors l'habit religieux. Le cordon de la robe passé autour de sa taille symbolisait l'obéissance ; le scapulaire, enfilé par-dessus la tête, la chasteté. Enfin, elle revêtit le manteau-cape, une protection contre l'esprit mondain.

Parées de leur nouvel habit, les postulantes se mirent à chanter :

— Vous avez méprisé le règne du monde et tout ce qui orne le siècle, en faveur de l'amour de Notre-Seigneur Jésus-Christ. Prions.

Elles s'agenouillèrent devant la balustrade et l'officiant dit une autre oraison :

— Regardez favorablement, Seigneur, vos servantes pour qu'elles gardent la promesse de la sainte virginité qu'elles ont faite à votre inspiration et sous votre conduite. Par le Christ Notre-Seigneur. *Amen.*

L'oraison terminée, l'officiant demanda aux postulantes :

— Persistez-vous toujours dans la même volonté et dans les mêmes sentiments que vous nous avez témoignés ?

— Oui, mon père, par la miséricorde de Jésus-Christ notre Sauveur, nous persistons dans ces mêmes sentiments et nous avons bien la volonté de ne servir que Lui.

Les postulantes demeurèrent agenouillées durant tout le temps que prit l'officiant pour descendre les marches de l'autel et bénir les voiles blancs posés sur la table :

— *Dominus vobiscum. Et cum spiritu tuo.*

(*Oremus*) Nous vous supplions, Seigneur, que sur ces robes de vos servantes descende votre favorable bénédiction et que ces robes de la bienheureuse chasteté demeurent bénites, immaculées et sanctifiées. Que de ces vêtements temporels Vous fassiez le vêtement de la bienheureuse immortalité. *Amen.*

(*Oremus*) Chef de tous les fidèles, Dieu, et Sauveur de nous tous, sanctifiez de votre main ce voile qui est imposé à vos servantes par amour pour Vous et pour votre bienheureuse génitrice, la Vierge Marie ; voile qui est donné par elle d'une façon mystique. Qu'elles le conservent sans tache et méritent d'accéder sous votre conduite aux noces de l'éternelle félicité. Vous, Dieu, qui vivez et régnez dans les siècles des siècles. *Amen*.

Il aspergea les voiles blancs d'eau bénite et s'assit, laissant venir à lui les postulantes qui s'agenouillèrent à tour de rôle devant lui pour recevoir le leur de ses mains.

— Recevez le voile sacré par lequel vous reconnaissez avoir renoncé au monde et vous être soumises au Christ, voile qui vous protégera de tout mal et vous conduira à la vie éternelle. *Amen*.

Après avoir mis leur voile, les postulantes réintégrèrent leur banc en chantant à l'unisson :

— Il a marqué mon visage pour que je n'accepte aucun autre amant que Lui.

Elles se mirent alors à genoux tandis que l'officiant, se tournant vers elles, récita :

— (*Oremus*) Prenez, Seigneur, vos servantes sous votre garde, pour qu'elles conservent la promesse de sainte virginité qu'elles ont faite sous votre inspiration et avec votre protection. *Amen*.

Les postulantes revinrent une à une se mettre à genoux aux pieds de l'évêque. Bientôt, ce fut au tour de Luce de l'entendre lui dire :

— Désormais, vous ne serez plus appelée mademoiselle Varin, mais sœur Marie-Claude-de-la-Croix.

— *Deo gratias!* répondit-elle d'une voix tremblotante, en cherchant à absorber le choc provoqué par le triste nom qu'on venait de lui donner.

Ainsi prit fin cette cérémonie au caractère mystérieux. Si elle se réjouissait de pouvoir chausser enfin des souliers normaux, elle trouvait, en revanche, son nouvel habit bien embarrassant et se demandait comment elle s'habituerait à marcher avec un vêtement si peu seyant. Quant à son nom, elle prit le parti d'en rire intérieurement :

«Un nom, ça ne change rien. On m'appelait bien la Puce sans que j'en sois une.»

Le saint habit de Luce symbolisait ses nouvelles dispositions intrinsèques : bandeau, guimpe, robe noire, voile blanc, autant de signes de pénitence et d'humilité. Néanmoins, Luce doutait que la symbiose puisse s'établir aisément entre elle et cet habit, symbole de sainteté.

Comme ses cousines, Éliane s'apprêtait elle aussi à revêtir le saint habit chez les sœurs du Saint-Berger et à amorcer une nouvelle portion de son parcours, le noviciat.

Timide, elle pénétra dans la salle commune du monastère, s'arrêta là où on le lui avait commandé et baissa les yeux. Les religieuses, tour à tour, lui firent l'accolade. Elle se laissa embrasser comme une poupée par la succession des joues qui faisaient pivoter sa tête de gauche à droite et de droite à gauche. On la pria de s'agenouiller au centre de la pièce, face à un grand crucifix noir. L'allure de la cérémonie lui donnait l'impression de funérailles qu'on essayait vainement d'égayer. De part et d'autre d'elle, les sœurs se rangèrent en deux lignes obliques, de façon à voir tout à la fois la nouvelle novice et le crucifix au fond de la pièce.

La mère provinciale la salua et lui donna elle aussi une accolade avant de se redresser et de dire à haute voix :

— Vous vous appellerez désormais sœur Antoinette-de-Jésus.

Cette nouvelle lui procura, sans qu'elle pût évidemment le savoir, les mêmes sentiments mitigés éprouvés par Luce à l'annonce de son nouveau nom. Elle n'était plus Éliane. D'un coup de hache subit, on venait de couper les amarres qui la retenaient à son ancienne identité, à ce qu'elle avait toujours été jusque-là et à ses possessions. Sa nouvelle identité devait lui permettre de se mouler, de se fondre dans la communauté. Elle ne compterait plus en tant qu'individu, mais seulement comme une partie du groupe. Pour une personne tirant plaisir de posséder, y avait-il sort plus cruel que d'être dépossédée de soi ? Elle aurait au moins voulu s'appeler sœur Éliane. Au premier abord, ce nouveau nom n'avait rien pour l'enchanter, mais elle se reprit rapidement en voyant dans cette épreuve une occasion de plaire à son Époux. Puisqu'elle s'était détachée de tout, y compris d'elle-même, il ne lui restait plus que le Christ.

Peu loquace de nature, elle resta tout à fait muette quand les sœurs vinrent l'embrasser à nouveau. Elle se révélait à ce point incapable de maîtriser sa tristesse, face au dépouillement qu'elle subissait, que la maîtresse des novices s'en aperçut et s'approcha d'elle pour la réconforter :

— Sœur Antoinette-de-Jésus, votre nouveau nom vous aidera à enterrer votre ancienne vie.

Éliane, ou plutôt sœur Antoinette-de-Jésus, se surprit à se demander si une telle inhumation était vraiment nécessaire...

Pour les deux prochaines années de noviciat, Éliane étudierait le *Catéchisme des vœux*, les *Constitutions*, le *Directoire* et le *Coutumier* comportant les petites règles de la congrégation. Bon nombre d'heures seraient consacrées à l'entretien de la maison – tâches qui ne lui répugnaient pas, étant donné son goût prononcé pour l'ordre et le ménage.

La venue de décembre coïncida avec la liturgie inspirante de l'avent, qui prépare à la fête de la naissance du Christ, mais suscita chez Éliane une pointe de mélancolie, compréhensible à l'approche de Noël. Partagée entre la ferveur religieuse et ses souvenirs familiaux des fêtes, elle éprouvait des vagues à l'âme contradictoires. D'incontrôlables rêveries ravivaient en elle l'odeur du sapin et l'image d'une joyeuse tablée autour d'une dinde, l'effervescence des réveillons passés et, parfois même, la splendeur d'un grand dîner au flamboyant *Windsor*. Néanmoins, les célébrations de Noël, avec la liturgie, les chants, les lectures et les prières, la mirent dans une telle extase mystique que son esprit parvint à mettre de côté les mondanités.

À sa grande surprise, sa première année de noviciat passa à toute allure tant ses activités l'absorbaient du matin au soir. Mais les épreuves qui se présentèrent à elle ne la laissèrent pas indifférente.

Un jour, la maîtresse des novices avertit Éliane que la mère générale désirait la voir dans son bureau. Éliane voulut immédiatement savoir ce qu'elle avait fait de mal ; la maîtresse se borna à lui répondre qu'aucune remarque négative ne figurait à son dossier et qu'elle constaterait sur place ce que la mère générale avait à lui reprocher.

L'attente la rendit anxieuse. Il lui restait encore une heure avant de frapper à la porte de l'autorité suprême, et l'impatience la gagnait déjà. En approchant du moment fatidique de l'entretien, elle se mit à afficher son tic caractéristique : elle gonflait et dégonflait les narines à une cadence de plus en plus rapide. Jamais à ce jour elle n'avait mis les pieds dans le bureau de la mère générale qui, bien loin d'être mal disposée à son égard, parut même enchantée de la voir.

— Bonjour, ma fille ! J'irai droit au but. Monseigneur Charbonneau, nouvellement nommé, veut juger lui-même, entre autres choses, de l'état des noviciats de son diocèse.

Les jambes bien collées l'une à l'autre, les mains jointes et les yeux baissés, Éliane n'osa interrompre l'autorité, mais n'était pas moins intriguée par le rapport entre les intentions de l'évêque et sa modeste personne.

— Notre archevêque, reprit la mère générale, veut rencontrer à l'évêché une représentante de chaque congrégation religieuse – active et semi-cloîtrée – qui a accompli un an de noviciat. Après avoir pris connaissance de son projet et discuté avec d'autres supérieures générales, j'ai accepté.

Elle marqua une pause avant d'en arriver au moment déterminant de son laïus.

— Sœur Antoinette-de-Jésus, vous avez été choisie pour représenter notre congrégation. J'ai confiance en votre bonne conduite, en votre bon sens et en votre prudence à peser vos mots.

Elle, l'heureuse élue ? Cette annonce fit perdre sa langue à Éliane pour quelques secondes, au terme desquelles elle réussit enfin à retrouver sa contenance :

— Bien, ma mère. Je ferai de mon mieux !

Puis, levant les yeux au ciel, elle conclut ainsi son discours :

— Que sa volonté soit faite.

Encore remuée par l'incroyable primeur, elle prit la feuille que lui tendait la mère générale, sur laquelle avaient été inscrits les noms des représentantes d'autres congrégations, et la parcourut rapidement du regard. Son visage s'éclaira quand elle découvrit les noms des sœurs Marie-Claude-de-la-Croix et Marie-Ange-de-l'Incarnation.

Par le plus grand des hasards – dans lequel elles verraient bien entendu la main de la divine Providence –, les trois cousines, séparées pour la vie, se retrouveraient donc au palais épiscopal. Même dans leurs rêves les plus fous, elles n'auraient pu imaginer un plus grand bonheur et un plus beau cadeau pour le premier anniversaire de leur noviciat.

Le jour de la sortie tant attendue vint enfin. Pendant que les sœurs accompagnatrices des novices étaient parties prier dans la cathédrale et que les invitées étaient installées dans la salle d'audience de l'évêché, le secrétaire de l'évêque vint dire aux quarante représentantes, sagement assises sur leur chaise, que celui-ci, retardé d'une heure par un imprévu, leur accordait la permission de faire connaissance entre elles.

Un instant suffit aux trois cousines pour former un triangle avec leurs chaises étroitement rapprochées. Leurs genoux se touchaient et leurs cœurs tout autant. Leurs premiers mots furent pour s'extasier de ces retrouvailles inespérées, puis pour établir des distinctions entre leurs costumes respectifs, avant que Gertrude inaugure une conversation plus suivie :

— J'aimerais que vous me parliez de vos expériences… Moi, j'ai la chance d'avoir une maîtresse des novices en or. J'aime la simplicité et la patience dont elle fait preuve pour corriger nos défauts. Comment sont les vôtres ? Qu'est-ce qu'elles vous font faire ?

Éliane plongea la première :

— Tous les jours, nous avons des classes pour apprendre les devoirs et les vertus de la vie chrétienne et de la vie religieuse, étudier les *Constitutions*, le *Coutumier*, les vœux de religion, les méthodes d'oraison et d'examen particulier. Une fois par mois, chaque sœur doit voir la maîtresse pour lui rendre compte de ses difficultés à méditer, lui parler de ses rapports avec ses compagnes, et ainsi de suite. Puis, elle inscrit dans notre dossier nos progrès dans la vertu, nos aptitudes et nos défauts. Le reste du temps, nous nous adonnons à la prière et à la méditation.

Luce prit le relais, tout en jetant à la dérobée un coup d'œil aux autres sœurs qui, pour la plupart, avaient peine à échanger tant cette récréation impromptue les prenaient au dépourvu.

— Moi, j'éprouve beaucoup de difficulté à me faire corriger pour un rien, à suivre le règlement à la lettre, à être toujours ponctuelle. Ce n'est pas facile d'être tout le temps docile et soumise – pour moi, en tout cas. Heureusement, notre maîtresse est plutôt compréhensive ; elle sait comment me conseiller quand je lui expose mes doutes et mes inquiétudes – dont je ne manque pas !

— Contrairement à ce que tu penses, Luce, objecta Gertrude, je ne trouve pas aisé de faire une croix sur tout ce qui n'est pas religieux. C'est ça, le noviciat. C'est le premier texte que j'ai lu, dans le *Coutumier* de ma communauté. Je le sais par cœur : « On doit exercer les novices en toutes sortes de vertus, pour les dépouiller de leurs mauvaises habitudes, de leurs inclinations vicieuses, de leurs moindres imperfections et, à cet effet, la maîtresse des novices leur fait pratiquer l'obéissance, le silence, la modestie, la mortification, l'oraison, le mépris du monde et de soi-même. » Je le confesse : je ne peux pas vraiment renoncer à ma passion pour la lecture et à l'envie d'écouter de la musique. Et puis, vous savez, je le dis tout bas, mais je le dis quand même, j'en prends et j'en laisse. Heureusement, d'ici une dizaine de mois, je pourrai commencer des études profanes et faire un peu d'enseignement dans l'école attenante à notre maison.

Comme toujours, Luce se fit un devoir d'exprimer son ressentiment face à la contrainte la plus cruelle à laquelle l'astreignait la vie religieuse :

— Le silence imposé en quasi-permanence me tue… J'aime parler ! En doutiez-vous encore ? Je m'en suis ouverte à notre maîtresse. Je lui ai demandé pourquoi j'étais là, à vivre en silence, dans cet état qui m'était si peu naturel. Savez-vous ce qu'elle m'a répondu ? Que j'y étais pour faire mourir la nature en ne faisant pas ce qui me plaît et en faisant ce qui me déplaît. Vous le trouvez gai, vous, ce chemin de la perfection ?

Luce ayant cassé la glace, Éliane s'engouffra avec avidité dans la brèche et fit part à son tour de son talon d'Achille :

— Ce que je trouve malaisé, moi, c'est le dépouillement de tout, le renoncement à son propre nom, à l'esprit du monde. Comment oublier tout ce qui nous a appartenu et ne jamais penser à ce que nous pourrions encore posséder ? Comment arriver à faire abstraction de notre propre jugement, de notre propre volonté ? Par la pratique de l'humilité, de l'obéissance et de la pauvreté. Heureusement que j'aime les travaux manuels – surtout les travaux d'aiguille. Ça me permet de faire l'impasse sur certaines difficultés de cette vie.

Gertrude soupira.

— Tu en as, de la chance, de pouvoir pratiquer la couture. J'ai hérité de l'honneur – entendez par là l'obligation – de laver des vitres et des planchers. Et je n'aime pas ça du tout…

— Moi aussi, répliqua Éliane, j'ai goûté à ces corvées domestiques, dont le blanchissage des guimpes et d'une montagne de linge pendant des heures et des heures. Moi qui ne suis pas bien costaude, je m'épuise à repasser avec ces fers très lourds chauffés au gaz. Et regardez-moi un peu la peau des mains, ratatinée comme de vieilles pommes… C'est à cause de l'empois.

Gertrude préféra entraîner la conversation sur un sujet plus réconfortant, à l'abri des vicissitudes de la vie monastique.

— Je suppose, Luce, que chez vous les sœurs de la cuisine sont aussi maternelles que les nôtres et qu'elles doivent vous récompenser avec de bonnes tartines à la confiture de fraises ?

— Oui, mais la confiture ne m'empêche pas de digérer plus ou moins bien le quotidien. Parfois, j'ai peur de ne pas réussir à passer au travers. Je me sens comme l'âme en exil. La maîtresse me dit que c'est normal, que je ne dois pas m'en faire outre mesure. Elle invoque les nombreux changements d'habitude...

— Il faut se rappeler que bien d'autres novices avant nous ont réussi à surmonter les mêmes épreuves. Avec la grâce de Dieu, nous devrions y parvenir nous aussi.

— Ce que j'aime tout particulièrement de l'expérience du noviciat, dit Éliane, ce sont les moments d'oraison qui me font vivre dans le recueillement. J'ai alors le sentiment de retrouver ce moi dont on essaie de me dépouiller.

— On dit, murmura Luce, que pour être une parfaite novice, il faut se mépriser du fond du cœur, et même aimer être méprisée des autres, aimer être humiliée. Je ne suis certainement pas rendue là...

La toujours sage Gertrude intervint:

— Il s'agit de rester bien calme à l'intérieur de soi, de ne pas prendre à la lettre toutes ces recommandations et de continuer à exercer son bon jugement. Je suis persuadée que c'est la volonté de Dieu.

Luce n'avait toujours pas avalé le règlement des visites au monastère:

— Quand je pense que je ne peux avoir droit à plus d'une demi-heure de visite au parloir. Quelques minutes, quoi! En plus d'avoir à supporter la présence d'un ange gardien!

Éliane aussi en avait encore gros sur le cœur:

— Papa est passé me voir. Je n'ai pas eu la permission de garder pour moi seule les friandises qu'il m'avait apportées. J'ai dû les remettre à la maîtresse, pour motif d'abnégation, de pauvreté.

Gertrude soupira profondément avant d'esquisser un sourire :

— Les années passent et la même complicité perdure entre nous, qui nous permet de partager nos peines, nos difficultés. J'ai la conviction que le bon Dieu ne nous en voudra pas de les avoir confiées à quelqu'un d'autre que nos supérieures.

Ces propos échangés entre cousines avaient ragaillardi Luce :

— En avant ! Je me sens plus forte pour continuer sur le chemin de la perfection… Oh, voilà monseigneur qui arrive…

Comme le digne personnage s'approchait de leur groupe, les novices et les chaises reprirent leur place et de courtes phrases fusèrent entre les trois cousines :

— Au revoir !
— À bientôt, j'espère !
— Bon courage !
— Dieu nous bénisse !

À l'heure de la récréation, Éliane raccommodait des vêtements, sa corbeille à ouvrage devant elle. Elle vidait son panier bien plus vite que les autres, car sa mère l'avait initiée toute jeune encore à la couture et au reprisage. Ses aptitudes lui avaient d'ailleurs valu de pouvoir travailler les surplus et les ornements d'autel au filet doré. Elle adorait exécuter ce travail, dont elle tirait une fierté légitime – un « travail d'artiste », pensait-elle. À ses côtés, dans la salle, des compagnes dessinaient des cartes pour toutes occasions tandis que d'autres peignaient des voiles de tabernacle.

Ce soir-là, Éliane aurait eu envie de parler de ses chères cousines ; leur rencontre providentielle à la cathédrale était toute fraîche encore. Cependant, la conversation devait se borner aux sujets de la vie communautaire, car les discussions sur la famille, la politique et les événements sociaux étaient défendues aux sœurs. Et comme il n'existait pas de radio entre les murs de l'institution et que les journaux n'y entraient pas, le choix des discussions se révélait terriblement restreint.

Éliane comprenait qu'elle était en période d'entraînement religieux dans le but de poser de solides assises à sa spiritualité. Sa nature méticuleuse et son tempérament pointilleux lui permettaient d'apprécier l'horaire soigneusement minuté de la maison, partagé en formation, travail manuel, prière et temps de silence. Jour après jour, elle se préparait à sa mission : aimer les délinquantes à travers un engagement quotidien et concret. Mais en attendant ces heures exaltantes, il lui fallait d'abord terminer son noviciat.

Son entretien avec Gertrude et Luce l'avait rassérénée et elle se sentait pleine d'ardeur et d'enthousiasme dans la poursuite de son chemin vers la sainteté. Son intérêt pour la lecture et la relecture des règles de la communauté allait grandissant. Elle choisissait, au gré des pages, des sujets de méditation propices à l'élever spirituellement. Ce genre de passages lui plaisait tout particulièrement et venait combler en elle des besoins d'ordre et de recherche de perfection :

> Les sœurs s'entraîneront toutes à une grande abjection et un mépris d'elles-mêmes, recherchant avec affection les emplois et les offices les plus vils et les plus abjects de la maison, recevant avec paix, joie, douceur et patience toutes les mortifications de paroles, d'effets, de rebuts, de mépris et les pénitences publiques et particulières, car ce doit être surtout dans ces pratiques sanctifiantes qu'elles doivent soigneusement être exercées [...].
>
> Elles obéiront parfaitement en tout ce qui leur sera commandé par la supérieure, par leur maîtresse, par le confesseur ; elles les honoreront comme les anges visibles que Dieu leur a donnés pour les conduire à la vertu et à la perfection religieuse [...].
>
> Elles mettront entre les mains de la maîtresse l'argent qu'elles auront apporté ou reçu de leurs parents, ne devant rien garder dans leur chambre.

Bien loin de là, dans son couvent, Gertrude, elle, avait choisi de méditer sur un autre passage du *Coutumier* de sa communauté :

> Les sœurs ne liront aucun livre ni écrit sans permission de leur maîtresse.
>
> Elles témoigneront partout un esprit content, portant un visage modestement gai, le regard un peu baissé, un port sans geste et sans affectation,

une démarche sans faste, un parler doux et affable, sans recherche pour plaire dans leurs discours.

Elles n'iront pas au réfectoire seulement pour manger, mais pour obéir à Dieu et à la règle, allant deux par deux autant que faire se pourra.

Si quelqu'un est trop délicat ou avide à manger, qu'elle fasse une bonne résolution en invoquant la grâce de Notre-Seigneur afin de se surmonter courageusement, employant à cet effet le peu de temps qui lui est donné pour élever son cœur à Dieu avant de déployer sa serviette.

Elle relut, toujours avec un certain amusement, les instructions précises qui dictaient la bienséance dans la communauté :

Elles ne feront aucun bruit avec les cuillères, les couteaux et les fourchettes, mais les prendront doucement.

Elles prendront les mets sans les choisir, recevant avec indifférence ce qu'elles aiment ou ce qu'elles n'aiment pas. Elles mangeront à l'endroit qui sera devant elles. Les infirmes recevront, sans scrupule ni cérémonie, ce qui leur sera présenté pour leur soulagement, reconnaissant qu'elles ne méritent pas un si doux et si charitable traitement.

Elles mettront sur le bord de l'assiette les os, les arêtes de poisson, les écorces et les noyaux des fruits qu'elles devront auparavant déposer dans la cuillère ; et, s'il se rencontre quelque chose qu'elles ne peuvent avaler, elles devront le mettre avec la main hors la vue des autres ou le cracher avec bienséance, s'il est liquide […].

Les usages du couvent recelaient pour Gertrude des incongruités qui n'étaient pas en accord avec le savoir-vivre appris dans sa famille. Avide de lecture comme de bonne nourriture, Gertrude laissait de côté le détail de certaines recommandations et agissait selon sa propre philosophie.

Luce, de son côté, s'imprégnait des trois vertus cardinales indispensables aux religieuses :

> La première est la modestie extérieure […]. La deuxième est l'exacte et ponctuelle observance des règles […]. C'est par cette exactitude qu'on mesure leur perfection […]. La régularité est un des principaux fondements de la vertu […]. La troisième est une parfaite obéissance qui doit toujours être autant intérieure qu'extérieure, exécutant avec promptitude et joie spirituelle, sans excuse et sans raisonnement, tout ce qui est commandé […]. Celles qui se soumettent sont toujours assurées de marcher dans la voie du salut éternel […].

Chaque fois qu'il refaisait surface dans les lignes du *Coutumier* ou ailleurs, le sous-entendu relatif à l'enfer donnait la chair de poule à Luce…

En état de grande ferveur religieuse, Éliane acceptait plus facilement les privations et faisait les efforts nécessaires – parfois héroïques – pour gravir toujours plus haut l'échelle de la perfection. Cet état de grâce durait quelque temps, puis retombait ; ce cycle d'exaltation suivie d'une accalmie se répétait à intervalles réguliers.

L'amour de l'ordre et de la discipline faisait partie des traits de personnalité d'Éliane, mais la stricte obéissance à des règles sottes lui retournait les sangs au point que la maîtresse des novices la surprit maintes fois avec un regard révulsé trahissant son dédain. Ce fut le cas où, un jour, les yeux d'Éliane tombèrent sur l'article du *Coutumier* traitant du bon maintien religieux : « Elles marcheront les deux mains croisées à la ceinture, d'un pas non précipité, les yeux baissés pour favoriser le recueillement [...]. »

Par surcroît, la maîtresse des novices crut bon de leur faire exécuter un exercice.

— Venez, leur dit-elle, approchez-vous, croisez vos mains à la ceinture et marchez correctement.

Éliane obtempéra, mais se vit reprocher de trop baisser la tête. Elle recommença aussitôt, mais on lui reprocha, cette fois, un port de tête trop altier.

« Mon Dieu, pria Éliane, aidez-moi, car je ne sais plus comment porter ma tête. »

Un autre règlement fit monter sa pression, concernant le recueillement qui devait toucher à la fois à la modestie et à la pauvreté :

Les sœurs garderont la modestie des yeux [...].
Il est interdit de regarder dehors par la fenêtre et de se regarder dans un miroir. Cela constituerait

une faute [...] et il faudrait s'en accuser au chapitre.

Par un après-midi ensoleillé, Éliane descendait l'escalier avec ses compagnes quand, sur le palier du deuxième étage, elle aperçut le reflet de son visage dans un carré de métal poli. Instinctivement, elle se mira, vit quelques cheveux hors du bonnet et se rajusta en une fraction de seconde. Une religieuse surprit son geste et, le soir même, accusa publiquement Éliane d'avoir triplement manqué à la modestie.

— Triplement? ne put qu'échapper la fautive.

— Oui, lui dit la maîtresse des novices. Vous devriez savoir que «c'est vanité de se regarder dans un miroir, de laisser sortir des cheveux hors du bandeau et de laisser voir vos mains quand vous n'êtes pas au travail; vous devez recouvrir celles-ci entièrement en descendant vos grandes manches.»

Ce soir-là, pendant le souper, sa pénitence consista à faire deux fois le tour du réfectoire en répétant:

— Sœur Antoinette-de-Jésus a manqué à la règle par un péché de vanité. S'il vous plaît, priez pour moi.

Puisque Éliane tenait à devenir religieuse et visait la sainteté, elle pensa que cette humiliation était sûrement une manière de plaire à Jésus. Elle offrit donc ce renoncement dans un double but: pour sa propre sanctification et pour le salut de l'âme de son père.

«Après tout, se dit-elle, si je raisonne trop, je risque de perdre ma vocation et l'âme de papa. La maîtresse des novices nous l'a tant de fois répété: "Ce sont les sœurs qui obéissent aveuglément qui sont les plus aptes à la vie religieuse."»

La chapelle était pour elle un refuge. Combien de fois, les yeux plissés et la tête entre les mains, alla-t-elle se recueillir devant le tabernacle pour lutter contre ses pensées intimes: «Ce qui est fou aux yeux des hommes est sage aux yeux de Dieu.» Mais elle ne parvenait pas à la contrition parfaite à cause de ces quelques pratiques religieuses – telles que marcher sans bouger les bras –, qu'elle réprouvait, non sans des tiraillements qui la jetaient en pleine confusion.

«Je me dois pourtant d'obéir aveuglément», ne cessait-elle de se répéter même si, trop souvent, des spectacles grotesques venaient bousculer son besoin d'obéissance aveugle. Par exemple, une compagne avait dû, par suite d'un retard – aisément explicable – à la chapelle, prendre ses repas assise par terre, au milieu du réfectoire, sous les regards de quarante-deux sœurs. La pénitence ne s'était pas arrêtée là: après le repas, elle avait dû baiser les pieds de toutes les religieuses. Une nouvelle réflexion permit à Éliane de conclure que ce genre de pénitence devait être la façon de parvenir à la sainteté.

En son for intérieur, elle doutait que ce noviciat, censé détacher du monde l'aspirante à la vie religieuse, recourait toujours aux bons moyens. Elle y voyait plutôt une formation retardant la maturité, qui dans son cas était déjà présente. Pour Éliane, il était difficile de constater que la grande majorité de ses compagnes ne semblaient pas se rendre compte que le noviciat les infantilisait et annihilait leur libre arbitre.

Du lever au coucher, elles évoluaient dans un univers dont l'horaire était planifié par d'autres, dans un ordre immuable qui ne tolérait aucune discussion, aucun assouplissement. Si Éliane aimait l'ordre, elle désirait aussi participer à l'ordonnance – une ordonnance moins infantilisante. Elle appréciait toutefois l'atmosphère propice à la prière, au recueillement, au face-à-face avec Celui qu'elle avait choisi comme fiancé. S'efforçant donc d'oublier le côté enfantin de certaines règles, elle réussissait à s'intégrer dans cet univers de recueillement, de silence et d'intimité avec Jésus.

Vers la fin de son noviciat, elle fut en mesure de constater elle-même sa métamorphose. D'une nature possessive, elle sentait son âme se dépouiller de plus en plus des biens terrestres et des futilités du monde.

Moins mystique qu'Éliane, Gertrude avait résolu de fermer tout bonnement les yeux sur l'inacceptable. Le fait de pouvoir compter sur une maîtresse des novices dotée d'un esprit ouvert lui était d'un grand secours. Comme elle aimait lire, et souvent plus tard que le signal du coucher, sa maîtresse lui en avait donné la permission. Mieux encore, au lendemain d'une séance prolongée de lecture nocturne, elle avait reçu l'autorisation de dormir un peu plus longtemps. Sa maîtresse savait en outre expliquer l'essentiel des règlements, les dépouiller de certaines exagérations et veiller à ce qu'ils ne dénaturent pas les futures enseignantes.

Luce, quant à elle, se montrait plus critique à l'égard du noviciat en général, même si sa maîtresse savait faire la part des choses. Elle s'en ouvrit à Gertrude dans une lettre que son confesseur consentit à poster pour elle.

J'aime les moments de prière et de méditation. Je tiens toujours à devenir religieuse et, grâce à l'ascèse que je pratique, je me sens approcher du but. Pour le reste, mon jugement t'apparaîtra sévère. Selon moi, le noviciat est dans son ensemble un petit monde humain où l'on apprend à dissimuler, où les paroles n'expriment pas la pensée réelle des individus. On nous enseigne une forme de vocabulaire et un style d'expression qui sonnent faux. Que penses-tu de toutes ces répétitions, des litanies où l'accumulation semble faire office d'argumentation – car j'imagine bien que tu vis exactement la même chose chez toi ? On en vient à ne plus penser ; on ne fait que débiter, du bout des lèvres, des mots appris par cœur. J'ai hâte d'en avoir fini avec cette école que j'ai parfois envie de qualifier de déformation spirituelle. Ne t'en fais pas, tout comme toi, je prends ce qui me convient et je laisse tomber le reste... sans trop le faire voir. C'est le conseil même que tu m'as donné, et je le suis.

Des trois cousines, Gertrude fut la première à prononcer ses vœux lors de la grande cérémonie de la profession temporaire. Elle s'y prépara par le biais d'une retraite de dix jours consacrée à la réflexion sur la pauvreté, la chasteté et l'obéissance. Gertrude était consciente depuis longtemps de l'abondance des grâces qui l'attendaient si elle demeurait fidèle à ses devoirs de religieuse tout au long de sa vie. Elle vécut donc cette préparation dans la plus grande tranquillité d'esprit, bien qu'elle portât, avec une acuité aussi vive qu'à son entrée au monastère, la souffrance d'une séparation permanente avec sa famille – souffrance qui se muait même parfois en une forme d'angoisse à la pensée de ses parents.

Ce sentiment de séparation la prenait au ventre et laissait souvent planer dans son esprit un doute quant à son engagement de devenir religieuse et de devoir vivre en réclusion, loin des siens.

« Seigneur, priait-elle, aidez-moi à chasser la douleur de cette séparation définitive. Dès que je songe à maman ou à papa, je me mets à pleurer tant je m'ennuie d'eux. J'ai réussi à renoncer à la vie de famille, mais la pensée que c'est pour toujours m'effraie. »

Elle alla tout de même courageusement de l'avant en mémorisant les questions et les réponses du cérémonial ainsi que la formule des vœux pour bien se rappeler, et cela jusqu'à sa mort, que ces engagements solennels étaient consentis de plein gré.

Gertrude passa tout le jour de la profession, un des plus beaux de sa vie, en action de grâce, et tout particulièrement pendant la divine cérémonie.

Le rochet, le camail et la barrette rouge de l'évêque avaient été posés sur une table, à l'entrée de la chapelle, ainsi que deux surplis pour les assistants. Dans le parloir, des surplis étaient préparés pour d'autres prêtres invités à la cérémonie.

Les grandes orgues brisèrent le silence de la salle comme le fait le premier coup de tonnerre d'un orage d'été, un vacarme anticipé dont on sait qu'il sera suivi par une embellie. Toute l'assistance, religieux et laïcs confondus, se laissèrent doucement envahir par ces notes de musique grégorienne, au rythme surnaturel, céleste. En procession, les candidates à la profession temporaire, précédées de la croix et des acolytes, entrèrent par la grande allée et prirent place au haut de la nef. L'évêque prit quelques instants pour se recueillir sur le prie-Dieu, au pied de l'autel, avant de s'emparer de la chape, de la mitre et de la crosse. Puis, avec ses deux assistants, il gravit les degrés de l'autel où étaient disposés trois sièges, face à la nef.

Lorsqu'ils se furent assis, le chapelain, revêtu de la chape et précédé de la croix, vint à la rencontre des novices et chanta en latin :

— Vierges prudentes, allumez vos lampes : voici que l'Époux arrive. Allez à sa rencontre.

Les novices suivirent le père chapelain en chantant le psaume *Lætatus sum* (« Je me réjouis ») et allèrent s'asseoir dans les premiers bancs, où elles purent entendre le sermon de l'évêque avant de venir se mettre à genoux devant la balustrade.

Alors s'engagea le « dialogue » entre l'évêque et les postulantes :

— Vous sentez-vous, déclama-t-il, assez de détachement des vanités du siècle, et assez d'amour pour les humiliations de Jésus-Christ et de sa sainte Mère pour demander d'accéder à la profession ?

— Oui, monseigneur, répondirent-elles en chœur, par la grâce de Dieu, et nous demandons instamment d'être revêtues du voile noir et de porter la croix.

— Avez-vous pris connaissance des principales règles et observances de la congrégation des sœurs des Saints-Anges et consentez-vous à les observer?

— Oui, monseigneur, on nous les a fait connaître et nous espérons, avec la grâce de Dieu et le secours de la très Sainte Vierge, notre bonne Mère, y être fidèle jusqu'à la mort.

L'évêque entonna alors le *Veni Creator Spiritus* («Venez, Esprit créateur») et se dirigea vers la table où reposaient les voiles noirs et les croix. Il les bénit tout en récitant cette prière:

— (*Oremus*) Seigneur Dieu, donateur des bonnes vertus et dispensateur de toutes bénédictions, nous Vous demandons de bénir ces voiles et croix pour que, par elles, Vous reconnaissiez parmi les femmes celles qui Vous sont consacrées. Par Notre-Seigneur Jésus-Christ. *Amen.* Dieu tout-puissant, exaucez nos prières; et que le saint habit, le voile et la croix que vos servantes vont porter, empreints de votre bénédiction, soient pour elles la protection du salut, la marque de leur religion, le commencement de la sainteté, la défense solide contre les flèches de l'ennemi et, qu'en persévérant dans la continence, elles reçoivent la récompense au centuple. Par Notre-Seigneur Jésus-Christ. *Amen.*

Les novices y allèrent de quelques pas vers l'autel et se prosternèrent. L'évêque s'adressa à l'assistance:

— Avec le secours du Seigneur, notre Dieu, et de notre Sauveur Jésus-Christ, nous choisissons les vierges ici présentes pour les bénir, les consacrer et les unir par une alliance spirituelle à Notre-Seigneur Jésus-Christ, le Fils du Très-Haut.

Puis il ordonna aux candidates : *Venite* («Approchez»), lesquelles, se relevant, répondirent sur le même ton, toujours à l'unisson :

— *Et nunc sequitur, in toto corde.* («Et maintenant nous suivons de tout cœur.»)

Elles firent encore un pas vers l'autel et s'agenouillèrent de nouveau, tandis que l'évêque les appela derechef en élevant cette fois le ton :

— *Venite filiæ, audite me ; timorem domini, docebo vos.* («Venez, mes filles, écoutez-moi ; je vous enseignerai la crainte du Seigneur.»)

Un dernier dialogue eut alors lieu entre évêque et religieuses :

— Consentez-vous à observer les règles que la congrégation vous impose ?

— Oui, monseigneur, nous nous y soumettons avec joie et nous espérons, avec la grâce de Dieu, y être fidèles.

— Vous sentez-vous assez de zèle pour vous dévouer à l'éducation chrétienne des jeunes ?

— Oui, monseigneur, aidées de la grâce de Dieu et sous la protection de sa sainte Mère, nous voulons y consacrer tous les instants de notre vie.

Les religieuses s'agenouillèrent aux pieds de l'évêque, qui présenta le voile à chacune en récitant :

— Recevez le voile sacré par lequel vous reconnaissez avoir renoncé au monde et vous être soumises au Christ d'une façon véritable, humblement et de tout cœur comme épouses ; que ce voile vous protège de tout mal et vous conduise à la vie éternelle. *Amen.*

Après avoir mis le voile, les nouvelles professes revinrent à leur banc, s'agenouillèrent encore et chantèrent :

— Il a marqué mon visage pour que je n'accepte aucun autre amant que Lui.

L'évêque se leva et dit :

— Que le Seigneur soit avec vous, et avec votre esprit. (*Oremus*) Prenez, Seigneur, vos servantes sous votre aile pour qu'elles gardent la promesse de sainte virginité qu'elles ont faite sous votre inspiration et avec votre protection, Vous qui vivez et régnez avec Dieu le Père, en unité avec l'Esprit saint dans les siècles des siècles. *Amen.*

Les nouvelles professes chantèrent *Ecce, quod concupivi, etc.* (« Voici que ce que j'ai désiré, etc. ») et revinrent s'agenouiller aux pieds de l'évêque. L'une après l'autre, chacune lut la formule de ses vœux. Quand toutes eurent terminé leur lecture, un servant apporta les croix à l'autel et l'évêque les bénit en disant :

— Dieu a changé en une bienheureuse croix le gibet qui servait à châtier ; que cette croix soit à la fois un fondement à mon peuple, une aide à l'espérance, une défense dans l'adversité, un soutien dans la prospérité ; qu'elle soit, contre les ennemis, le drapeau de la victoire ; dans la cité, la gardienne ; dans la campagne, la protectrice ; dans la maison, la sécurité. Par ce même Seigneur, notre sauveur Jésus-Christ. (*Oremus*) Sanctifiez, Seigneur Jésus-Christ, ce signe de votre Passion ; qu'il soit, contre vos ennemis, un rempart et un perpétuel drapeau de victoire pour ceux qui croient en Vous qui vivez et régnez avec Dieu le Père en unité avec l'Esprit saint dans tous les siècles des siècles.

L'évêque aspergea les croix, les encensa, puis les remit aux nouvelles professes ainsi que les livres de la règle, en disant :

— Recevez le signe de la croix au nom du Père et du Fils et de l'Esprit saint, qui figure la Passion et la mort du Christ. Cette croix est là pour la défense de votre corps et de votre âme, et pour la rémission des péchés. *Amen*. Recevez le livre de la règle, gardez-en avec soin les préceptes. Qu'elle vous soit profitable pour la vie éternelle. *Amen*.

Puis, on chanta le *Te Deum*. Gertrude et les trente-huit autres religieuses étaient enfin incorporées à la congrégation des Saints-Anges. Désormais consacrées, elles s'engageaient à en observer les *Constitutions*.

En ce grand jour pour la communauté, on permettait aux nouvelles professes de rencontrer leurs parents après la cérémonie. Les joues empourprées de Gertrude, en apparence calme, trahissaient sa nervosité quand elle entra dans le parloir où l'attendaient son père, sa mère et son frère Luc. Elle tenta bien de dominer son agitation intérieure mais, à la seule vue de ses parents, elle fondit aussitôt en larmes. La cérémonie qui venait solennellement de graver en elle le sceau de sa mort au monde et la hâte d'annoncer à ses parents certaines nouvelles la soumettaient à de violentes émotions. Elle parla d'abondance, sans prendre toujours le temps de respirer, bondissant d'un sujet à l'autre, commentant le cérémonial de profession, remerciant ses parents pour les sacrifices qu'ils avaient consentis jusqu'ici, et qu'ils consentiraient encore par suite de sa réclusion. Elle ne parvint pas à leur livrer le témoignage débordant d'amour dont elle rêvait de se libérer, comme si les sentiments qui encombraient son cœur étaient trop grands pour trouver une issue par sa simple bouche.

— Pardonnez mes larmes, je m'ennuie de vous. Cette mélancolie ne me passe pas. Les autres sacrifices me réclament peu d'efforts. Mais ne pouvoir être avec vous, à la maison, autour de la table, ne pouvoir vous parler ni vous toucher… Tout ça me demande une force presque surhumaine.

— Tu es encore libre de revenir, dit le docteur Varin. La profession perpétuelle n'aura lieu que dans trois ans.

— Je préfère ne rien dire, prononça maman Varin. Tu devines mes sentiments en ce moment : un mélange de bonheur, de déchirement et de soumission à Dieu…

— « Je vous aime » révèle bien peu de tout ce que je peux ressentir pour vous. Mais je dois répondre à l'appel, et pas n'importe lequel. La mère générale vient de m'offrir le plus beau des cadeaux : j'aurai congé d'enseignement pendant une année complète afin que je puisse rédiger mon mémoire de maîtrise.

Elle prit une grande inspiration et regarda son père dans les yeux :

— Il n'est pas encore écrit, mais il vous est déjà dédié. Il s'intitulera *Le médecin de campagne dans la littérature québécoise, de 1860 à 1940*.

— Ma fille, pourrais-je plutôt te suggérer : «de 1940 à 1860» ? Tu entamerais ainsi ton travail à partir de ce que tu connais.

Il lui tendit alors un présent emballé dans du papier de soie ceint d'un ruban. Bien qu'excitée comme une petite fille, elle s'employa toutefois à déchirer le plus délicatement possible le papier – afin de pouvoir le conserver, ainsi qu'on le lui avait enseigné au noviciat – et découvrit bientôt son objet préféré : un livre. «Pas n'importe lequel», aurait pu dire son père à son tour, car il s'agissait d'un ouvrage intitulé *Mémoires d'un médecin de campagne*. La surprise de Gertrude était déjà grande, mais elle fut portée à son comble quand elle lut le nom de l'auteur : Louis Varin, M.D.

Les larmes firent place aux rires. Maman Varin exhiba une boîte en forme de cœur dans laquelle étaient soigneusement rangés toutes sortes de gâteaux et de galettes miniatures qu'elle avait elle-même cuisinés avec amour pour sa fille, désemparée devant tant de choix, tant de délices. Les arômes des pâtisseries la transportèrent alors, pour un moment trop bref, hors des murs du couvent, jusque dans la maison familiale de Sainte-Claudine.

— Il faut que vous goûtiez à tout, ordonna affectueusement la mère aux siens.

Une novice vint leur servir un chocolat au lait, ce qui acheva de rendre l'instant magique pour Gertrude. À la voir se délecter et s'esclaffer, ses parents purent constater avec plaisir que leur fille n'était toujours pas insensible aux petits bonheurs de ce monde.

Après avoir prononcé ses vœux temporaires, Luce se dit prête à s'engager de façon perpétuelle. Elle renouvela d'abord sa déclaration, qu'elle avait autrefois faite avant la première profession, s'engageant par écrit à ne réclamer aucune rétribution pour le travail fourni ou les services rendus si elle quittait un jour la congrégation. Cette formalité lui importait peu, en regard de l'engagement perpétuel qu'elle s'apprêtait à prendre, après cinq années de probation.

Une fois sa demande d'accéder à la profession perpétuelle acceptée par la supérieure générale, Luce – sœur Marie-Claude-de-la-Croix, de son nom de professe – fut admise à prononcer ses vœux de façon solennelle et définitive.

Sous la conduite d'une maîtresse désignée, elle se prépara au grand jour par deux mois d'exercices spirituels, couronnés par huit jours de retraite pendant lesquels elle approfondit le sens de ses obligations et de ses vœux. De jour en jour, sa piété se faisait sans cesse plus ardente, sa soif de sanctification, plus forte. Seule dans la vaste chapelle, à la lueur des chandelles, Luce eut l'impression que son âme s'enflammait, embrasée par l'amour de son Époux, le Christ.

Sa fièvre spirituelle se propagea soudain à tout son corps quand elle se mit à trembler et suer, se sentant faiblir jusqu'à s'affaisser sur l'accoudoir de son prie-Dieu. Une sœur ne tarda pas à l'apercevoir et à se rendre compte de sa condition anormale. Elle proposa immédiatement à Luce de la conduire à l'infirmerie, lentement, en la soutenant tout au long du trajet. Chemin faisant, la malade énumérait, en balbutiant, certains des malaises qu'elle ressentait, dont la vive chaleur qui l'accablait et sa vue embrouillée.

La religieuse infirmière fit mander de toute urgence le docteur Riendeau, dont la venue, une demi-heure plus tard, fut soulignée par un tintement de cloche particulier. À l'audition de ce son, les sœurs se retirèrent partout sur le passage du médecin pour ne pas voir un homme dans le cloître.

En raison de la forte fièvre de Luce, le docteur recommanda d'abord le retrait de la coiffure et son remplacement par un bonnet blanc. L'examen suivit, puis le diagnostic tomba :

— Sœur Marie-Claude-de-la-Croix est atteinte d'une maladie infectieuse, plutôt grave à ce qu'il me semble. Vous devrez surveiller cette fièvre pour qu'elle n'aille pas en grandissant. Le repos, au lit, est nécessaire. Alimentez-la légèrement et, surtout, faites-la boire régulièrement. Un trouble nerveux doit être à l'origine, du moins en partie, de cette fièvre – grave, je le répète, car elle dépasse les 104 °F.

— Ce n'est pas la scarlatine, j'espère, ou la polio-myélite? s'enquit la religieuse infirmière. Vous savez sans doute que sœur Marie-Claude-de-la-Croix s'est dévouée auprès des malades jusqu'à ces derniers jours...

— Nous verrons plus clair demain...

Le lendemain, Luce respirait encore difficilement et, après deux nuits d'une insomnie qui pouvait cacher une dépression sous-jacente, le médecin crut prudent de lui prescrire un somnifère. Après treize heures de sommeil d'affilée, Luce s'éveilla plus calme mais encore fatiguée, sans énergie, moralement à plat, à l'antipode de ses dispositions habituelles.

Au troisième jour de son alitement, bien que Luce ne fût pas à bout de force, la religieuse infirmière fit venir un confesseur. En fait, la malade avait déjà pris du mieux et pouvait presque converser normalement. Elle devait néanmoins garder le lit sous deux épaisses couvertures de laine et on ne pouvait la reconnaître, sous son bonnet blanc, qu'à sa petite tête ronde et à ses deux grands yeux bleus si mobiles.

Ce fut pour elle toute une commotion que de voir s'approcher de son lit un jeune prêtre. Un long silence s'érigea entre les deux êtres stupéfaits: Luce avait reconnu Benoît, vêtu d'une longue soutane qui soulignait encore davantage sa grande taille. Pour toute salutation, il ne put articuler qu'un faible «oh».

Les yeux de Luce s'arrondirent et sa main droite se fraya un passage hors des couvertures pour lisser un de ses sourcils. L'émotion la submergeait au point que, de tous les mots se bousculant à ses lèvres, aucun ne pouvait trouver la sortie. Benoît créa une diversion appréciée en s'adressant à la religieuse infirmière :

— Bonjour, sœur infirmière. Je suis le père Benoît. Je remplace un des aumôniers de l'hôpital pour la journée. Pouvez-vous me laisser seul avec votre malade pendant quelques instants ? Je voudrais m'entretenir avec elle.

Discrètement, l'infirmière se retira et ferma la porte derrière elle. Luce avait entre-temps recouvré l'usage de la parole :

— C'est une hallucination ? Est-ce que je rêve ou suis-je tout simplement devenue folle ?

— J'ai été ordonné prêtre il y a déjà deux ans, dit Benoît. Je donne des cours de latin dans les classes de syntaxe et de méthode, je fais de la prédication et, à l'occasion, du ministère à l'hôpital, comme remplaçant.

— Moi, je vais faire ma profession perpétuelle dans une dizaine de jours. Je suis heureuse de donner ma vie au Christ.

— Comme je le suis moi-même.

— Dis-moi, est-ce que tout s'est déroulé sans peine pour que tu en arrives là où tu es ?

— Non. Mais je devais être libre, même d'une femme que j'aurais pu aimer pour la vie, afin de me donner entièrement aux élèves, aux paroissiens, aux malades, aux prisonniers… selon la mission que la communauté voudra bien me confier.

— Benoît, je suis émue. Je suis aussi heureuse de pouvoir te dire la joie qui m'habite alors que je vais devenir religieuse pour la vie. J'ai beaucoup prié ces derniers temps. Je me sens prête au «oui» définitif, au don total de ma vie. Je me demande tout de même ce que peuvent bien signifier ces retrouvailles imprévues… Serait-ce une ultime épreuve voulue par le Christ? Je n'ai pas tout oublié…

— N'en dis pas plus. Certains souvenirs pourraient nous faire plus de mal que de bien. Nous sommes consacrés. Ayons confiance en la vie. Je te souhaite de vite te rétablir. Je prierai pour toi, particulièrement le jour de ta profession. Luce, je t'absous de tous tes péchés. Es-tu prête à recevoir la communion?

La petite malade, très émue, hocha la tête, et Benoît procéda à l'eucharistie.

Luce resta encore une semaine à l'infirmerie, où elle put continuer à suivre ses exercices: oraisons, lectures spirituelles, examens particuliers, prières, méditations. Chaque midi, pendant l'heure du dîner, une aide-infirmière lui lisait des versets des Saintes Écritures et une page du martyrologe. Au souper, après quelques versets des Épîtres, Luce avait droit à deux ou trois passages de *L'Imitation de Jésus-Christ*. Elle priait et parlait beaucoup avec les infirmières, car les sœurs malades avaient la permission de converser quatre ou cinq fois par jour.

Après un séjour de neuf jours à l'infirmerie, Luce reçut la visite de la supérieure. Celle-ci lui fit remarquer que la confession, comme la sainte communion, se voulaient des sources riches en grâces – grâces qui, dans le cas de Luce, l'avaient certainement aidée à se remettre sur pied. Elle ne put s'empêcher de penser qu'une certaine communion l'avait également aidée à se rétablir et à stimuler l'élan spirituel dont elle avait besoin pour répondre à l'appel définitif par un «oui, je viens».

Enfin, vint le grand jour de la profession perpétuelle.

En procession, l'évêque, ses assistants et d'autres prêtres firent leur entrée dans la chapelle, précédés de la croix et de ses acolytes, et allèrent prendre leur place dans le chœur. Au pied de l'autel, l'évêque revêtit la chape et entonna le *Veni Creator* avant de gravir les degrés de l'autel et de s'asseoir face à la nef pour écouter un sermon.

Après quoi, debout, l'évêque entama en latin un verset tout à fait adapté aux circonstances :

— Je t'ai fiancée, viens ma bien-aimée : l'hiver est passé, la tourterelle roucoule, la vigne a refleuri.

Les professes vinrent aux pieds de l'évêque lire, chacune à son tour, la formule des vœux perpétuels.

Quand toutes l'eurent prononcée, les anneaux furent apportés à l'autel et bénis par l'évêque qui dit :

— Notre aide est dans le nom du Seigneur.

Qui a fait le ciel et la terre.

Seigneur, exaucez ma prière.

Et que mon appel se rende jusqu'à Vous.

Que le Seigneur soit avec vous.

Et avec votre esprit.

(*Oremus*) Bénissez, Seigneur, cet anneau que nous bénissons en votre nom, pour que la personne qui l'aura porté conserve une fidélité totale à son Époux Jésus-Christ dans la paix, soumise à votre volonté, vivant toujours dans la charité. Par le Christ Notre-Seigneur. *Amen*.

L'évêque aspergea les anneaux. À son tour, Luce vint s'agenouiller aux pieds de l'évêque pour recevoir le sien. La maîtresse des novices le présenta au premier assistant, qui le remit à l'évêque. Celui-ci s'adressa à Luce en ces termes :

— Quand on est épouse de Jésus-Christ, Fils du Père souverain, on porte cet anneau, insigne de la foi, symbole de l'Esprit saint. Vous, sœur Marie-Claude-de-la-Croix qu'on appelle épouse de Dieu, si vous le servez fidèlement, vous serez couronnée pour l'éternité. Au nom du Père et du Fils et du Saint-Esprit. *Amen*.

Il tendit ensuite l'anneau à la supérieure générale qui le passa au doigt de Luce, dont la vue s'embrouilla soudainement si bien qu'elle crut voir, fort étrangement, la main de Benoît.

À l'unisson, les nouvelles professes se mirent à chanter :

— C'est Lui que j'ai épousé, Lui que servent les anges et dont le soleil et la lune admirent la beauté.

L'évêque termina la cérémonie sur ces paroles :

— Que vous bénissent le Dieu tout-puissant, le Père, le Fils et l'Esprit saint. Dieu, nous Vous louons ! *Amen*.

Luce venait d'être consacrée religieuse pour la vie. Son destin lui paraissait désormais rigoureusement tracé pour le restant de ses jours, autant à ses yeux qu'à ceux des siens.

Chapitre 5

L'incendie

Une nuit, vers quatre heures, au monastère des sœurs du Saint-Berger, une forte odeur de brûlé tira les religieuses de leur sommeil et les poussa à quitter les lieux par la sortie la plus proche. Né dans l'atelier des réparations, le feu se propagea du sous-sol à la cuisine, à la buanderie et à la cordonnerie avant de gagner en trombe le rez-de-chaussée.

Par-dessus le vacarme de la sirène, des «au feu!» retentissaient de part et d'autre du monastère en déroute. Le feu, puissant, ravageait tout sur son passage et embrasa rapidement les étages supérieurs de l'édifice; sous la poussée irrésistible des flammes, des brèches apparurent dans le toit et laissèrent échapper de grandes colonnes de fumée, dansantes et rougeâtres sur le ciel noir de la nuit. Comme si la catastrophe n'était pas suffisante, un vent du nord-est se leva et, tel un soufflet, raviva encore davantage les flammes, qui donnèrent bientôt l'impression d'une ville entière se consumant.

Enveloppées dans des draps de lit, les sœurs se précipitaient hors du monastère aussi vite que leur âge le permettait, les unes par des portes, les autres par des fenêtres. Certaines sautèrent sans faire de manières du premier étage, où se trouvait leur dortoir.

Une vingtaine de pompiers tâchaient de maîtriser l'incendie, déployés sur le sol et dans les échelles de quatre camions. À son paroxysme, le feu éclairait la scène et les environs comme en plein jour. Des grappes de bénévoles, accourus d'on ne sait où (et peut-être bon nombre d'entre eux étaient-ils trop bouleversés pour le savoir eux-mêmes), aidaient les religieuses les plus âgées à s'éloigner du brasier.

Dans ce malheur, Éliane eut la chance d'avoir le temps de ramasser ses maigres possessions : missel, crucifix, livre des *Constitutions*, brosses à dents et à cheveux, qu'elle jeta pêle-mêle dans une couverture. Juste avant de sortir du monastère, elle prêta mainforte à une consœur, affaissée dans le corridor, près d'un banc qui en barrait le passage, et la releva. De l'autre côté du banc, l'asphyxie avait presque gagné une religieuse d'un certain âge.

— Enjambez le banc, ma sœur ! lui cria Éliane.

La religieuse parvint à franchir l'obstacle et s'arrêta aussitôt pour rajuster pudiquement ses robes.

— De grâce, ma sœur, ce n'est pas le temps des scrupules, fuyez vers la sortie ! hurla Éliane.

Dans la panique générale, le ridicule côtoyait le dramatique : une vieille sœur avait cru bien faire en sauvant du feu le bol de terre cuite qui servait à ses ablutions.

Au fond du jardin, près de l'enceinte de pierre, des citoyens prêtèrent secours aux pompiers pour réanimer quelques religieuses incommodées par la fumée. À travers les crépitements du feu, de forts craquements se faisaient entendre, qui variaient d'intensité selon la direction du vent. Peu à peu, la température avait monté, comme sous le soleil de midi. La masse des curieux allait en augmentant de minute en minute autour des ruines fumantes du couvent. Çà et là, des propos compatissants voisinaient des mesquineries, immondes en ces circonstances :

— Les sœurs ont dû signer une bonne assurance... Pas d'inquiétude pour le futur : elles sont riches !

Le lever du jour permit de prendre la juste mesure des dégâts – impressionnants. Par miracle, se répétaient les sœurs, la chapelle était intacte. Très rapidement, les six religieuses chargées de l'autorité en réservèrent la partie arrière afin de la transformer en dortoir et en réfectoire temporaires.

Aussi vite qu'elle le put, la supérieure prit les moyens appropriés pour assurer, dans la mesure du possible, le respect de la « clôture » des religieuses, presque toutes également bouleversées. Elle téléphona à d'autres monastères, dont quatre offrirent sur-le-champ l'hospitalité aux religieuses sans-abri. Le nom de sœur Antoinette-de-Jésus, alias Éliane Savard, fut inscrit sur la liste de celles qui seraient conduites chez les Soignantes-de-Jésus, là même où sa cousine Luce était cloîtrée depuis déjà dix ans.

Luce et Éliane en furent donc quittes pour des retrouvailles forcées, mais combien heureuses ! Pour chacune d'elles, la pensée de se retrouver ensemble sous un même toit pendant plusieurs semaines s'apparentait à une sorte de cadeau du ciel, et Luce faillit adresser au Seigneur un vibrant merci. D'ordinaire peu loquace, Éliane était intarissable à propos du sinistre, dont elle rappelait les affres dans un luxe de détails, entraînant Luce à la compassion véritable.

Les deux cousines réunies eurent vite l'idée que Gertrude – qui, elle, n'était pas cloîtrée – puisse leur rendre visite. Cette dernière ne tarda pas à passer à l'action, encouragée en ce sens par sa supérieure, généreuse et confiante dans le sens des responsabilités de sa protégée. Elle alla jusqu'à lui proposer de s'arrêter au monastère des Soignantes-de-Jésus à sa convenance, après ses heures de recherches à l'université, consciente qu'une causerie avec ses cousines égayerait sœur Marie-Ange-de-l'Incarnation, alias Gertrude, sans la détourner de ses devoirs.

C'était la deuxième fois en dix ans que les femmes se retrouvaient, et trois paires d'yeux embués roulaient des unes aux autres, retenant à grand-peine des larmes de bonheur. Luce avait demandé, et obtenu, une permission spéciale pour que les trois cousines – trois religieuses, après tout – puissent se rencontrer dans un salon plutôt qu'au parloir, séparées par une grille.

Elles goûtèrent alors l'impression de redevenir ces petites filles qui se retrouvaient naguère dans l'Île-aux-fleurs-de-mai... mais avec un bagage de vie combien plus lourd.

— Je ne sais par où commencer ! s'exclama Luce. Si je le pouvais, je me dégagerais volontiers de mon voile. Ces brusques retrouvailles me font l'effet que nous sommes déguisées pour une réjouissance…

— Ne va pas trop loin avec ces propos, la Puce, rétorqua Gertrude. Faute d'ange gardien à nos côtés, les murs pourraient en entendre de belles !

Comme toujours, Luce se montrait immensément curieuse des conditions dans lesquelles évoluaient ses cousines dans leur congrégation respective :

— Comment ça se passe chez vous ? Parlez-moi un peu de votre installation. Avez-vous une chambre ou une cellule ?

Et comme toujours, c'était là un sujet épineux pour Éliane :

— Je préférerais ne pas aborder ce sujet… mais évacuons-le rapidement. Je n'ai pas, à proprement parler, une cellule. Ce sont plutôt des murs faits de draps. Cela est conforme en tous points à l'esprit de pauvreté. L'intérieur de nos « cellules » (les guillemets étaient perceptibles dans la bouche d'Éliane) comprend le strict nécessaire pour dormir. C'est plus fort que moi : je revois souvent, très souvent, en imagination, la maison familiale du village, les cadres dorés suspendus aux murs, les beaux meubles en pin, les descentes de lit… Ces quelques secondes de rêve sont autant d'instants de bonheur… et aussi de tristesse.

— Ne nous fais pas pleurer, je t'en supplie, reprit Luce. Dans mon couvent, l'esprit de pauvreté est partout, mais ça ne me dérange plus. Laissez-moi vous faire rire… Lorsque la maîtresse des novices m'a conduite à ma cellule, au premier jour, je lui ai demandé candidement si je pouvais avoir un miroir. Elle a réussi à contenir sa surprise et m'a répondu le plus naturellement possible qu'il n'y avait pas de miroir dans le monastère. À cette époque, j'étais encore coquette. Aujourd'hui, nous possédons un miroir, mais nous l'utilisons le moins possible ; pour ajuster notre bonnet, par exemple. Autrement, ce miroir reste en tout temps recouvert d'un voile.

— Au-dessus de la porte du dortoir, murmura Éliane en veine de confidences, figure cette inscription : « C'est ici le beau palais du saint renoncement. » J'ai toujours un choc quand mon œil tombe sur cette sentence.

— Pendant mon noviciat, figurez-vous que m'incombait la charge de remplir tous les bénitiers des sœurs, les novices comme les professes. Cela m'amusait. L'eau que je versais me rappelait celle de la rivière de notre enfance. Depuis que je suis professe, je dors dans une chambrette, entre un bénitier et un petit oratoire de bois. Pour le reste, c'est aussi pauvrement meublé que l'était ma cellule de novice. Je ne me plains aucunement : je n'ai pas besoin de plus.

Ignorant bien des aspects de la vie des semi-cloîtrées, Gertrude orienta la conversation sur la spiritualité de leur congrégation – tout particulièrement sur la clôture, c'est-à-dire l'obligation de vivre recluses et de ne sortir du monastère qu'en des circonstances extraordinaires ou, évidemment, pour leurs fonctions de religieuses actives.

Il n'était pas facile, pour Éliane et Luce, de parler des principales recommandations et des exercices qui leur étaient imposés, et encore moins d'exposer la mystique sur laquelle reposait leur vie religieuse. Il leur fallait nuancer leurs pensées en y allant de l'interprétation qu'elles donnaient à cette mystique, chacune selon sa propre expérience spirituelle.

Avant même d'ouvrir la bouche, chacune pour soi, Éliane et Luce songèrent que l'abdication à la raison exigée depuis leur noviciat n'était pas demeurée intacte. En dix ans de vie religieuse, les moments d'extase avaient été de moins en moins nombreux. Durant les heures de méditation, Luce était parfois surprise par la venue de pensées troublantes ; il lui arrivait même de manifester des élans de ferveur à l'égard de Benoît plutôt que du Christ – avant de se remettre aussitôt à la prière, car sa foi se voulait toujours aussi intense.

Éliane, elle, avait depuis un certain temps conçu des doutes sur les préceptes imprescriptibles du théologien Tanquerey, pour qui « le monde est l'ennemi de Jésus-Christ ». Au bout d'une décennie, sa raison devenait lasse d'abdiquer sans cesse. Elle raconta à ces cousines qu'une de ses consœurs, en proie à une forte crise, avait déchiré devant elle son exemplaire du livre de Rodriguez, dont un précepte disait qu'il « faut éviter de recevoir des visites de ses parents et d'avoir commerce de lettres avec eux ». Prise de convulsions, elle avait hurlé, tête renversée : « Non, c'est faux, c'est inhumain ! »

Sans avoir osé évidemment le dire sur le coup, Éliane partageait l'opinion de sa compagne. Comment les contacts avec ses parents, et même avec d'autres laïcs, des deux sexes, pouvaient-ils être malsains pour des religieuses? Comment pouvait-elle expliquer à Gertrude, religieuse active pouvant évoluer hors de sa communauté, qu'on lui avait enseigné que le monde extérieur risquait de la contaminer, de lui faire perdre sa vocation? Des doutes, Éliane et Luce n'en manquaient pas; mais leur foi finissait toujours par l'emporter.

— Éliane, donne-moi un exemple de ce que vous impose la clôture? demanda Gertrude.

— La fille de médecin que tu es appréciera sûrement celui-ci: il nous est défendu de pénétrer seule dans le cabinet d'un médecin. Imagines-tu à quel point certains examens peuvent être humiliants, dégradants, quand une religieuse doit les subir en présence d'un ange gardien? Et inversement, comment cela peut être avilissant de devoir jouer les anges gardiens et assister, pour ainsi dire de force, aux examens d'une compagne? Durant ces moments-là, on ne peut que nourrir des sentiments de rancœur contre sa communauté.

Luce surenchérit:

— Évidemment, on n'entre pas seule dans le cabinet d'un médecin puisqu'on n'a jamais le droit d'être seule avec un homme, serait-ce notre propre frère. Dans ces conditions d'isolement et d'ignorance du monde extérieur, pour bien des sœurs, la peur du monde devient bien réelle. Une de mes compagnes, quelqu'un de fort intelligent, a dû se rendre d'urgence toute seule à un hôpital. Elle m'a confié que, durant le simple trajet de la gare à l'hôpital, elle avait eu peur d'être enlevée, et même violée !

— À vous écouter décrire la clôture, dit Gertrude, passablement remuée, je ne comprends pas que vous puissiez travailler dans le monde, que ce soit auprès des malades ou des délinquantes. C'est tout un antagonisme...

— Moi, affirma Éliane, j'accepte l'idée que la clôture est un moyen de sauvegarder la vie spirituelle. Jusqu'à maintenant, en tout cas...

— Moi, de moins en moins, avoua Luce. Un de mes malades, professeur de l'histoire des religions à l'université, m'a appris que l'institution de la clôture, apparue au XVIe siècle, reposait sur le principe que les idées nouvelles menaçaient la bonne marche des couvents et l'autorité de ses gouvernantes. Et, bien sûr, je l'ai cru !

La grille des couvents de Luce et d'Éliane se ressemblait en tout point. Elle était constituée de barreaux en bois noir formant des carreaux de quatre pouces sur quatre, qui rendaient impossible un geste aussi simple que le baiser d'une religieuse sur la joue de sa mère. Si un visiteur désirait offrir un cadeau, il devait le déposer dans une petite niche adjacente à la porte du parloir. Cette niche, nommée le « tour », consistait en une armoire cylindrique tournant sur un pivot. Par une légère poussée, le mécanisme faisait passer le colis du monde extérieur à celui derrière la grille.

Le thème de la clôture, on l'imagine bien, excitait l'appétit de Luce pour les détails et les anecdotes :

— Figure-toi, Gertrude, que la clôture demande aussi qu'on rabatte le voile sur sa figure en pénétrant dans la chapelle pour n'être pas vue des laïcs présents de l'autre côté de la grille. Laissez-moi vous faire rire encore une fois... Avec ce voile fort malcommode, on voit plus ou moins où l'on met les pieds... Or, il m'est arrivé une fois de marcher sur le bas de la robe de la maîtresse des novices. Je me suis alors figée... mais j'ai stoppé si brusquement ma marche que j'ai posé mon autre pied sur sa robe et que son voile est tombé. Vous devinez un peu la réaction – et la tête ! – de la maîtresse ? Cela s'est passé au noviciat, il y a déjà longtemps... Depuis, je maîtrise mieux l'art de marcher avec un voile !

Une fois encore, Luce avait réussi à détendre l'atmosphère avec une de ces facéties. Les cousines s'esclaffèrent comme au bon vieux temps de l'Île-aux-fleurs-de-mai. Néanmoins, les deux sœurs semi-cloîtrées en avaient encore long à dire sur leur sort :

— Je ne suis pas la seule à voir l'absurdité de la grille et de la clôture, poursuivit Luce. En tant qu'infirmières, nous assistons un nombre incalculable de malades, presque tous des laïcs bien sûr, mais nous n'avons pas le droit de rendre visite à notre mère qui se meurt. Que Dieu me pardonne : quand je veux voir quelqu'un de ma famille sans en être séparée par la grille, je lui donne rendez-vous à l'hôpital. Là, je peux enfin les voir de près, tout à ma convenance. Et laissez-moi vous dire que je le fais sans le moindre scrupule.

— Chez nous, répliqua Éliane, nous avons une demi-heure de visite tous les trois mois, derrière la grille, et avec un ange gardien assis tout près de nous, pour ne pas dire sur nos genoux. Il y a deux ans, chemin faisant vers ma retraite de trente jours, je me trouvais à passer devant la maison de tante Aline. Sachant que j'allais emprunter cette route, maman s'était rendue chez Aline pour me rencontrer. Comme il m'était défendu d'entrer, elles ont dû se contenter de venir me dire quelques mots à la voiture. J'en ai encore des regrets...

— Il y a quatre ans, reprit Luce, j'ai dû suivre des cours à l'université. Je m'y rendais chaque fois accompagnée d'une sœur – un ange gardien, comme tu dis, Éliane. Elle me suivait jusque dans la salle de cours. Pendant le cours, elle était assise à l'arrière de la classe et égrenait son chapelet. Sa présence me faisait honte aux yeux des étudiants. Pour le trajet jusqu'à l'université, pas question de monter à bord d'un autobus comme n'importe quel étudiant. Je devais emprunter un taxi et me faire déposer à la porte même du pavillon où était donné le cours... en croisant souvent les regards étonnés ou franchement outrés des étudiants, qui venaient presque tous à pied à leurs cours.

— Ça me fait penser à une anecdote récente... J'ai dû accompagner quatre religieuses de ma communauté à l'Université de Montréal, où elles suivaient un cours en service social. Elles s'y rendaient dans un minibus équipé de vitres blanchies pour les soustraire au regard d'autrui – un cloître ambulant, en quelque sorte ! Soyez libres de me croire ou non, mais j'ai vu deux d'entre elles gratter la surface de la fenêtre dans l'espoir de voir ce qui se passait à l'extérieur.

Gertrude était un peu dépassée par ces réalités dont elle avait entendu parler, mais que ces cousines lui dévoilaient pour la première fois dans toute leur crudité.

— Je ne veux pas vous attrister à cause de mon statut différent, mais je me trouve bien chanceuse de pouvoir communiquer avec le monde extérieur, seule comme une grande. Je suis des cours à l'université, j'accompagne mes étudiantes à des conférences. Ma supérieure me fait confiance. Mais dites-moi… Savez-vous ce qui se passe dans le monde ?

— Un peu… en grande partie grâce aux malades, répondit Luce. Ici, au monastère, nous n'entendons même pas parler des autres couvents de la congrégation, sauf dans le cas du décès d'une sœur. Chaque maison en est alors informée afin que les religieuses puissent prier pour la défunte. Autrement, aucun journal dans la maison et défense absolue d'écouter la radio.

— Moi, dit Éliane, j'ai quelques contacts avec le monde grâce aux délinquantes, qui nous en parlent selon leur compréhension et dans leurs propres termes. Nous en entendons aussi parler par l'intermédiaire des services sociaux… et lorsque je dois me présenter en cour pour des causes concernant nos filles.

Gertrude crut nécessaire d'apporter un bémol à la liberté dont elle bénéficiait :

— N'allez tout de même pas croire que je peux lire n'importe quoi, sous prétexte que je suis membre d'une communauté enseignante et diplômée de l'université. Je n'ai pu lire *Le Devoir* qu'à l'arrivée de la supérieure actuelle. La précédente nous répétait toujours, en parlant du *Devoir* et de *La Presse*, que « ces grandes feuilles sont une perte de temps ». Une protection bien illusoire contre le monde extérieur, vous en conviendrez.

— Chez nous, à part les annales de la bonne sainte Anne, de saint Joseph, la vie de nos fondateurs et les annales de la communauté, aucune lecture n'est permise. Combien de fois ai-je vu des sœurs s'empresser de plier un vieux journal après avoir pelé des légumes au-dessus : il ne fallait surtout pas que leurs yeux tombent sur une manchette, un reportage ou un éditorial ! Selon les règles de notre communauté, il s'agirait d'un péché.

Gertrude nuança encore davantage ses propos concernant la présence du *Devoir* entre les murs de son monastère :

— *Le Devoir* parvient à notre couvent, soit, mais en réalité, il est passé au crible et déchiqueté par la supérieure et l'économe qui sélectionnent les articles qui seront déposés sur la table commune. Elles retirent systématiquement les pages traitant de cinéma, des arts, de la politique… si bien que le journal, dépouillé de sa substance, n'offre plus aucun intérêt.

— À notre couvent, reprit Éliane, il revient à la supérieure de lire les principales nouvelles à voix haute, au réfectoire. Sa lecture se borne le plus souvent aux gros titres annonçant des catastrophes – cela afin d'alimenter nos prières, a-t-elle coutume de dire. Qui, croyez-vous, m'a appris le nom de notre premier ministre ? Mon père... pas ma supérieure. Le goût de la lecture n'est pas encouragé chez les religieuses, et celles-ci n'éprouvent pas non plus le besoin de lire.

Sans même s'en rendre compte, Luce sauta du coq à l'âne :

— Réalisez-vous que nous voilà réunies grâce à un malheureux incendie ? Alléluia !

— Luce, gronda Éliane, tu vas encore trop loin... Mais, pour être tout à fait honnête, je me régale de notre rencontre. Pour ma part, je ne me sens pas du tout malheureuse dans mon cadre de vie, bien au contraire. Jusqu'à maintenant, j'accepte sans problème de respecter les règles qui m'excluent du monde. Cependant, comment réagirai-je lorsque maman ou papa sera gravement malade et qu'on m'empêchera d'aller les visiter ? Ça, je ne saurais le dire !

— Eh bien moi, claironna Luce, je ne suis pas aussi docile que toi... et je le serais encore moins si cette situation se présentait. Ce qui me déplaît, entre autres choses, c'est l'obligation de me rendre au parloir accompagnée d'une sœur – à moins de bénéficier d'une dispense spéciale, comme c'est le cas aujourd'hui. Encore une fois, alléluia !

L'évocation des parents avait ranimé chez Éliane sa douleur coutumière :

— Là où la clôture me fait mal, c'est qu'elle impose mon sacrifice à mes propres parents. Papa me disait encore, l'autre jour, qu'il avait l'impression de venir me visiter dans une prison et qu'il trouverait plus normal de pouvoir me toucher, m'embrasser… comme si les proches étaient contagieux ! Il trouve profondément injuste que sa Fifille adorée oblige ses parents à faire les mêmes sacrifices qu'elle… «C'est ton choix, me répète-t-il, pas le nôtre.»

Luce emprunta le ton de sa supérieure pour signifier la fin de la récréation :

— Mes sœurs, votre temps d'entretien est terminé. Je conserverai un seul regret quant à nos retrouvailles d'aujourd'hui : que nous ayons accordé autant de temps à parler de la clôture… plutôt que de nous-mêmes et du bon vieux temps. Gertrude, j'espère que ta supérieure est aussi intelligente que tu le dis et qu'elle te permettra de nous revoir dans quelques jours. Il me semble qu'il nous reste encore une montagne de sujets dont débattre. Fais ton possible pour revenir bientôt. Ne laissons pas passer les rares chances de nous rencontrer…

Après le départ de Gertrude, Éliane et Luce prirent la direction de la chapelle pour un quart d'heure de méditation. Elles en avaient déjà choisi le sujet la veille, comme c'était la coutume. Celui d'Éliane était tout trouvé : imiter Jésus-Christ et mépriser toutes les vanités du monde.

> Vanité des vanités, tout n'est que vanité, hors aimer Dieu et le servir Lui seul.
>
> Vanité, d'amasser des richesses périssables et d'espérer en elles.
>
> Vanité, d'aspirer aux honneurs et de s'élever à ce qu'il y a de plus haut.
>
> Vanité, de suivre les désirs de la chair et de rechercher ce dont il faudra bientôt être rigoureusement puni.
>
> Rappelez-vous souvent cette parole du sage : « L'œil n'est pas rassasié de ce qu'il voit ni l'oreille de ce qu'elle entend. »

Luce méditerait quant à elle sur le thème de la familiarité :

> Il faut avoir de la charité pour tout le monde, mais la familiarité ne convient point. Il faut se prêter aux hommes et ne se donner qu'à Dieu. Un commerce trop étroit avec la créature partage l'âme et l'affaiblit : elle doit viser plus haut. Notre conversation est dans le ciel, dit l'apôtre.

Ce passage de *L'Imitation de Jésus-Christ* lui inspira une réflexion instantanée : il était impératif d'éviter une trop grande familiarité... sauf envers son fiancé, son mari et ses enfants. Une conclusion qui la laissa rêveuse...

Alphonse Savard éprouva le besoin de se rendre compte par lui-même des dégâts causés par l'incendie au monastère où était cloîtrée sa fille et découvrit une réalité bien plus désastreuse encore que celle qu'avait décrite la radio. Il enjamba des débris de bois, de métal et des monceaux de cendre, marquant régulièrement des pauses pour secouer ses pieds et épousseter la suie sur son costume.

Le hasard de ses pérégrinations l'amena à la porte de la chapelle, miraculeusement épargnée, et il se retrouva face à face avec trois religieuses interloquées de voir cet homme pénétrer chez elles avec une telle désinvolture.

— Bonjour, mes sœurs, fit-il gaiement. Je suis Alphonse Savard, le père d'Éliane... Euh, je veux dire de sœur Antoinette... de... de...

Il s'interrompit un moment, incapable de mettre le doigt sur l'intégralité du nom de religieuse de sa fille et préféra y aller d'une sage diversion :

— Je sympathise de tout cœur avec vous !

D'un geste assuré et qui n'admettait aucune rebuffade, il tendit à celle des sœurs qui lui semblait en position d'autorité une enveloppe blanche. Les yeux de la religieuse s'arrondirent quand elle en sonda le contenu : cinq billets de mille dollars chacun.

— Le Seigneur vous le rendra au centuple, monsieur Savard, articula avec peine la sœur, estomaquée par la générosité de l'homme.

— J'y compte bien, ma sœur, répondit-il du tac au tac, sans se départir d'un iota de sa bonne humeur. En attendant qu'Il veuille bien me régler sa dette, pourriez-vous me dire où est Éli... enfin, sœur Antoinette... ma Fifille, quoi!

La sœur lui fournit immédiatement l'adresse temporaire de sa fille et Alphonse s'y dirigea aussitôt avec la détermination d'un croisé en route vers Jérusalem. Durant le trajet, il fit halte dans une pâtisserie et commanda seize petits gâteaux en demandant que soit glacée sur chacun d'eux une lettre, de manière à former le message suivant: *Je t'aime, ma Fifille*. À l'intérieur du couvercle de la boîte, il inscrivit un message en capitales: *VIENS-T'EN, FIFILLE! J'AI BESOIN DE TOI POUR M'AIDER DANS MES AFFAIRES QUI ÉVOLUENT VITE. PAPA.*

La portière fit demander sœur Antoinette-de-Jésus au parloir. Le premier soin de son père, en pénétrant dans la pièce, avait été de comprendre le fonctionnement du tour. Il put ainsi annoncer fièrement à sa fille:

— Regarde sur la tablette tournante, je t'ai apporté un petit quelque chose...

Le regard que jetait Éliane sur la boîte marquait l'ahurissement le plus complet.

— Mais... comment vous y êtes-vous pris pour faire passer cette boîte? Normalement, le tour est bloqué par un crochet.

Le père se contenta d'adresser à sa fille une œillade complice en éludant la question:

— Je suppose que ta divine Providence a favorisé un oubli de la sœur tourière...

Éliane secoua la tête plusieurs fois, en signe d'incrédulité, en réprimant le sourire qui lui montait aux lèvres, avant d'ouvrir la boîte et de découvrir le message du couvercle. Instantanément, ses narines se mirent à palpiter sous l'effet d'une intense agitation intérieure.

— Papa, merci! Je ne peux rien ajouter d'autre... Merci!

Elle déposa cérémonieusement la boîte sur ses genoux, comme s'il s'était agi d'une chose très délicate, la recouvrit de ses grandes manches, puis se courba très lentement, très doucement sur elle. Cette boîte était sa propriété – peut-être pas pour très longtemps, mais du moins pour quelques précieux moments.

Ayant observé la réaction de sa fille dans un profond silence, Alphonse Savard ramassa tout son courage pour joindre la parole aux propos inscrits dans la boîte de gâteaux:

— Fifille, je suis un homme riche. Mes affaires croissent plus vite que je l'avais prévu, et je vais devenir beaucoup plus riche encore. Quand vas-tu sortir de cette prison? Je suis prêt à t'accueillir et à te prendre à mon service n'importe quand comme comptable. Je peux t'offrir la voiture de ton choix et une garde-robe à ton goût. Choisis ta vie. Ou tu la vis pour de vrai, ou tu te ratatines derrière ce grillage à lapins pour le restant de tes jours. Réfléchis bien. Il n'est jamais trop tard pour réorienter sa vie.

Un énorme soupir ponctua le soliloque de l'homme, qui poursuivit, un ton plus bas :

— Fifille, tu es ma préférée, et tu le sais. Comme j'aimerais pouvoir refaire un enfant comme toi, pour te remplacer maintenant que je t'ai perdue. Pardonne-moi, Fifille… Je sais bien que je parle à une religieuse aux saintes oreilles. Je vais te laisser… Cache bien ta boîte : elle est à toi. Je retourne à mes affaires…

Éliane n'avait pas répliqué un seul mot.

Après le départ de son père, elle se dirigea au bureau de la supérieure de Luce, pressant contre sa poitrine la précieuse boîte enveloppée dans ses manches.

— Ma sœur, dit la supérieure, dans les circonstances difficiles que nous traversons, je laisse à votre conscience le soin de décider ce que vous entendez faire de cette boîte mystérieuse que je n'aurai même pas le temps d'ouvrir, car on m'attend à quatre endroits à la fois. Allez, ma sœur, vous êtes une adulte !

Deux jours plus tard, Gertrude se présenta de nouveau au parloir. Dans l'état de parfaite désorganisation dans lequel était plongé le monastère, compte tenu des vingt-deux religieuses en accueil prolongé, la supérieure de Luce ne s'aperçut même pas que les cousines se voyaient pour une deuxième fois en moins d'une semaine.

— Quel bonheur ! s'exclama Luce. Je me sens aussi détendue qu'autrefois, du temps de notre jeunesse, quand nous nous retrouvions sans manière dans notre île. Entre nous, pas besoin de tenir un rôle : nous pouvons nous offrir le luxe d'être nous-mêmes.

Éliane avait peine à croire que tout ce temps passé les séparait de ces jours bénis :

— Déjà dix ans de vie religieuse ! Je me souviens encore de la première visite de ma famille... Le plus jeune de mes frères m'avait lancé, en me voyant m'approcher, derrière la grille : « Éliane, t'as l'air d'une sœur ! » Plus tard, après quelques minutes de parlotte, il était revenu à la charge : « Éliane, tu parles comme une sœur ! »

Dans la même foulée, elle se rappela les règles du *Coutumier* touchant au discours, qu'elle avait apprises par cœur – comme toutes les autres, d'ailleurs :

— « Les conversations doivent être modestes et retenues, sans austérité ni contrainte, sans dissolution ni légèreté, douces et suaves, sans affectation ni flatterie, ouvertes et cordiales, avec prudence et discrétion, utiles et agréables à ceux avec qui vous conversez. »

— Tu me fais penser, dit Luce, à une autre règle de notre communauté, dont je me souviens presque mot pour mot : « Il faut s'étudier à garder la modération dans les mots de gaieté, aux heures de la récréation [...] se souvenant que les religieuses ne doivent point rire sans sujet ni éclater de rire trop fort. [...] On doit éviter les légèretés et les paroles trop libres, ne devant rien sortir de bas et d'indécent d'une bouche consacrée à Dieu. »

Gertrude se piqua au jeu des règles, dont les similarités, d'une congrégation à l'autre, étaient frappantes, et proposa que chacune énonce, à tour de rôle, un règlement de la leur. Luce partit le bal :

— « Quand elles éternuent, les religieuses doivent se servir de leur mouchoir, qu'elles ne doivent jamais déployer devant les autres. »

— « Elles éviteront de montrer l'intérieur de leur bouche, soit en priant ou en chantant, de trop montrer leurs dents, de souffler leur haleine, de postillonner sur les personnes qui sont proches d'elles. Il ne faut pas non plus cracher devant soi ni devant les autres. »

— « Régulièrement, la bouche est fermée. Le sourire donne à la physionomie une expression niaise ou fausse. Il faut éviter de faire la moue, de mordiller ses lèvres et de les pincer en signe de mécontentement. »

— « Une personne du sexe évite de gesticuler en parlant ; s'il lui faut poser des gestes, qu'ils soient simples et gracieux. »

— « À la chapelle, les génuflexions, les prosternations, les adorations, les inclinaisons doivent être faites en même temps et de la même manière. »

— « Si nous sommes appelées par la cloche, il faut marcher d'un pas si grave et si dégagé que notre empressement ne soit soupçonné ni de hâte ni de légèreté. »

— « Après le repas, on doit manger les miettes de pain restées sur la serviette ; ceci se fait avec la main ou à l'aide de la petite cuillère, en prenant garde de n'en point laisser tomber par terre. »

— Je suis à bout d'inspiration, dit Luce. Cessons ce petit jeu, s'il vous plaît, s'il vous plaît !

Gertrude sauta sur l'occasion pour aborder un autre point qui l'intéressait :

— Puisque nous parlons de miettes de pain, comment mangez-vous ? Et votre réfectoire, de quoi a-t-il l'air ?

— Pour tout vous dire, avoua Éliane, c'était – l'incendie me fait en parler au passé – toujours une épreuve pour moi d'entrer dans ce réfectoire aux boiseries sombres, où les bancs étaient sans dossier, les longues tables de bois sans nappe et sans décoration, avec de la vaisselle d'étain sans éclat. L'ensemble dégageait une atmosphère de pauvreté et d'austérité qui n'encourageait pas l'appétit.

Luce opina du bonnet durant toute la description qu'Éliane avait fait du réfectoire de sa congrégation :

— C'est à peu de chose près l'apparence de notre réfectoire : dépourvu de toute décoration. Quand nous y prenons place, un pot d'eau en étain et un pain circulent d'un bout à l'autre de la table. Chaque sœur coupe une tranche en silence et la dépose sur sa serviette de table, à côte de son assiette. Pendant que nous mangeons, notre esprit se nourrit d'une lecture édifiante. Je garde en mémoire le passage de la règle de saint Augustin : « Étant à table, que le corps ne prenne pas seul ce qui est nécessaire, mais que l'esprit se nourrisse en même temps de la parole de Dieu. » Ce n'est pas beau, ça ? À la fin du repas, chacune lave ses ustensiles et les enroule dans sa serviette. La supérieure préside tous les repas, qu'elle débute toujours par la récitation du bénédicité, en latin, et termine par les grâces, encore en latin. Cela ne vous rappelle-t-il pas nos années de couventines?

— Chez nous, enchaîna Gertrude, la « grande lectrice » est chargée de diriger la lecture de table et de corriger toutes les fautes que peuvent commettre les lectrices. Elle s'assoit près de la tribune et apporte un zèle particulier à nous rappeler les anniversaires de décès de sœurs... Follement gai, n'est-ce pas?

— La lectrice de notre congrégation, elle, commence par solliciter la bénédiction de la supérieure. Au nom de toutes les sœurs, elle demande: *Jube me benedicere* (« Voulez-vous me bénir, ma sœur? »), à quoi la supérieure répond: « Que le roi de l'éternelle gloire nous rende participantes des banquets célestes. » La lectrice lit alors un extrait de l'Évangile et une courte biographie du saint du jour. Cette lecture, calculée au moyen d'un sablier, dure une vingtaine de minutes... bien qu'elle nous semble parfois durer mille ans!

— Pour une jeune novice, c'est une épreuve de lire en public. La toute première fois que j'ai été appelée à monter sur la tribune pour lire un texte, mes jambes flageolaient... et je n'ose pas penser à l'expression que devait avoir mon visage! Devant la cinquantaine de consœurs qui me fixaient du regard, je mourais de nervosité. Ma lecture à haute voix évoquait davantage une suite de trémolos sans cesse plus rapprochés et de moins en moins audibles. À la fin, le bruit que produisait ma feuille entre mes mains tremblantes couvrait certainement le son de ma voix! Dans le réfectoire, les sourires en coin l'emportaient sur les regards charitables. J'avais complètement perdu l'appétit !

Gertrude était ravie de voir que chacune de ses questions aux cousines déclenchaient à tout coup un torrent de souvenirs, de sensations, d'opinions... Rares étaient les sœurs qui, comme elles, avaient ce privilège de pouvoir échanger sur les différences et les similarités de leur congrégation respective.

— Moi qui ai toujours été gourmande, dit-elle, j'ai dû faire mes adieux à l'idée de petits plats fins. Mais je me suis faite à la bonne grosse nourriture du couvent.

Ce renoncement aux plaisirs de la chère avait aussi marqué Éliane :

— Un de nos « desserts » est composé de retailles d'hosties que nous fabriquons, trempées dans une sauce... que je préfère ne pas qualifier. La dégustation de cette chose met à rude épreuve notre esprit de pauvreté et de pénitence. On se demande bien quel crime a-t-on pu commettre pour être soumises à pareille brimade ! Durant ces moments-là, dans mon for intérieur, je crie à papa de m'apporter des pâtisseries !

— Parlons plutôt des bonnes choses, dit Luce. Au jour de l'An, la coutume veut que nous savourions un saint-honoré offert à la communauté par une boulangerie du coin. Quel délice ! Et quelle tristesse que les jours de l'An soient si espacés !

— Le service aux tables est-il assuré par les novices, chez vous ? demanda à son tour Éliane, curieuse.

— Les professes distribuent le potage et la viande dans les écuelles, répondit Luce, pendant que les postulantes et les novices servent les légumes, le dessert et le breuvage. Lorsqu'elles ont terminé leur tâche, elles se font ensuite servir par des professes.

Gertrude ne put alors résister à l'envie de raconter quelques bévues, imputables à sa gourmandise, qu'elle avait commises lors de son noviciat. À cette époque, elle avait toujours hâte de manger. Un jour, dans le silence du réfectoire, elle avait échappé un plein plat de pommes de terre qui avaient roulé dans tous les sens, sous les tables. L'une d'elles s'était arrêtée pile sur le bout du soulier de la supérieure. Sa maladresse eut pour effet de divertir les sœurs, qui riaient sous cape, alors que Gertrude s'attendait à la pire des réprimandes. La supérieure s'était levée lentement, avait balayé le plancher d'un long regard… avant d'exploser de rire.

— Mes sœurs, avait-elle dit, je vous permets de rire parce que c'est drôle.

La cocasse déconvenue s'était poursuivie encore pour une minute, le temps que toutes les patates égarées fussent recueillies par une Gertrude empêtrée dans ses jupes et ses tabliers.

Pliées en deux, les cousines tentèrent de leur mieux d'étouffer leurs rires à l'évocation de la scène. Éliane fut la première à reprendre son souffle :

— Puisqu'on parle des « plaisirs de la table », il y a une chose qui me déplaît plus que tout. À la fin du repas, lorsqu'on fait passer le bac d'eau chaude d'une sœur à l'autre pour laver la vaisselle et qu'il finit par arriver devant moi, le cœur me lève. Comme ma place est au bout de la table, vous devinez un peu dans quel état peut se trouver l'eau du bac : froide et graisseuse, il y surnage des détritus dont j'essaie de faire abstraction. C'est toujours le pire moment de ma journée. Pour me donner du courage, je pense alors à certains saints qui avalaient des puces, des gales ou même des crachats... et rien de tout ça ne me console. Pas d'appétit au début du repas... et gros mal de cœur pour dessert.

— Arrête ! dit Luce. Je connais la chanson... Il n'y a rien de plus dégoûtant.

— Laissons les puces, les gales et les crachats de côté, voulez-vous ? Moi, mon problème, c'est que je n'arrive pas à me priver ainsi que le commande la règle. Souvent, je demande à ma supérieure la permission de manger un fruit entre les repas ; elle ne me l'a jamais refusée. Il y a un conseil de notre *Coutumier* qui s'énonce ainsi : « Quand vous allez à table, soupirez sur la servitude dans laquelle vous êtes réduites, comme les bêtes, et, pour ne pas leur ressembler, renoncez au plaisir sensuel que la nature y prend nécessairement. » Autant vous dire que je ne risque pas d'être béatifiée demain...

— Chez nous, reprit Luce, on nous sert ce genre de conseil gastronomique : « Trempez en esprit le premier morceau que vous mangerez dans le sang de Jésus-Christ et unissez ce morceau au pain des anges. » Franchement, je dois reconnaître que je n'ai pas assez d'imagination pour suivre cette recommandation. Quand un mets est délicieux, je me concentre sur le plaisir de goûter, un point c'est tout.

Éliane leva ses deux mains en l'air en signe d'opposition :

— Peut-on mettre de côté ces histoires terre à terre pour de plus subtiles ? D'accord ? Bien… J'aimerais que nous parlions un peu de nos activités apostoliques. De toi, Luce, l'hospitalière, et de toi, Gertrude, l'enseignante. Racontez-moi…

— Pourquoi ne pas commencer par toi, Éliane ? proposa Gertrude. Je suis vraiment curieuse de connaître ce que tu fais. Si je peux deviner les tâches d'une hospitalière, j'arrive mal à imaginer en quoi consistent celles d'une travailleuse sociale. Décris-nous un peu ton emploi du temps.

— Avant de vous parler de mes délinquantes, dit Éliane, je dois vous dire que, pendant mon noviciat et les trois premières années de ma profession, j'ai aidé l'économe en chef à tenir les livres de comptes. Nul besoin de vous dire que ce travail me convenait parfaitement. Je me voyais déjà en grande femme d'affaires… ce que j'aurais peut-être pu devenir, n'est-ce pas ?

Luce soupira et ramena sa cousine dans les ornières de la conversation :

— Laisse un peu les affaires et parle-nous plutôt de tes délinquantes… Voilà ce qui nous intéresse.

— Ce sont des filles à la mauvaise conduite, des orphelines, des fillettes abandonnées. À l'École de réforme, le nom même de l'institution le dit en toutes lettres, on tente de les corriger et de les amener à changer leur comportement. À l'École d'industrie, on leur enseigne des métiers au travers des cours réguliers des écoles normales. Nous pouvons les garder jusqu'à l'âge de dix-huit ans. Entre-temps, elles se sont instruites et la plupart ont appris un métier. Parfois, mais c'est plus rare, on nous confie une toute petite de quatre ou cinq ans. Moi, j'ai surtout affaire à des adolescentes. On pourrait dire qu'elles sont ma spécialité. Ma dissertation de baccalauréat, à l'Institut de pédagogie familiale, avait pour titre *L'adolescente mésadaptée*.

Impressionnée par le tableau que traçait Éliane de son dévouement auprès de ces déshéritées, Luce exposa à ses amies une idée qui lui était venue spontanément : demander à la supérieure de l'inviter à parler de son œuvre devant toute la communauté, le lendemain, un dimanche.

Aussitôt dit, aussitôt fait. La supérieure accueillit favorablement la suggestion de Luce et saisit l'occasion pour réunir les professes de la communauté ainsi que les religieuses du Saint-Berger temporairement hébergées.

Le lendemain, la conférencière improvisée constata avec plaisir que toutes les sœurs présentes semblaient manifester pour son travail un intérêt aussi grand que celui que ses cousines lui avaient témoigné la veille.

— Qu'est-ce qui cause la délinquance chez les filles ? lui demanda une sœur, pour ouvrir le bal en beauté.

— Une délinquante, c'est avant tout une personne qui se sent dévalorisée dans sa famille, ce qui l'amène à se rebeller, à vagabonder et, parfois même, à se prostituer. D'autres sont issues de familles monoparentales, à la suite du décès, de l'emprisonnement ou de l'internement d'un parent. Bien des mères, malades ou trop pauvres, parfois les deux, ont elles-mêmes recours au placement afin d'alléger leur charge. D'autres filles nous sont confiées parce que leur mère est ivrogne, prostituée ou en prison. Certaines n'ont jamais adressé un mot à leur mère. Les pères alcooliques sont aussi monnaie courante. D'autres se sont évanouis dans la nature sans laisser d'adresse. Bref, les filles proviennent en général de familles tarées où père et mère vivent en concubinage. Parmi les cas les plus pénibles qui s'imposent à nous, et hélas ! beaucoup trop fréquents, les filles ont été abusées sexuellement par leur père, souvent au plus jeune âge. Enfin, nous prenons aussi soin des petites, des orphelines de six ou sept ans. Ces innocentes sont appelées les « préservées ». Ces fillettes n'ont commis aucun délit ; elles ont simplement le malheur d'être abandonnées. On leur enseigne, on les éduque et on les entoure d'amour.

— Ma sœur, je suis étonnée par l'environnement de travail que vous nous décrivez. Comment vous, sœur Antoinette, qui avez été choyée dans votre milieu familial, parvenez-vous à comprendre et à vous occuper de ces filles à problèmes ? Il vous faut des grâces particulières pour vous dévouer auprès d'elles. Vous avez droit à toute notre admiration.

— Mettez de côté votre admiration. Comme mon expérience le prouve, la vie monastique et sa clôture ne me ferment pas tout à fait au monde. Ma connaissance de ce dernier est tout simplement différente de la vôtre, ou encore de celle des laïcs, voilà tout.

— Vous nous étonnez quand même. Moi, j'œuvre auprès des malades, mais je savais à quoi m'attendre de ce milieu avant d'y pénétrer. Je savais ce qu'était un malade, un médecin, un hôpital… Est-ce que vous pouvez nous raconter des cas concrets que vous rencontrez dans votre pratique ?

— J'évoquerai le cas de Carmen, une histoire parmi tant d'autres. Elle a commencé à travailler dans une manufacture à l'âge de douze ans pour aider sa mère, son père et ses trois frères aînés, qui buvaient la majeure partie de leur salaire. L'année suivante, elle est passée au service de la buanderie d'un hôtel, où elle a travaillé jusqu'à ses quinze ans. C'est à ce moment que la Cour du bien-être social nous l'a confiée. Carmen est actuellement en sixième année scolaire. Quand elle sortira de l'école, elle sera une femme accomplie – du moins, je l'espère.

— Comment ces adolescentes à problèmes échouent-elles à l'École de réforme ?

— La plupart nous arrivent après leur passage au tribunal de la Cour du bien-être social. Les travailleurs sociaux viennent ensuite frapper à notre porte.

— Comment leur vie est-elle organisée à l'internat ? J'imagine qu'elles doivent être soumises à un régime de vie plutôt sévère ?

— À leur arrivée à l'internat, on leur donne un uniforme noir – les plus jeunes ont droit à un tablier de couleur claire – et on coupe leurs cheveux très courts pour éviter les problèmes de poux et de teignes. L'une de vos sœurs est en train de distribuer des feuilles où figure l'horaire quotidien de nos protégées. Ainsi que vous pouvez le voir, après une nuit de neuf heures, les filles se lèvent à sept heures. Elles dorment sous surveillance pendant toute la nuit, car certaines ont la tentation de se sauver. Nos mésadaptées ne sont pas très intéressées par les matières scolaires ; elles préfèrent de loin l'expression artistique : le théâtre, la composition, le dessin, le bricolage. Nous nous efforçons de leur faire ressentir la nécessité d'une vie chrétienne afin qu'elles deviennent de bonnes épouses et de bonnes mères de famille. C'est pourquoi nous les initions aux tâches ménagères : entretien de la maison, couture, art culinaire, décoration…

— Certaines de vos filles réhabilitées ne sont-elles pas tentées de demeurer dans votre communauté ?

— En effet, la situation se présente quelquefois. Celles qui veulent seconder les religieuses peuvent devenir « auxiliaires ». Ces filles vivent parmi leurs compagnes en exerçant sur elles une influence morale. Si elles désirent devenir religieuses, elles feront éventuellement partie des « madeleines ». Celles-ci ont leur propre cloître, séparé de celui de la communauté, mais

elles n'en mènent pas moins, comme les autres religieuses, une vie de prières et de travail. Voilà... Je
crois vous avoir livré l'essentiel de mon expérience...

Sa conférence terminée, Éliane baissa la tête et
joignit les mains sur ses genoux. La nervosité avait
donné à ses joues une teinte rosée inhabituelle. La
supérieure se leva et remercia, au nom de tout l'auditoire, sœur Antoinette-de-Jésus pour cette passion-
nante présentation, «une belle leçon d'amour dans le
Christ».

Luce l'attendait au parloir pour la féliciter chaleureusement, lui donnant même des baisers sur les joues,
et lui faire part de son étonnement devant son talent
oratoire :

— Tu n'es plus la petite Fifille timide de jadis !

Éliane s'empressa de réfléchir sur un passage de
L'Imitation de Jésus-Christ traitant de l'humilité, médi-
tant sur le fait qu'elle révèle l'être humain à lui-même
et le rétablit en grâce avec Dieu, et que le mérite ne
réside pas dans le savoir, mais dans les actes.

La veille du départ d'Éliane, qui repartait rejoindre
sa communauté, les trois cousines purent jouir d'une
dernière heure d'intimité. C'était maintenant au tour
de Gertrude de décrire l'œuvre qu'elle accomplissait
au sein de sa congrégation. Après avoir entendu le
témoignage d'Éliane, ses tâches lui semblaient d'une
banalité prodigieuse, dénuées de toute surprise. Mais
Luce insista tant et si bien auprès d'elle que Gertrude

n'eut d'autre choix que de leur raconter par le menu son parcours depuis le noviciat, à une époque où elle ne portait pas encore le nom de sœur Marie-Ange-de-l'Incarnation :

— J'ai eu le privilège de toujours faire ce que j'aime : enseigner et étudier. J'ai commencé mon baccalauréat dès le noviciat, au collège de ma communauté. Lorsque j'ai eu mon diplôme, en 1943, on m'a donné une charge de cours lettres-sciences pour les deux années suivantes, avant de m'envoyer faire une licence classique à l'Université de Montréal[3]. Puisque je ne fais par partie d'une communauté semi-cloîtrée comme les vôtres, ma supérieure m'a permis de vivre en pension près de l'Université afin de me prémunir contre la fatigue et les pertes de temps consacré au transport.

— Quoi ? s'exclama Luce, incrédule. Tu es restée dans une vraie maison, comme une laïque ?

— Oui, il s'agissait d'une vraie maison, comme tu dis, que je partageais avec six autres compagnes de ma communauté.

— Pouvais-tu aller partout où tu voulais, sans ange gardien ?

— Bien sûr ! Dans ma congrégation, nous sommes toutes des « grandes filles » responsables. Tu sais, ce n'est pas parce qu'on nous accorde plus de liberté que nous en profitons pour commettre des entorses aux règles de la communauté. Une fois ma licence obtenue,

---

3. Cette licence comprenait quatre certificats : grec, latin, linguistique et littérature.

j'ai commencé à enseigner au collège des Saints-Anges en belles-lettres et rhétorique. En ce moment, j'y donne des cours de latin et de littérature française tout en menant des études de maîtrise. Le mémoire que je viens de terminer porte sur le médecin de campagne dans la littérature française et canadienne-française. Et le tout premier livre que j'ai lu sur le sujet était justement signé par... Devinez un peu? Par ton parrain, Luce!

Un autre cri d'incrédulité vint ponctuer cette primeur, partagé cette fois par les deux cousines:

— Pas possible!

— Eh oui, mon propre père a écrit ses mémoires!

Lorsque la surprise provoquée par cette révélation se fut un peu calmée, Luce évoqua le peu de passion que soulevait en elle la pratique de la langue latine:

— Franchement, Gertrude, j'espère que tu prends davantage de plaisir à l'enseigner que moi à prier dans ce baragouin. Plus sérieusement, j'avoue que l'étude du latin, au pensionnat, m'a beaucoup facilité la tâche dans mes études d'infirmière. Vive les racines latines, qui m'ont aidé à mémoriser tous les mots incongrus de la médecine!

— Je suis certaine, dit Éliane, que tu réussis à faire partager ton enthousiasme à tes étudiantes.

— Pour une enseignante, il n'y a pas de plus grand bonheur que de voir dans les yeux de ses élèves ce pétillement du plaisir d'apprendre. Durant mon dernier cours, justement, je leur expliquais les racines du mot « enthousiasme »: *in theos*, qui signifie « être en

Dieu». N'est-ce pas passionnant? La satisfaction de découvrir l'origine d'un mot se lisait sur leur visage, tout comme sur le mien devait se lire le plaisir de transmettre ce savoir. Ma formation ne s'est pas bornée aux langues et à la littérature. Je vais sans doute vous surprendre. Un jour, la directrice du collège – une avant-gardiste, vous allez voir! – m'a demandé de m'occuper d'un club de cinéma, dans le but de développer l'esprit critique et esthétique de nos grandes. Au bout de quelque temps, je me suis permis de lui faire remarquer que je trouvais anormal que, pour parfaire ma culture cinématographique, je doive me renseigner auprès de... mes propres élèves! Mon commentaire lui a paru assez pertinent pour que je sois autorisée à suivre les cours de cinéma que donne le frère Bonneville. Ce n'est pas tout. Quelques mois plus tard, la sœur directrice me fit revenir dans son bureau. Elle avait repensé à mes cours de cinéma et me proposait maintenant d'effectuer un doctorat en cinéma – plutôt, par exemple, que d'assister à des conférences qui ne me donneraient jamais aucun diplôme. De son propre aveu, elle estimait que cela compléterait bien ma maîtrise en littérature. Dans la foulée, elle m'enjoignit de me rendre à Québec, à l'Université Laval – car pareil cours n'existait pas à Montréal –, afin de parler personnellement à un responsable. Je me suis donc rendue sur place, à Québec, où le secrétaire de la Faculté des lettres de l'université m'a fait rencontrer la seule personne disponible, ce jour-là, le professeur Bibeau.

— Tu t'es rendue dans la vieille capitale comme ça, en train, toute seule? s'écria Éliane, pour qui cette liberté d'action était chose totalement inenvisageable.

— Absolument. Pour ma plus grande déception, le professeur Bibeau m'a révélé qu'il n'y avait pas non plus de cours de cinéma à l'Université Laval. Mais il s'est empressé d'ajouter que je pourrais toutefois, si bien sûr je le voulais, devenir une pionnière dans ce domaine. Il m'a par la suite présenté à une professeure de la faculté, madame Lapointe, spécialiste en littérature française, qui a accepté de superviser mes recherches et mes études. Sous sa direction, je poursuis donc un doctorat portant sur l'adaptation de certains romans français au cinéma – *Le Journal d'un curé de campagne*, par exemple. Je mène mes recherches ici, à Montréal, grâce aux ressources de la bibliothèque de l'Université de Montréal, et je me rends à Québec une fois tous les deux ou trois mois. Voilà, je crois que vous savez à peu près tout sur moi… Écoutons maintenant ce que Luce, notre Puce, peut nous dire sur ses activités.

— D'entrée de jeu, je dois vous avouer qu'il m'a fallu quelque temps pour accepter ma «mort au monde». Une fois plongée au cœur de l'action, à l'hôpital, la présence des malades et mes relations avec le personnel médical a mis un baume sur la difficile acceptation de la clôture. C'est ainsi que la souffrance, physique et morale, que je côtoie tous les jours me fait apparaître bien légères les contraintes imposées par la grille. Je le confesse sans peine, mon dévouement auprès des malades a pour moi beaucoup plus d'attrait que les prières et les méditations. N'allez pas croire que je n'éprouve aucun plaisir à prier… C'est juste que je préfère soigner, voilà tout.

Éliane jeta un regard amusé sur sa cousine et la taquina :

— Avant que tes paroles dépassent une nouvelle fois ta pensée et que tu doives te ruer au confessionnal, parle-nous de ce travail d'hospitalière que tu aimes tant, au jour le jour.

— À huit heures du matin, je me rends dans la grande salle où sont hospitalisés une centaine de malades. Nous récitons tous ensemble une prière et j'offre à chacun de l'eau bénite avant d'aider au service du petit-déjeuner.

— Sers-tu toi-même les repas ?

— Rarement… Mais quand j'ai l'occasion de le faire, c'est toujours une fête pour moi, car je peux alors m'entretenir avec les malades. Vous devinez sans peine que je préfère de loin les faire parler que de leur parler de moi… Je ne peux pas vous dire à quel point ils m'en apprennent sur la vie. Ils me font tantôt des confidences, tantôt des blagues, et nous rions. Parfois aussi, nous prions… Il m'arrive de me composer un visage un peu plus austère, quand par moments je me sens devenir leur père confesseur. Quel que soit le cours que prennent nos propos, c'est toujours pour moi un grand plaisir et une détente de partager la compagnie des malades.

Une question hantait Gertrude depuis longtemps :

— Toi qui es si fragile, comment t'y prends-tu pour bouger les malades, pour les aider à sortir du lit ou à les y allonger ?

Luce exhiba un large sourire et fit mine de tâter un de ces biceps sous ses couches de vêtements.

— Facile ! Je me suis fait des muscles. Et bien sûr, nous nous aidons les unes les autres. Quand nous devons asseoir un grand malade pour l'heure de son repas, il faut l'aider en mettant derrière lui un dossier de bois que nous appuyons contre le mur et que nous matelassons d'oreillers. Puis, je relève ses genoux et je place un paillasson dessous. Je dépose ensuite au-dessus de lui une planche de bois posée sur quatre pattes, qui sert autrement de table de lit. Pour le malade, c'est un moment de bien-être et de bonheur. Comme je vous le disais, je prends le temps de conver-ser avec lui – comme le font d'ailleurs toutes mes consœurs infirmières. Même quand je prends leur pression et leur température ou que je distribue des médicaments, je leur parle. Dans mes temps libres, je tâche d'améliorer leur confort, en compagnie d'autres religieuses. Par exemple, en rembourrant des matelas affaissés ou en cousant des chemises de nuit que j'aime agrémenter de dentelle à l'encolure et aux poignets. Je puise ma récompense dans le plaisir de voir les malades apprécier ces petites attentions. Nulle part ailleurs je ne me sens aussi utile qu'auprès d'eux. J'accomplis et je m'accomplis. La part la plus difficile de mon travail ne réside pas dans les tâches elles-mêmes, mais dans mon impuissance face à leurs douleurs. C'est si dur de vivre jour après jour avec la souffrance des autres et de côtoyer la mort sans pouvoir soulager davantage... Nous, religieuses, sommes appelées à remplir toutes sortes de fonctions dans l'hôpital... Il y a l'hospitalière en chef, la directrice de l'École des infirmières, les directrices de classe, la dépositaire, l'économe, l'administratrice de la salle d'opération, les administratrices des laboratoires, les administratrices des dispensaires, l'administratrice du département de radiologie, la directrice du service de nuit, la secrétaire-archiviste, la pharmacienne... et j'en passe. Et je ne vous parle même pas de toutes les fonctions beaucoup plus humbles, mais non moins indispensables : la sœur chargée des bas, la responsable de la salle à manger, les sœurs portières, cuisinières, tourières et cordonnières ainsi que la buandière, qui doit essanger les compresses, c'est-à-dire décrasser le linge avant de l'envoyer à la lingère pour la lessive...

— Tu me donnes le tournis ! s'exclama Éliane. Je n'avais jamais pensé à quel point l'organisation d'un hôpital pouvait être complexe ! Parle-nous de toutes les fonctions que tu as remplies au fil de ces années...

— J'ai exercé ma première tâche importante au dispensaire d'ophtalmo-oto-rhino-laryngologie. Mon rôle consistait à produire le dossier des patients et à tenir le registre à jour. J'aidais le spécialiste en stérilisant les instruments chirurgicaux. Je me sentais drôlement importante d'assister d'aussi éminents médecins. Et, ce qui ne gâchait rien, d'aussi beaux médecins!

Entre l'indignation et le rire, Éliane choisit le meilleur parti:

— Eh bien, chère Luce, aucun de ces «éminents médecins» n'aura eu à s'inquiéter de la qualité de ta vue!

Luce sourit en haussant les épaules avant de poursuivre le récit de son parcours:

— Un autre de mes stages s'est déroulé à la procure de l'hôpital. J'y aidais la dépositaire – une vraie femme d'affaires – aux achats, à l'embauche des employés, à l'établissement de la paye, à la conciliation des factures. C'était un poste où je me sentais très loin des êtres humains et de mes chers malades. À la procure, j'ai eu mon compte d'humbles tâches à remplir: je devais réparer les sacs à glace et à eau, les coussins d'air, ce genre d'objets… ou retourner les enveloppes de papier usagées pour en faire des blocs-notes. J'apportais aussi mon aide à une converse dans la préparation des conserves. De ce stage de novice, j'ai surtout retenu le moment où je devais me rendre à l'étable: on y trouvait quarante-deux vaches laitières et un poulailler de deux à trois cents poules caqueteuses. Ma mission consistait à lever les œufs… et vous pouvez être sûres que j'y prenais un grand plaisir. Ça me faisait revivre toute mon enfance…

En voyant l'expression stupéfaite de Gertrude, la fille de docteur, l'intellectuelle peu attirée par les choses de la ferme, Luce ne put retenir un éclat de rire.

— Ma chère, tu es une sainte ! balbutia Gertrude.

— Ce sont ces expériences de vie qui m'ont appris la valeur de la pauvreté et du dévouement. Elles sont diverses façons de suivre le Christ et d'œuvrer avec lui au salut des êtres humains… comme nous le disaient nos supérieures. Car voilà ce qui s'appelle bien «parler comme une sœur», n'est-ce pas ?

Les cousines ne purent s'empêcher de hocher la tête en partageant un regard complice.

— J'ai aussi suivi des cours théoriques intéressants, donnés par des médecins qui nous enseignaient gratuitement. À la théorie s'ajoutaient la technique et la pratique auprès des malades. Devant une pleine classe d'étudiants, je me souviens d'avoir changé le pansement d'une opérée… J'aurais bien aimé t'y voir, toi, Éliane, si impressionnable, lorsque le chirurgien m'a priée d'enlever les agrafes solidement enfoncées dans la suture d'une plaie…

Bien malgré elle, Éliane ne parvint pas à réprimer une moue de dégoût, ce qui incita Luce à en remettre un peu :

— Et j'ai aussi apprécié mon stage en médecine générale où j'ai soigné des phlébites par la pose de sangsues !

— Hum ! Bon ! Ce sera tout pour tes exploits médicaux ? s'informa Éliane, suffisamment édifiée.

Luce ne se formalisa pas de cette intervention.

— J'ai eu la chance, comme vous deux, de faire un baccalauréat ès arts, suivie d'études en sciences infirmières. Le sujet de ma monographie était *L'apport*

de l'infirmière dans un département de neuropsychiatrie. Je
vous laisse imaginer le temps qui me restait pour la vie
monastique… bien peu de choses. Chaque soir, après
l'heure réglementaire du coucher, j'étudiais à la lueur
d'une chandelle.

Comme si elle avait déjà oublié la répulsion
qu'avaient soulevé en elle les propos précédents de
Luce, Éliane demanda candidement :

— Dis-nous, les patients qui se présentent à l'hôpital sont-ils toujours propres ?

— Hum ! Tu tiens vraiment à ce que je te fasse
lever le cœur, hein ? Sérieusement, les cas de gale sont
fréquents parmi les malades provenant de milieux défa-
vorisés. On doit alors les brosser dans une baignoire
pour enlever les cloques qui couvrent parfois leur
corps en entier. Chez certains, les cheveux sont infestés
de poux. Pour les en débarrasser, on leur lave la tête
avec de l'alcool méthylique, puis on la recouvre d'un
bonnet, le temps de tuer les parasites.

Ce fut au tour d'Éliane de murmurer, stupéfaite :

— Ma chère, tu es *vraiment* une sainte !

— Mais n'allez pas croire que je fais ça toute la
journée ! Il y a aussi des moments plus agréables… Je
ne vous cache pas que j'aime bien la présence des
aumôniers oblats et des novices jésuites – beaux,
jeunes, instruits ! – qui sont soumis à la règle de saint
Ignace, qui les oblige à acquérir l'expérience de la vie
hospitalière pendant un mois. Je ne m'attarderai pas
davantage sur le sujet… Je vois déjà Éliane s'empour-
prer d'indignation… J'ai maintenant la responsabilité

de vingt malades, et deux étudiantes gardes-malades sont chargées de me prêter main-forte. Nous formons une bonne équipe. Dans nos rares moments libres, elles me racontent leurs difficultés sentimentales avec leurs amis de cœur. J'ose parfois leur donner quelques conseils. Je ne veux pas faire virer Éliane couleur écrevisse... mais je vous rappelle que j'ai un peu d'expérience en ce domaine.

— À part fréquenter tous ces beaux jeunes frères (rires)... commença Gertrude, sérieusement, Luce, qu'est-ce que tu trouves le plus difficile dans tes tâches d'infirmière ?

— Difficile de dire à quoi va la palme... Il y a deux choses qui se livrent une rude concurrence. La première, c'est la conciliation entre la vie professionnelle et la vie monastique : porter un costume aux manches trop longues, une jupe trop lourde au tablier encombrant... Autant d'obstacles permanents au travail. La seconde, c'est la préparation des grands malades à la mort. Dans notre hôpital, un mourant n'est jamais laissé seul. Si aucun membre de la famille n'est présent à son chevet, une infirmière – et c'est souvent moi – y demeure jusqu'à son dernier souffle. On ne s'habitue jamais à la mort, au dernier râle. Quand je baise le front du défunt, c'est plus fort que moi, ça me glace des pieds à la tête.

— Arrête, supplia Gertrude, tu vas nous faire pleurer. C'était une question stupide de ma part. En voici une de meilleur goût : es-tu heureuse dans ton rôle de religieuse infirmière ?

Avant qu'un seul mot ait franchi les lèvres de Luce, nul doute n'était permis sur sa réponse : elle irradiait la joie.

— Il faut être infirmière pour comprendre le bonheur qu'apporte une guérison inespérée ou un simple sourire sur un visage tordu par la douleur. Je me considère comme privilégiée de pouvoir aimer ceux qui souffrent. Et c'est en soignant, bien plus qu'en récitant mes prières, que je me sens l'heureuse prisonnière du Seigneur...

Chapitre 6

Une pause réjouissante

Une fois la messe terminée, les fidèles de Sainte-Claudine demeurèrent ce matin-là à leurs bancs, gardant une immobilité et un silence absolus : sœur Marie-Ange-de-l'Incarnation, née Gertrude Varin, accompagnée par son père, radieux, descendait l'allée centrale de l'église en direction de la grande porte. On était en 1950, et Gertrude en était à sa seconde visite dans sa famille depuis son « adieu au monde », onze ans plus tôt.

Les paroissiens, impressionnés par la présence de Gertrude, qu'ils voyaient vêtue en religieuse pour la première fois, observaient la progression de la sombre silhouette en détaillant son costume. Ils auraient été bien embêtés d'avoir à énumérer les noms précis de tous les accessoires qui le composaient : le grand voile ; le petit voile et sa doublure blanche, appelée le « velet » ; le bandeau placé juste au-dessus des sourcils ; une guimpe de toile empesée, taillée de façon à encadrer le visage et à tomber sur le cou et la poitrine ; le rochet, surplis de gros coton à manches courtes, d'où pendait, jusqu'à la hauteur du mollet, un long chapelet; sous le rochet, la robe de serge noire. Comme ce début de mai était encore frais, Gertrude avait enfilé son manteau de chœur, également en serge noire. Avec ses mains enfouies dans les manches du manteau, la seule partie visible de sa peau était celle de son visage joufflu délimité par la guimpe.

À l'occasion de cet office religieux, le père et la fille avaient occupé le premier banc à droite, tout près de la balustrade. Madame Varin n'avait pas eu droit à cet honneur ; elle se consolait à la pensée qu'elle savoure-rait le même privilège que son mari l'été suivant, à la visite de son fils devenu frère des Écoles chrétiennes.

Lorsque ces «enfants de la paroisse», entrés en religion, mais hors de la carrière sacerdotale, étaient en visite dans leur village natal, un rituel avait été établi. Les membres des communautés de frères et de sœurs non cloîtrées recevaient l'autorisation de venir passer, une fois tous les cinq ans, quelques jours dans leur famille. Comme ces religieux étaient tenus d'assis-ter à l'office quotidien, le père devait y accompagner sa fille et la mère, son fils. Évidemment honoré de voir ces vocations compter parmi ses ouailles, le curé apportait un soin jaloux à bien placer ses distingués paroissiens dans son temple.

Toujours selon la tradition, Gertrude et son père se dirigèrent ensuite vers le presbytère pour rendre visite au curé. Là, la servante prépara le thé qui accompa-gnerait un bon pain chaud et des confitures de fraises. L'hôte pensait apprendre une primeur à Gertrude en lui annonçant l'incendie du monastère du Saint-

Berger, mais il fut plutôt surpris d'entendre sa visiteuse lui narrer en détail l'évacuation des religieuses et leur relocalisation chez les Soignantes-de-Jésus, le monastère comptant Luce parmi ses membres. Puis, on commenta de long en large ce désastre dont les journaux avaient largement rendu compte dans leurs pages. Le docteur Varin évoqua l'affolement d'Alphonse Savard lors de son arrivée sur les lieux du sinistre, puis son soulagement en apprenant que son Éliane était saine et sauve.

Ayant exprimé au curé son bonheur d'être religieuse, Gertrude n'osa guère engager la conversation vers certains de ses intérêts profanes – par exemple, la littérature et le cinéma –, mesurant assez rapidement le fossé culturel qui la séparait de son interlocuteur. Elle se borna donc à parler de la grandeur et des vertus de l'enseignement et de la maternité spirituelle. Enfin, le curé la bénit avant de lui souhaiter « la persévérance ».

Le retour de Gertrude sous le toit familial, au terme de cinq ans d'absence, fut dignement célébré par une grande fête. À l'occasion de cette visite rare, certains réaménagements avaient été apportés à la maison : des pièces avaient été repeintes et un nouveau prélart avait été posé dans la cuisine. Pour faire plaisir à sa sœur, amoureuse des oiseaux, son frère Luc avait acheté un couple de pinsons et les lui avait présentés dans une jolie cage. Ces oiseaux appartiendraient exclusivement à Gertrude pendant son séjour, au-delà duquel les volatiles devraient attendre son retour.

Sœur Marie-de-l'Incarnation, redevenue pour un moment Gertrude, se rendit d'abord saluer Pompon, son cher pommier et, bras tendus, se délecta un long moment en respirant le même air que son arbre préféré. Puis, elle retourna dans la maison, dont elle fit vite le tour avant de se diriger vers le cabinet de son père, qu'elle eut plaisir à retrouver, lieu de tant de tête-à-tête où elle pouvait échanger avec lui sur tous les sujets, dans un climat d'absolue confiance. Enfin, elle passa dans la bibliothèque familiale où elle avait savouré tant d'heures agréables, entourée de toutes parts par les rayons de livres, rois et maîtres de la pièce, car ils ne laissaient qu'un peu de place au piano et au vieux gramophone RCA.

De toute évidence, le choix de livres pieux était fort limité. Elle prit un livre de Gide, interdit par l'Église, et le feuilleta avec un sourire condescendant avant de le remettre à sa place. Elle caressa les reliures des tomes de *La Comédie humaine* de Balzac, que la censure ecclésiastique lui avait interdit de lire pendant ses études en littérature – sans grande surprise, d'ailleurs, puisque le magistère de l'Église avait mis à l'Index pas moins de la moitié des grandes œuvres littéraires mondiales. À l'Université de Montréal, une pièce de la bibliothèque, l'Enfer, était réservée à ces livres interdits de lecture, et toujours tenue sous clé.

En son for intérieur, Gertrude n'avait jamais vraiment accepté l'idée que la vérité et la beauté se trouvaient uniquement dans les seules paroles des gens d'Église. Elle s'assit dans le fauteuil berçant, *Le Père Goriot* en main, et parcourut des passages que son père avait soulignés ici et là. Incapable de se concentrer sur un seul ouvrage, elle ne tarda pas à se relever pour scruter les rayons, admirant la reliure des livres et appréciant leur classement. C'est ici, entre ces quatre murs tapissés de grandes œuvres, qu'elle avait pris goût à la vie de l'esprit.

La présence de Gertrude attisait la curiosité des voisins qui, par un hasard soigneusement prémédité, prenaient prétexte d'une marche devant la maison pour s'arrêter saluer l'enfant prodigue et se joindre quelques moments à la parenté. Sensible au foyer d'attraction que devenait sa demeure durant le séjour de Gertrude, sa mère recevait avec grands égards tous les visiteurs et s'empressait de leur offrir une tasse de thé et une part de gâteau.

Souvent, Gertrude aurait préféré être moins bien entourée, habituée qu'elle était au silence du couvent. Aussi, ne manquait-elle jamais une occasion de se retirer dans la bibliothèque pour s'immerger dans ses classiques musicaux préférés, dont les écoutes successives ne parvenaient pas à éroder son éblouissement. Puis, elle retournait faire un brin de jasette avec son père – apartés que nul n'osait déranger. Celui-ci se plaisait à laisser vagabonder son esprit dans le passé. Il revoyait tour à tour la toute petite Gertrude au creux de ses bras; la communiante de six ans, fillette à la conduite irréprochable; l'adolescente à la chevelure rousse et aux yeux verts, au nez fin d'intellectuelle précoce et à la bouche gourmande, avide de tout découvrir : nature, livres, musique, arts... Il l'imaginait dans des postures typiques de l'époque, un livre dans sa main droite, son autre main enfouie dans sa tignasse, aux prises avec des mèches rebelles. Il se rappelait son pas déterminé et vif, dans une perpétuelle frénésie de remplir chaque jour de sa vie à ras bords. Lorsqu'il émergeait de ses songeries, le docteur voyait devant lui une femme épanouie, radieuse dans la force de l'âge.

Ils échangeaient, comme le font des adultes cultivés, sur la littérature, l'histoire, l'art et sur l'actualité du petit village, aussi. Chaque famille connue du docteur Varin – il en avait accouché tous les enfants depuis plus d'un quart de siècle – avait sa petite histoire, dont Gertrude avait perdu le fil au cours des dernières années. Ainsi, le grand-père Lachance était décédé il y avait deux ans ; les Cossette avaient tout perdu dans un incendie, grange et maison ; Marceau, le petit-fils de Zéphirin Tremblay, venait d'entrer au séminaire, au grand contentement de ses parents.

À sa fille, le docteur se permettait de faire des confidences que sa conscience professionnelle lui interdisait en temps normal, même à sa femme – secrets bien gardés au sujet de patients que connaissait Gertrude. Par exemple, madame Lavoie, jeune mère de deux enfants, épouse d'un alcoolique notoire, était affligée d'une syphilis que lui avait fort probablement transmise son mari. Sûr de l'entière discrétion de sa fille, le bon docteur se soulageait d'autres secrets qui n'avaient jusque-là jamais franchi les murs de son cabinet…

Pendant que sa mère s'affairait à cuisiner de petits plats spéciaux, en ce deuxième jour de la grande visite de sa fille, Gertrude ne pouvait s'empêcher de tourner autour d'elle, de la regarder, de l'embrasser. Elle avait pour elle une profusion de mots tendres accumulés depuis trop d'années. Les yeux de la mère et de la fille se rencontraient continuellement sans que l'une ou l'autre parvînt à exprimer le trop-plein de joie qui les emplissait. « Vous me manquez toujours » furent en définitive les seuls mots qui purent franchir les lèvres de Gertrude. Faute de mots et de salive pour lui répondre, la mère se contenta d'étreindre longuement sa fille.

L'après-midi était encore jeune quand Gertrude demanda à Luc, son frère médecin, de la mener à la ferme de l'oncle Octave afin qu'elle puisse revoir sa parenté et revivre des bons moments de son enfance. Tante Jeannine la reçut d'abord au salon. Si la présence de Gertrude touchait ses cousins, celle de sœur Emmanuelle, chargée de la suivre à l'extérieur de la maison familiale, gênait tout le monde. Par ses allures guindées, sa manie de surveiller le moindre geste de sa consœur, ses claquements de langue réprobateurs quand Gertrude riait trop fort ou croisait ses jambes, elle s'attira rapidement des regards peu amènes.

Agacée par cette surveillance indue, Gertrude se leva d'un bond et dit :

— Bon ! C'est l'heure d'aller dire bonjour aux vaches !

À l'entrée de l'étable, au grand ébahissement de son ange gardien, elle releva sans hésitation ses robes jusqu'aux genoux, chaussa les grandes bottes de l'oncle Octave et s'absorba dans l'écoute des bruits de l'étable, humant un alliage d'odeurs – foin, bêtes – qui lui était autrefois si familier.

Gertrude s'arrêta devant une vache au pis bien plein, contempla celui-ci un long moment et récita pour elle-même, sous le regard interdit de sœur Emmanuelle, un peu dépassée par la scène, une prière qui lui était spontanément venue à l'esprit :

« Mon Dieu, je Vous remercie pour ces belles créatures fortes, en santé, avec lesquelles nous nous nourrissons. J'ai envie de faire un geste que Luce m'a appris jadis, et j'ose croire que Vous n'en serez pas offusqué. »

Ramassant toutes ses jupes en une seule brassée, elle prit place sur le petit banc, procéda à la traite de la vache, sans la moindre hésitation, comme si elle l'avait faite hier encore, avant de s'emparer soudainement du trayon et de faire gicler le bon lait chaud dans sa bouche. Sœur Emmanuelle, troublée, préféra alors sortir et attendre sa consœur à l'extérieur de la grange.

Sur le chemin du retour, Gertrude fit comprendre à son ange gardien que l'intention de leur supérieure, en l'attachant à ses pas, n'était pas d'intimider les membres de sa famille, mais tout bonnement de l'aider à rester dans les limites de la vie religieuse. Elle lui signala, entre autres choses, que la bibliothèque était là pour lui assurer de passionnantes journées de détente. Et, comme par enchantement, les jours suivants, sœur Emmanuelle s'était montrée aussi joviale que discrète...

De retour à la maison, Gertrude s'adonna à un autre plaisir, plus spirituel que celui de l'étable : assise dans son fauteuil préféré, au son d'une rhapsodie de Brahms, elle discuta littérature avec Luc.

— Mauriac, pour moi, dit-elle, est le grand romancier de l'inquiétude. Comment expliques-tu le tragique de ses romans ? Il semble pourtant avoir connu une enfance heureuse au sein d'une famille traditionnelle et disciplinée...

— Peut-être, concéda Luc, mais avec une différence de taille : il n'a pas connu son père. Je crois que la religion a exercé sur lui une trop grande influence... Il avait une sensibilité maladive, pointilleuse...

— C'est un chrétien obsédé par l'idée de placer Dieu au cœur de tout. À mon sens, il exagère. Tout cela fait germer dans son œuvre des personnages terrifiants. Je suis convaincue qu'il ferait un excellent sujet de psychanalyse. On sent cet homme plein de conflits refoulés.

— En tant que médecin, je serais tenté d'y voir une forme de souffrance neurasthénique. En tout cas, je lui préfère Montherlant, pour son goût du sport... même si l'*ego* de ce dernier est un peu gros !

Ils continuèrent ainsi à disserter sur André Malraux, Jean Giraudoux, Julien Green, Jules Romain, les comparant les uns aux autres, s'appliquant à cerner les forces et les faiblesses de chacun, leurs influences... Mais bientôt, Gertrude se leva d'un trait en mettant brusquement fin à la conversation. Il lui fallait retourner voir sa mère et faire provision de caresses.

— Crois-le ou non, je n'ai jamais cessé de m'ennuyer de papa et de maman. Et de toi aussi. Comme une vraie petite fille... C'est le plus gros sacrifice de ma vie de religieuse... Le seul, en fait... Mais tellement gros...

Le séjour de Gertrude s'écoula vite, très vite... Au fil des jours, sœur Emmanuelle avait fait peau neuve, en laissant au vestiaire ses allures guindées et en socialisant avec tout le monde. Quelle ne fut pas la surprise de Gertrude de pénétrer un midi dans la salle à manger en découvrant sa consœur qui préparait, aux côtés de son frère Luc, une jolie table bien mise et décorée de fleurs ! Épanouie par la présence de cet élégant médecin aux cheveux grisonnants – célibataire, de surcroît ! –, elle prenait un plaisir manifeste à partager la compagnie d'un homme... et cela sans avoir à supporter celle d'un ange gardien !

Pour l'avant-dernier jour du séjour de Gertrude, le docteur Varin espérait secrètement voir se présenter le moins possible de patients à son cabinet. « Ce jour est consacré à ma fille », pensait-il, fort légitimement.

Au retour de la messe, un petit-déjeuner hors de l'ordinaire attendait Gertrude, son père et sœur Emmanuelle. Au menu : gruau, œufs dans le sirop d'érable, crêpes au sucre du pays et jus d'orange. Son grand frère fit tourner *Le Printemps* de Vivaldi, que les pépiements des pinsons, dans le jardin, parvenaient presque à couvrir. Gertrude satisfaisait, pour une rare fois, l'un de ses péchés mignons – la gourmandise – tout en avouant à son Créateur, sans détour, la commission dudit péché :

« Seigneur, pardonnez-moi, je ne puis résister... Tout est si bon... »

Elle entraîna d'ailleurs dans son sillage sœur Emmanuelle qui, gagnée par une frénésie gustative, sonda timidement sa camarade :

— Dites-moi, sœur Marie-Ange-de-l'Incarnation, ne pourrait-on pas, peut-être, se faire une provision de sucre du pays ? Un tout petit morceau... Ça ne prendrait pas beaucoup de place, dans nos grandes manches...

L'invite ne tomba pas dans l'oreille d'une sourde. Gertrude lui répondit en fait si vite qu'elle semblait avoir déjà longuement mûri son plan :

— Vous, le sucre du pays. Moi, le chocolat qui trône sur le buffet, là.

L'ange gardien froid et austère d'il y a quelques jours s'était mué en fille de la famille, pour ne pas dire en petite fille. Louchant vers Luc, elle ne put réprimer un ricanement et murmura :

— Nous sommes vraiment en train de nous dévergonder…

Après le petit-déjeuner, une surprise attendait Gertrude. Avec maman Varin, le bon docteur avait préparé un pique-nique, déposé à dessein dans un panier offert autrefois à Gertrude, du temps de son enfance.

— As-tu de bons souliers? demanda le père, avec un sourire en coin. Je t'emmène jusqu'à l'Île-aux-fleurs-de-mai. Rien que nous deux.

Gertrude n'en croyait pas ses oreilles. Une balade avec son père en ce lieu mythique de sa jeunesse? Était-ce possible? Elle s'absenta un instant pour troquer son lourd et chaud habit contre une jupe et un chandail appartenant à sa mère, en priant, au passage, sœur Emmanuelle de fermer les yeux sur son habillement.

Père et fille partageaient le plaisir de respirer le bon air du printemps et de marcher face à un soleil bas, point trop éblouissant encore, savourant cet exceptionnel bonheur d'être ensemble dans la nature magnifique. Bientôt, le glouglou de l'eau annonça la proximité de l'îlot. Les deux promeneurs enjambèrent le ruisseau par le ponceau que le docteur avait, au fil des années, entretenu avec le plus grand soin. Ils s'assirent sur la grande pierre grise aux trois quarts couverte de mousse, où le docteur entraîna sa fille dans un sujet de discussion qui la passionnait: les derniers romans canadiens-français parus. On parla d'abord de *La Petite Poule d'eau* de Gabrielle Roy avant d'aborder le cas d'*Alicia*, un genre littéraire hybride, à mi-chemin entre le conte et le roman.

— Quelle histoire émouvante ! s'exclama Gertrude. Une paysanne toute simple, au cœur grand comme ça, qui finit par sombrer… « Oh ! Qu'il est passionnant de voir une âme revenir sur un visage ! »

Puis on se rabattit sur *Les Plouffe*, de Lemelin, et *Les Désirs et les jours* de Robert Charbonneau. Le docteur avait néanmoins une question qu'il désirait poser à sa fille, malgré ses réticences à s'immiscer dans sa vie privée.

— Dis-moi, Gertrude, es-tu toujours heureuse au couvent ? N'as-tu jamais envie de revenir à la maison ?

— Vous ne me sentez pas heureuse ? Pourtant, je le suis bel et bien. Je n'ai aucun désir de quitter la vie religieuse. Ce qui ne m'empêche aucunement de m'ennuyer de vous chaque jour où Dieu me prête vie. Voilà !

Le docteur hocha la tête sans mot dire ; le sujet était liquidé, et sans aucune ambiguïté. Il déploya alors, là où le terrain était le plus plat, une nappe de toile au motif de fleurs, sortit du panier deux assiettes, deux verres, des sandwichs de maman Varin, du jus de pomme, des cornichons, du céleri, des tranches de gâteau et du sucre à la crème. Après le bénédicité, ils s'attaquèrent à toutes ces bonnes choses et les saveurs du pique-nique se mêlèrent aux odeurs du printemps naissant.

Le docteur égaya le goûter en racontant à Gertrude certaines des histoires les plus invraisemblables survenues à ses patients :

— Te souviens-tu du gros incendie dans le deuxième rang, celui qui avait fait quatre morts dans la famille Dion ? Le plus jeune, brûlé au troisième degré, en est à sa dix-huitième opération de chirurgie plastique. On a tenté de lui reconstituer, sans grand succès, une oreille... Entre toi et moi, elle a l'air d'un pruneau séché... Mais c'est quand même mieux que pas d'oreille du tout, non ?

— Un pruneau séché ! Arrêtez, vous me faites mourir de rire ! S'il fallait que ma supérieure me voit aussi détendue... Ma foi, tout compte fait, je crois bien qu'elle rirait avec nous ! Encore une histoire, s'il vous plaît... C'est trop bon de vous entendre, vous me faites du bien.

— Il y en a une qui a bien changé pendant ton absence : Jeanne Laverdière, la tante de Jo. Rappelle-toi son gabarit, elle ressemblait à un gars de chantier... Elle marchait comme un homme, parlait comme un homme. Et je ne te dis rien de ses bras et de ses jambes, tellement poilus ! Eh bien, un beau jour, on a appris qu'elle avait subi une intervention chirurgicale, à Montréal, et que Jeanne était devenue Jean. Tout Sainte-Claudine ne parlait que de ça... Le dimanche venu, le village entier attendait de la voir entrer dans l'église. Ils en furent quitte pour une bonne déception : elle est allée à la messe dans l'autre paroisse ! Elle a d'ailleurs finir par y déménager... Là-bas, Jean peut vivre incognito... Ici, elle sera toujours Jeanne ! Tu en veux une autre ? Un frère de papa était décédé. Comme le voulait la coutume, il y eut veillée et toute la famille se réunit à la maison du mort, exposé dans le salon, tout en neuf : chemise, habit, même les souliers, bien luisants. À la fin de la soirée, une collation a été servie aux femmes… et un petit verre de « fort » aux hommes. Après avoir bien prié, mais surtout bien ri et bien bu, tous les veilleurs sont repartis chez eux. Le lendemain matin, quelle ne fut pas la surprise de la veuve en découvrant le défunt nu-pieds… Un veilleur avait déchaussé le mort et s'était sauvé en emportant ses bottines. Peut-être le défunt s'était-il plaint qu'elles lui faisaient mal aux pieds ?

Gertrude ne put réprimer une crise de fou rire.

— Allez, une dernière… plus religieuse celle-là, tu pourras la raconter à ta supérieure. Père Frédéric, le franciscain, était mort depuis longtemps et on le priait comme on prie un saint. On venait de partout se recueillir sur sa tombe, ainsi qu'on le fait encore aujourd'hui. Un jour, une pauvre femme du rang des Chutes, qui n'avait plus rien à donner à manger à ses enfants, se met à prier devant une image du franciscain en lui demandant de lui venir en aide. Et voici que la porte de la cuisine s'ouvre et qu'une main dépose rapidement un plein panier de victuailles… et se retire aussitôt. La femme court à la fenêtre pour connaître l'identité de son bienfaiteur : personne ! Depuis ce jour, elle croit dur comme fer que le bon père Frédéric est revenu sur terre !

Père et fille s'amusaient et riaient comme des bossus. À chaque nouvelle histoire – que le docteur prétendait toujours être la « dernière » –, il se faisait de plus en plus lyrique, déformait parfois la réalité, amplifiait les faits, en caricaturait les héros à loisir. Gertrude bénit le ciel d'avoir pu laisser derrière elle son ange gardien.

Soudain, son père recouvra un visage plus grave.

— Il y a une autre histoire, beaucoup plus récente et plus triste, dont tu n'as peut-être pas entendu parler : celle de la famille Filteau. Il y a deux ans, pour la Fête-Dieu, au village, on a installé des décorations qui devaient supplanter en beauté toutes celles des fêtes des années précédentes. Au sommet d'un grand sapin devant lequel allait passer la procession, on a juché une enfant habillée en ange, avec de grandes ailes blanches. Au pied de l'arbre, il y avait des douzaines de lampions. Un coup de vent a fait que l'arbre s'est enflammé… et la petite Filteau a été atrocement brûlée. On n'a rien pu faire pour la sauver…

Un long silence prit place entre Gertrude et son père avant que ce dernier s'éclaircisse la voix et puisse reprendre la parole.

— Ce qui se passe dans un cabinet de médecin est parfois triste… bien triste. Des choses que tu ne peux imaginer, à l'intérieur de ton couvent. Si je me permets de te faire des confidences sur certains cas que ma conscience professionnelle m'interdit normalement de faire, c'est que toi, religieuse, tu resteras muette comme une carpe.

— Vous avez raison de compter sur ma discrétion, papa, mais ne vous figurez pas que les murs d'un couvent sont aussi impénétrables que vous le pensez.

Ce que je lis et ce que j'entends à l'Université m'en apprennent davantage que vous pouvez le croire... Je suis tout ouïe.

— Au fait, t'ai-je parlé de Rita Veillet, la fille de Grosse-Patte, que tu as bien connue? Celle-là n'est pas près de convoler en justes noces, c'est le moins qu'on puisse dire... Elle attend son cinquième enfant en douze ans, tous de pères différents... Qui sont-ils? Va savoir... Elle-même semble l'ignorer... Ses accouchements se font en cachette. Le dernier a eu lieu il y a deux ans. «C'est un accident», me dit-elle à chaque nouvelle fois. Si tu voyais dans quel trou elle habite; tout y est sens dessus dessous. On peine à entrer chez elle tant le vestibule est encombré par un bric-à-brac innommable. Le fouillis règne partout dans sa maison et dans sa vie... et dans la vie des enfants qu'elle met au monde. Et aussi dans notre paroisse!

— Qu'advient-il des enfants, justement? A-t-elle de quoi assurer leur subsistance, au moins?

— Le service social s'en charge... sauf pour l'aînée des filles, qui semble déjà en âge de marcher dans ses pas. Elle s'absente de l'école, fréquente des voyous, bafoue sa mère, qu'elle imitera bientôt en tous points, en se prostituant et en buvant. Je ne te racontais pas innocemment cette histoire: j'en arrive au secret que je voulais te confier. La petite dernière de Rita, un adorable bout de chou de trois ans et demi, va bientôt être placée... chez les sœurs du Saint-Berger. Il ne faut surtout pas que ta cousine Éliane le sache, car elle pourrait ainsi divulguer un secret professionnel à sa

supérieure. Et voilà… Tu sais désormais tout ce qui se
passe dans notre catholique paroisse.

— Je vais prier bien fort pour Rita et ses enfants.

Un gamin en bicyclette déboula du bout du sentier
dans un panache de poussière : c'était Paul.

— C'est sans doute ta mère qui m'envoie chercher
pour un patient. Tu vois, rien n'a changé ici, un
médecin de campagne ne s'appartient jamais.

Sur le chemin du retour, elle entretint son père de
ses projets d'avenir. Dans l'immédiat, elle se préparait
à monter *Le Malade imaginaire*, que ses rhétoriciennes
joueraient en décembre prochain. À long terme, elle
désirait terminer sa thèse sur le cinéma. Au cours de
l'été, elle s'initierait à la généalogie dans le cadre d'un
cours donné par un confrère de l'université avec qui
elle sympathisait beaucoup sur le plan intellectuel.

— Pendant mon séjour, maman m'a fait des
confidences sur ses origines familiales. Cela a piqué ma
curiosité. Je vais essayer d'établir l'arbre généalogique
des Varin, probablement facile à faire, et celui des
Michaud, plus difficile à élaborer. Un beau projet…

Après six jours en famille, Gertrude redevint sœur
Marie-Ange-de-l'Incarnation. De retour au monastère,
elle alla saluer sa supérieure, la remercia pour ce séjour
et lui en fit un compte rendu abrégé. Elle passa ensuite
à la chapelle.

« Merci mon Dieu pour ces jours merveilleux.
J'espère avoir agi de manière convenable, malgré un

certain laisser-aller, que j'estimais plus conforme à la vie de famille. Là-bas, je n'étais que Gertrude, une fille unique dont le départ de la maison a créé, semble-t-il, un vide. J'ai senti le besoin de le combler un peu. Merci de m'avoir rapprochée de papa, de maman et de Luc. Ce fut une fête du matin au soir. Merci pour la belle musique que j'ai eu le privilège d'écouter. En ce qui concerne mes gourmandises, eh bien... Je ne peux pas Vous exprimer de sincères regrets puisque c'était trop bon! Vous comprenez? Enfin, mon Dieu, donnez-moi la force de continuer à sacrifier la présence de mes parents. Ils me manquent déjà. J'avais cru faire le plein de tendresse... mais non. Je ne le ferai jamais, je crois...»

Chapitre 7

Le journal

Une fois son monastère reconstruit, Éliane continua, des semaines durant, à revivre les moments de retrouvailles passés en compagnie de ses cousines. Bien des éléments de son séjour de quatre mois au monastère des Soignantes-de-Jésus – la nouveauté des lieux, la présence auprès des malades, les échanges libres avec Luce et Gertrude — avaient élargi ses vues sur le monde et ses réflexions sur son état de religieuse cloîtrée, sur sa communauté et sur elle-même. Cet épisode fut pour elle comme une parenthèse qui lui avait permis de s'interroger sur certaines idées reçues et sur la vie en général – opération ardue à accomplir sans interlocutrices autour de soi.

Les semaines passèrent et la réflexion d'Éliane alla en s'approfondissant. Plus d'une fois, elle surprit sa conscience à s'élever face à des certitudes acquises depuis le noviciat. Sa vie religieuse s'enrichit d'une dimension secrète, grâce à sa nouvelle façon de considérer le quotidien monastique sans tracasseries inutiles. Son séjour dans le cloître de Luce, avec toutes les conversations tenues entre les trois cousines, l'avait incitée à chercher les justes voies vers la perfection.

Elle éprouvait la sensation d'avoir pris des vacances spirituelles pour redonner un sens nouveau à son engagement auprès du Seigneur. Mais cela n'allait pas sans une prise de conscience autour d'une obligation douloureusement consentie : celle du vœu de pauvreté. Devant la situation de Gertrude – libre de posséder des livres, de voyager sans entraves pour mener ses études –, Éliane avait plus que jamais établi le lien entre vœu de pauvreté et manque de liberté, au point de s'en ouvrir bientôt à sa supérieure :

— Mère, je viens vous demander de m'aider. Mon vœu de pauvreté me pèse toujours. J'éprouve de la difficulté à ne rien posséder en propre, ne serait-ce qu'un livre autre que mon missel, le *Coutumier* et les *Constitutions*. Quand je dois rendre à la communauté une gâterie offerte par mon père, cela me fait mal au cœur.

— Ma chère fille, il vous faut résister à cette épreuve, à l'exemple du Christ qui s'est dépouillé de tout.

— Je me suis dépouillée de bien des choses, mère : d'idées, d'affection, de certaines habitudes… mais je dois reconnaître qu'il est parfois au-dessus de mes forces de renoncer à conserver une lettre que je reçois, ou encore d'en expédier une sans devoir vous la faire lire. Quand ma correspondance passe entre vos mains, j'ai le sentiment que mes propres mots ne m'appartiennent plus et qu'on me traite comme une enfant.

J'éprouve le besoin de posséder quelque chose qui soit à moi et à personne d'autre. Cette espèce de démon de la possession me hante et nuit à ma spiritualité, j'en suis consciente. Aidez-moi, je vous en prie.

— Tout comme la bouillie est plus supportable lorsqu'on l'agrémente de carottes, je vais vous suggérer une stratégie, une ruse de guerre contre votre démon. Je vais vous donner un cahier, un crayon et une boîte avec un fermoir. À vous seule. Dans ce cahier, qui sera votre propriété, je le répète, vous pourrez écrire ce que vous voulez. Vous pourrez lui confier ce qui vous fait mal, ce qui vous agace... et ce qui vous fait plaisir. Et, bien sûr, personne ne lira jamais le fruit de vos pensées. Une supérieure m'a autrefois bien aidée en recourant à cette astuce spirituelle. Je ne vous dirai pas contre quel démon je devais batailler... À chacune son ennemi. Je vous bénis, sœur Antoinette-de-Jésus. Attendez-moi un instant, je vous prie.

Immobile et impassible, Éliane avait tout d'une statue. Elle émergea de sa torpeur quand la supérieure déposa une boîte sur ses genoux. À l'intérieur, Éliane découvrit le cahier et le crayon promis, auxquels s'ajoutait un objet que la supérieure lui remit cérémonieusement : une clé. Une clé pour elle toute seule... la clé de la liberté !

La mine réjouie, la démarche ferme et assurée, Éliane alla droit à sa cellule. Depuis la reconstruction du monastère, celle-ci avait été agrandie et décorée d'un tableau illustrant une grotte de la Sainte Vierge.

Elle s'assit sur le bord de son lit et, longuement, lentement, caressa le couvercle de la boîte – comme elle l'avait fait, bien des années plus tôt, lors de son entrée au couvent, en passant la main sur le capot de la voiture de son père.

Elle ouvrit la boîte magique, prit le crayon et écrivit sur la première page de son cahier, en lettres gothiques, *Mon journal* – « mon », un mot qu'elle appliquait pour la première fois en onze ans à un objet.

> *Mon journal*
> *22 avril 1950*
> *La bienveillance de mère supérieure m'enseigne que les femmes intelligentes peuvent s'en tenir à l'esprit de la règle et concilier, jusqu'à un certain point, l'humain et le surnaturel. La possibilité de pouvoir m'exprimer quand le besoin s'en fait sentir m'apporte la sérénité. Comment Vous remercier, Seigneur, de la compréhension que Vous m'accordez par cet intermédiaire ? Être affligée d'un désir de possession, quand on a fait le vœu de pauvreté, est une grave tare. Le privilège de posséder un cahier en propre et d'y consigner mes idées sans avoir à les partager me fait le plus grand bien. Je veux profiter de cette occasion qui m'est donnée pour m'approcher de Vous.*
>
> *30 avril 1950*
> *Une délinquante récidiviste, une dure de dure, nous est arrivée aujourd'hui, escortée par un policier, un grand, gros et fort, choisi à dessein pour être en mesure de la maîtriser. Je l'ai vue, enragée, mordre l'officier au bras, à travers son*

blouson. *La sœur qui l'a accueillie, qui est toute petite et très douce, incarnait l'ordre et l'affection. À sa vue et à sa voix, la jeune fille s'est radoucie :*

— C'est vous, ma sœur, qui venez me chercher ?

— Donnez-moi la main, on va bavarder toutes les deux.

La délinquante est restée stupéfaite.

— C'est bien la première fois de ma vie qu'on me prend par la main. Ç'a toujours été par le bras ou par la peau du cou. D'accord, bavardons…

19 juin 1950

Cet après-midi, j'ai échangé quelques mots avec la buandière, sœur Éloi, une converse de soixante-seize ans, qui exerce le même métier depuis cinquante-huit ans. Elle m'a raconté que c'est le plus beau travail qu'une religieuse puisse accomplir. Solitaire, exécuté dans le silence, il lui permet de rester toujours près du Christ, son seul interlocuteur, m'a-t-elle expliqué. Sa condition m'a rappelé celle des couventines pauvres du pensionnat, obligées de faire du gros ouvrage : récurer les chaudrons, cirer les planchers, repasser, toutes tâches qu'elles accomplissaient pour payer, en quelque sorte, leur pension. La différence entre sœur Éloi et les couventines pauvres, c'est que ces dernières avaient honte de leur état, tandis que la première ne cesse de remercier le Seigneur de lui faire une si belle place près de Lui.

La manière dont les converses se prêtent aux corvées les plus abjectes m'afflige. Peu instruites, issues de milieux pauvres, elles doivent en tout temps se considérer comme les plus humbles. Ces sœurs domestiques – elles sont cordonnières, cuisinières, buandières, tourières, jardinières – prennent soin de l'étable, de la basse-cour et s'appliquent aux plus durs travaux de la maison. Elles remplissent leurs fonctions avec obéissance et un niveau d'humilité que je n'atteindrai jamais. Je viens justement de lire, dans nos Constitutions, qu'elles doivent être remarquablement dociles et ne jamais perdre de vue le caractère de leur statut... «autrement on ferait tort à Celui qui, dans les âmes de ses élus, a établi les divers ordres et fonctions».

Ma cousine Gertrude avait été surprise d'apprendre que, durant les offices religieux, on établit des distinctions entre les religieuses de chœur et les converses. Au lieu de l'office, les converses récitent deux dizaines de leur chapelet pour matines (partie nocturne de l'office), deux pour laudes et deux autres pour prime, tierce, sexte (entre l'aurore et midi) et none (à trois ou quatre heures de l'après-midi). Les converses doivent prendre place à l'arrière de la chapelle. Il y a d'autres différences, plus anodines: par exemple, elles ont des mouchoirs à carreaux blanc et rouge tandis que ceux des sœurs de chœur sont blancs. Pour devenir professe, c'est-à-dire prononcer les vœux solennels, la converse doit satisfaire à deux critères indispensables: elle doit être «robuste et docile».

J'ai lu aussi, dans les Constitutions, que celles qui ne possédaient rien dans le monde ne devaient pas venir chercher au monastère ce qu'elles n'avaient pu posséder au-dehors. Je suis également tombée sur la phrase suivante, qui m'a choquée: «Il est bon d'entretenir, chez la converse, un niveau intellectuel inférieur à la religieuse de chœur; et celles qui ne savent pas lire ne l'apprendront point.»

C'est donc par le hasard de la vie que je me suis hissée au rang de la haute société de mon monastère, c'est-à-dire les sœurs de chœur, celles qu'on juge aptes à s'instruire et à assumer des responsabilités. À ce titre, je peux par exemple participer à l'élection de la mère supérieure, mais pas les converses qui, elles, forment un groupe social inférieur, au bas de l'échelle de la communauté. Si j'écris toutes ces choses, aujourd'hui, c'est que je viens d'apprendre que, d'ici peu, les religieuses feront partie d'une seule et même classe, et jouiront toutes des mêmes droits, auront les mêmes vêtements, etc. Et je m'en réjouis sincèrement.

Une question me chicote encore, pourtant. Pourquoi cette « hiérarchie » dans le nombre de messes et de prières pour les sœurs défuntes ? Pour la novice, on fera dire cinquante messes ; pour la professe, ce sera cinquante-trois ; une provinciale, soixante-quinze ; l'assistante et l'économe générale, cent ; la supérieure générale, cent cinquante. Je m'interroge…

On dirait que ma conscience s'éveille à la justice…

22 novembre 1950

Maman a pris le train pour venir me rendre visite, seule. Papa était trop accaparé par ses affaires pour l'accompagner, m'a-t-elle dit, en l'excusant de tout, fidèle à son habitude. C'était le dernier parloir avant les fêtes puisque les visites sont interdites pendant l'avent – qui est tout de même moins long que les quarante jours du carême. Elle avait apporté une boîte de photos de famille que j'ai dû regarder à travers la grille, et que nous avons commentées en échangeant des souvenirs. Après une heure – qui ne m'en a paru que la moitié –, je lui ai souhaité de joyeuses fêtes et elle m'a demandé de prier pour elle. Nous nous sommes séparées, le cœur gros, en essayant de le cacher de notre mieux. Je l'ai regardée s'éloigner en rapportant la boîte de photos, sans même pouvoir m'en offrir une seule de mes neveux, que je ne connais pas. L'aurais-je acceptée et gardée dans mon coffret que j'enfreignais la règle. Je me suis précipitée vers la fenêtre pour la voir sortir : sous le coup de l'émotion, j'avais complètement oublié que toutes les vitres du bas des fenêtres sont couvertes de blanc…

Et je n'ai discerné qu'une ombre s'engageant dans la rue. Ma mère…

8 décembre 1950

J'ai dirigé la troisième répétition de la chorale que j'ai mise sur pied avec mes grandes filles. Elles faussent, mais n'ont pas l'air de s'en rendre compte. Leur bonne volonté et leur entrain me rappellent la chorale d'enfants organisée autrefois par Luce au pensionnat. L'activité semble leur plaire : elles se présentent à la salle avec un bon quart d'heure d'avance. Si elles connaissent assez bien les cantiques de Noël, elles ont encore toutes les misères du monde à les chanter en deux chœurs.

13 juin 1951

Gertrude m'a rendu visite aujourd'hui. Comme ses propos étaient rafraîchissants, et comme elle avait des choses à me dire! Moi, du fond de mon cloître, je ne vis presque rien et je n'avais rien à lui raconter, si ce n'est deux ou trois histoires de délinquantes. À court d'imagination, je lui ai débité quelques religieuses paroles qu'elle n'avait sûrement pas envie d'entendre. J'ai certainement manqué de discernement en lui servant mon prêchi-prêcha : j'aurais mieux fait de me taire.

4 février 1952
Cet après-midi, je suis allée à la cour accueillir une fillette de près de trois ans. Lorsqu'elle est arrivée là-bas, elle s'est ruée sur la nourriture qu'on lui a servie et n'a pas tardé à tout vomir. Ses vêtements étaient déjà très sales ; ils l'étaient maintenant au point où une bénévole de la cour les a jetés à la poubelle. On a alors enroulé la petite dans une couverture de laine et c'est ainsi que je l'ai emmenée jusqu'au couvent. Une fois là-bas, Alice – c'est son nom – m'a été confiée. Elle m'a très vite souri. J'ai eu un choc... Quelque chose qui doit s'apparenter à un « choc de maternité ». Je me suis penchée pour la prendre dans mes bras, mais j'ai figé mon élan à mi-chemin, car ce genre de geste est strictement défendu.

La supérieure m'a demandé de la laver, de vérifier si elle avait des poux et de lui trouver une robe convenable. La petite s'est laissé faire comme une poupée. J'ai senti qu'elle m'aimait déjà. Pendant une heure, je suis restée avec elle dans la salle de bain à lui faire sa toilette, l'épouiller, la peigner et la vêtir de mon mieux, avec des vêtements bien trop grands. Durant tout ce temps, elle n'a jamais cessé de me parler. Qu'elle est vive et enjouée, et intelligente ! Elle a demandé Lise, puis Steve – probablement sa sœur et son frère. J'ai appelé ma sœur, qui a déjà une famille, en la priant de trouver des vêtements de taille appropriée pour Alice.

19 avril 1952

La petite Alice fait partie de moi-même. Voilà le premier secret que je confie à ce journal. Eh oui, je possède un secret! Contrevient-il à mon vœu de pauvreté? Comment se pourrait-il que Dieu condamne le sentiment si beau et si pur que j'éprouve pour cette enfant?

En attendant la visite de la mère et de la travailleuse sociale d'Alice, j'ai eu la curiosité de relire tout son dossier. Il en est dit très peu sur ses origines; tout au plus peut-on y apprendre qu'elle est née de père inconnu et que sa mère a eu précédemment plusieurs enfants de pères différents – mais ça, je le savais déjà. J'avais hâte de rencontrer la mère.

En prévision de l'entrevue, une sœur avait cousu pour la petite une robe en taffetas rouge avec de la dentelle blanche au collet et aux manches. Une vraie petite poupée... Je me suis rendue au parloir en la tenant par la main. Là, l'enfant s'est collée contre moi sans parler. Je lui ai demandé à trois reprises laquelle des deux personnes devant elle était sa maman. Soudainement, elle a pris son élan et s'est jetée sur sa mère... mais celle-ci est demeurée de glace. Alice lui a lancé gaiement: «Maman, j'ai pus de bibittes dans ma tête, sœur Nénette me les a toutes ôtées!»

Il faut que je me fasse une raison. Je dois me détacher d'elle, et le plus tôt sera le mieux, car elle ne restera pas ici indéfiniment.

30 juin 1952

Les jours se suivent et se ressemblent, aussi bien remplis les uns que les autres: enseignement, couture, rencontres personnelles avec les délinquantes, problèmes causés par des fugues. Ce soir, Sainte Vierge, je suis fatiguée. Je vous offre cette fatigue en guise des heures de prières qu'il me reste à faire.

14 novembre 1952

À la maison, nous mangions toujours du bon pain fraîchement sorti du four. Au couvent, j'ai toujours trouvé difficile de manger du pain obligatoirement rassi d'une journée. Pour le reste, la cuisine du monastère est nourrissante : bœuf ou mouton ou lard et soupe au dîner et au souper – les jours gras, bien entendu. La volaille n'est servie que les jours de fête, soit une vingtaine de fois au cours de l'année. Quant aux desserts, ils ont beau être variés, ils sont loin de concurrencer le goût des tartes et des gâteaux de maman. Pour moi comme pour toutes les autres, ces desserts sont pour le jour de Noël et celui du saint dont la supérieure porte le nom. Ces jours-là, nous avons même droit à des pâtisseries.

Mais rien de tout cela ne saurait égaler les moments – trop rares moments – où m'est accordée la permission, pendant la belle saison, de partager une collation avec maman, dans le jardin...

20 février 1953

Quelle misère ! Mes pantoufles sont usées, mais pas encore au point d'être trouées. Quand elles le seront, je pourrai en demander une paire neuve. J'ai dû expliquer à papa que, pour respecter le grand silence qui suit le souper, les sœurs chaussent des « souliers de silence ».

Quand je ne suis pas de garde pour veiller sur les délinquantes, j'apprécie à sa juste valeur le grand silence du soir. Accepter le silence absolu de neuf heures du soir à six heures du matin ne constitue pas une victoire sur moi-même. Celles de mes consœurs dont la langue démange vraiment ont bien plus de mérite que moi. N'empêche, comme j'aimerais pouvoir échanger avec Gertrude et Luce sur ce qui se passe dans le monde, ainsi que nous avons eu la chance de le faire il y a trois ans. Je donnerais cher – mais voilà, je ne possède rien! – pour constater par moi-même l'évolution de la société. Papa m'a parlé de la télévision. La transmission des images jusque dans nos maisons constitue un exploit technique qui ne laisse pas de me fasciner. Est-ce que j'aurai la chance d'expérimenter un jour cette nouvelle invention?

4 mai 1953
Aujourd'hui, je me suis imposée de réfléchir sur la spiritualité du silence. J'ai relu des passages de mon Coutumier, *dont celui-ci:*

> *Les sœurs cultiveront un grand amour du silence; elles le garderont en tout temps, mais avec plus de soin encore au chœur, au réfectoire, au dortoir. Mais c'est surtout la nuit que la loi du silence s'impose avec le plus de rigueur: si quelque nécessité les obligeait à parler, elles le feraient en peu de mots, et mieux encore, par signes.*

Si le silence représente une bonne façon d'établir un dialogue avec Dieu, je ne crois pas que ce soit la seule. La parole n'est pas justifiable que par le devoir. En mon for intérieur, je rejette le silence lorsqu'il nuit à mes échanges avec les autres. Selon moi, un silence qui n'est qu'absence de paroles est dépourvu de valeur. Évidemment, je ne connais pas l'opinion de mes consœurs sur ce point puisqu'il nous est interdit de discuter du moindre doute que nous pourrions concevoir. Mais j'ai compris, avec les années, que Dieu se trouve aussi dans la parole, et parfois même dans le bruit. On n'a qu'à assister aux récréations de nos grandes filles : leur joyeux brouhaha ne chasse certainement pas Dieu de la place. En ce qui nous concerne, je m'interroge sur la satisfaction qu'Il peut bien retirer de nous voir observer le silence pendant toute la durée de nos trois repas. Pendant le carême, c'est pis encore : pas un mot ne doit franchir nos lèvres ; si nous devons à tout prix communiquer, nous le faisons par signes. On comprend que bien des sœurs deviennent nerveuses au point de rire pour rien.

Il reste que nous, sœurs, avons besoin d'un espace de solitude. Disons-le : dans un groupe de femmes comme le nôtre, s'il n'y avait pas de partage de silence, cela finirait en foire d'empoigne !

Quel profond bonheur de me sentir près de Vous, Seigneur ! Il s'agit d'un bonheur que papa ne connaîtra probablement jamais. Je Vous demande seulement de l'inspirer à mener une meilleure vie. S'il pouvait donc découvrir les bienfaits de l'intériorité, ne serait-ce qu'un instant...

17 octobre 1953

Je revois chaque jour ma petite reine, que je surnomme Lili. La sonorité de ce nom lui arrache de petits gloussements de rire.

— *Préfères-tu que sœur Antoinette t'appelle Lala?*
Elle rit de plus belle.
— *Non, sœur Nénette!*
*Je sais que ce n'est pas convenable de la laisser m'appeler
ainsi, mais c'est si charmant...*

28 février 1954
*Demain, je dois donner un cours aux jeunes religieuses
qui enseignent aux délinquantes. Mon but est de leur inculquer le réflexe de ne jamais se décourager face à un cas
problème et de toujours tenter de découvrir, sous l'écorce
parfois rude d'une délinquante, un être humain capable de
s'améliorer. Je cherche des idées concrètes pour leur faire
comprendre mon message. Des principes pédagogiques et des
concepts abstraits ne suffisent pas. Je crois pouvoir les toucher
bien davantage avec une histoire vécue. Voilà, je sais ce que
je dois faire. Et je vais écrire ici ce que je vais leur raconter...
Un jour, à ma demande expresse, j'ai reçu à l'École d'industrie une dure à cuire de treize ans, venue de l'École de
réforme où elle avait été placée par le tribunal, après une
condamnation pour vagabondage et vol. Mes consœurs
m'avaient mise en garde: «Ne la prenez surtout pas, elle
est folle. Elle ne se soumettra jamais à aucun programme.»
Sur la foi de tests passés à la clinique d'aide à l'enfance, son
QI s'élevait à 148 et révélait une enfant extrêmement
brillante. Dans son dossier, depuis l'âge de huit mois, on ne
comptait pas moins de vingt-huit placements. Son agres-
sivité était par conséquent aisée à expliquer. Elle avait
même déjà lancé un encrier au juge de la cour! Quand elle
est arrivée à l'École de réforme, elle était considérée comme*

une névrosée. Son cas m'a émue. J'ai décidé de l'accepter pour trois semaines, avec une lettre du juge, au cas où elle ferait une crise épouvantable. Ici, il n'y a pas de barreaux, comme dans une prison ; il lui aurait été facile de nous fausser compagnie. Eh bien, elle est restée pendant trois ans !

Elle nécessitait une rééducation profonde. Lors de nos premières rencontres, elle entrait dans la pièce, s'assoyait sur le bout de son siège et fixait le mur... avant de s'enfuir, comme un fauve apeuré ! La même scène s'est répétée chaque jour durant trois bonnes semaines. Un beau jour, elle s'est assise normalement sur sa chaise et s'est exclamé : « Allô ! » J'ai cru que mon cœur allait lâcher. Je l'avais « gagnée ». Au bout d'un an et demi, elle a connu sa dernière crise. Elle avait peur, peur de s'attacher, peur de voir sa personnalité changer. Cette peur a coïncidé avec une période de fugues à répétition. Chacune de celles-ci avait le même dénouement : la jeune fille nous était ramenée entre deux policiers. Une fois, on l'a même retrouvée aussi loin qu'en Ontario. Elle y ramassait des patates, dans une ferme !

De retour à l'école, j'ai voulu lui donner une dernière chance. Je suis allée rencontrer le juge – celui-là même qui avait reçu l'encrier par la tête ! – pour plaider la cause de ma petite délinquante. Elle ne s'attendait certainement pas à me revoir... Elle m'a littéralement sauté dans les bras. Le juge a parlé peu mais bien :

— Si jamais vous parvenez à en faire quelque chose, je vous fais canoniser.

Elle est demeurée avec nous encore deux ans. Peu avant son départ, elle craignait désormais de rencontrer des gens qui ressemblaient à ceux qu'elle fréquentait jadis. Elle était inconsolable de devoir nous quitter. Elle m'a dit:

— Dès que je serai partie, vous m'oublierez.

Que pouvais-je lui répondre, sinon la vérité?

— Jamais, Francine. Je vais m'occuper de quelqu'un d'autre, voilà tout, mais avec autant d'amour. Tu ne peux pas savoir ce que tu m'as apporté.

Je lui ai rappelé nos premières prises de contact et ce fameux «Allô!» survenu au bout de trois semaines d'une attitude rétive.

— Quand je n'ai pas le temps de prier, sais-tu ce que je fais? Je dis simplement: «Allô, Seigneur!» Tout ça, c'est grâce à toi…

Elle s'est sentie grandie… et pour cause.

Voilà ce qu'avait été le crime de Francine: être mal aimée dès sa plus tendre enfance, fille d'une mère sadique dont les huit enfants ont finalement été placés. À son arrivée ici, Francine ne savait pas lire. En trois ans, elle a fait l'équivalent de six années d'études. Plus tard, elle a épousé un garagiste, un homme bon. La peur de ne pouvoir suivre les autres l'a empêchée de poursuivre ses études, mais elle n'a jamais plus été délinquante et elle a fondé une famille. J'ai même appris récemment qu'un de ses fils était devenu collégien.

Je pense que je tiens là une excellente matière de cours – la meilleure dont on puisse rêver. Les commentaires, les questions et les discussions complèteront le tout.

6 juin 1954

J'entame aujourd'hui ma retraite annuelle de huit jours, que je considère comme un moyen de réfléchir sur la *perfection que Dieu attend de moi. La retraite spirituelle du dernier dimanche de chaque mois, elle, m'aide à réfléchir sur mes progrès, mais elle ne suffit pas à faire le tour de mes défauts. Parmi les sujets de réflexion, il y aura, entre autres, mon vœu de pauvreté, toujours susceptible de freiner mes ardeurs spirituelles.*

17 juin 1954

Je suis ressortie toute légère de ma retraite. J'ai eu tout mon temps pour prier, réfléchir, analyser mes faiblesses, mesurer mon évolution psychologique et la juger selon mes vues personnelles plutôt que par des règles figées. Et j'ai aussi adopté quelques bonnes résolutions.

À la récréation, ce matin, je suis allée saluer les sœurs avant de courir voir – c'était plus fort que moi! – ma petite Alice, qui a maintenant cinq ans. Seigneur, est-ce permis d'aimer autant cette enfant? Je lui veux tant de bien...

22 juillet 1954

Papa s'est présenté au parloir, seul. Il était à Montréal pour affaires. Après quelques minutes de conversation, j'ai entendu croître derrière moi le bruit des pas de ma petite reine...

— Bonjour, ma belle!

Intimidée par la présence d'un étranger, elle a d'abord baissé la tête avant de s'enhardir et de lever les yeux vers lui.

— Quel est ton nom? lui a-t-il demandé.

— Alice. Mais sœur Nénette m'appelle Lili.

— *Nénette et Lili, a répété mon père, pour lui-même. Beau duo! Recule-toi un peu que je vois tes souliers.*

En voyant les chaussures dont la petite était affublée, il n'a pu réprimer un mouvement de recul et a secoué la tête, dépité.

— *Une si belle poupoune avec des souliers pareils. Bon, il faut que j'y aille! Bonjour, ma poupoune! Bonjour, Fifille!*

Moins d'une heure plus tard, il est revenu sonner au parloir et je suis aussitôt redescendue, intriguée.

— *Va faire pivoter le tour, m'a-t-il dit, l'œil pétillant.*

Sur la tablette reluisaient deux beaux petits souliers en cuir verni.

— *J'ai l'œil… Je pense bien que c'est la bonne grandeur. S'ils sont trop petits, j'irai les échanger à ma prochaine visite. Prends soin de toi, Fifille!*

4 février 1955
L'Imitation de Jésus-Christ *m'a donné l'élan spirituel dont j'avais tant besoin pendant ma dernière retraite. Aujourd'hui, je relis encore ce passage qui me touche:*

> *Dès que l'homme commence à désirer quelque chose désordonnément, aussitôt il devient inquiet de lui-même. Le superbe et l'avare n'ont jamais de repos, mais le pauvre et l'humble de l'esprit vivent dans l'abondance de la paix.*
>
> *L'homme qui n'est pas parfaitement mort à lui-même est bien vite tenté, et il succombe dans les plus petites choses.*
>
> *Celui qui incline vers les choses sensibles a grande peine à se détacher entièrement des désirs terrestres.*

La réflexion proposée par ce texte montre qu'il en coûte davantage de céder à nos penchants que de les vaincre. Si le combat contre nos passions est dur, une paix ineffable en constitue le bénéfice.

12 juin 1955

Je ne peux pas dire que les récréations me détendent réellement, tant sont lourdes toutes les contraintes qui y sont rattachées : défense absolue de parler de mariage ou de l'actualité du monde extérieur. Les seuls sujets dignes de discussion doivent être « édifiants », dénués de mélancolie ou de légèreté. Une trop grande liberté d'expression, des railleries mordantes, des moqueries, le mépris : rien de toutes ces choses ne nous sont permises[4]. Autant d'entraves dont Gertrude, Luce et moi n'avions pas à nous soucier lorsque nous échangions, au monastère des Soignantes-de-Jésus.

La décoration de notre salle commune – crucifix, images de saints, sentences – est d'ailleurs plus propice à la dévotion qu'à la récréation. Tout cela n'est pas innocent : la sobriété du décor constitue l'une des cent façons de mourir au monde et à soi-même. Qu'importe, il n'en reste pas moins que je trouve parfaitement ridicule de voir mes consœurs, à leur entrée dans la salle de récréation, se saluer en disant : « Nous saluons vos bons anges », phrase absurde à laquelle on doit répondre : « Et nous, les vôtres. »

---

4. Dans l'annexe qui suit le roman, et qui décrit une journée dans la vie d'une religieuse, il est question, entre autres choses, des récréations et de l'importance du silence.

Mon Dieu, je Vous aime de tout mon être, mais je pense que Vous accepteriez volontiers que nous nous amusions davantage aux récréations, en laissant de côté nos personnages empruntés et ces formules préfabriquées.

Je constate – hélas! ou tant mieux, je ne saurais dire – que mon esprit critique s'éveille de plus en plus.

Mon sujet de méditation de demain matin portera sur la phrase suivante : « La noblesse de la pauvreté exclut toute mesquinerie, comme elle s'oppose à toute prodigalité. »

30 mars 1956
En relisant certaines pages de mon journal, je veux approfondir mes réflexions en date du 20 février 1953 et méditer sur la solitude inhérente aux religieuses. Tout en étant physiquement très proches, et ce d'une manière permanente, elles sont en fait fort éloignées, se parlent peu et se connaissent moins bien encore. Le dicton amer que j'ai entendu quelquefois serait-il une réalité inéluctable ? « On entre en communauté sans se connaître ; on vit ensemble sans s'aimer ; on meurt sans se regretter. »

Le fait de pouvoir consigner le cours réel de mes pensées me rapproche de Vous, Seigneur, Vous qui m'écoutez… et lisez au-dessus de mon épaule. Vous savez trop bien qu'une religieuse ne peut se confier à personne, pas même à son confesseur. Il est écrit quelque part, dans nos Constitutions :

Les sœurs doivent éviter toute entrevue avec le confesseur en dehors du confessionnal sans la permission de la supérieure ; au confessionnal même, elles doivent se garder de parler de ce qui n'a pas trait à la confession, parce que les confesseurs ne doivent s'immiscer d'aucune façon dans le gouvernement externe de la communauté.

Mon Dieu, il m'est parfois si pénible de n'avoir aucun lien affectif. Je le sais: j'ai choisi en toute conscience la vie de recluse, et je me réjouis que l'univers de mes sentiments se réduise à l'amour que j'ai pour Vous. Je m'écoute Vous parler pour aussitôt constater l'inexactitude de mes paroles, qui sont le reflet d'une pensée fabriquée. Car je dois reconnaître que j'aime aussi mes filles, même délinquantes. J'aime papa, maman, mes frères, mes sœurs. J'aime tout particulièrement la plus belle de vos petites créatures, Alice, qui vient d'avoir sept ans. Grâce à elle, je me console de ma vie en solitaire. Qu'elle soit en ma présence ou non, cette petite est toujours près de moi en pensée. Par quel mystère me suis-je attachée si fort à elle?

2 mai 1957

Cette semaine, sœur Gilberte a appris le décès de sa sœur aînée. Mais elle n'a pu aller elle-même aux funérailles: c'est la tourière qui s'en est chargée. Ce genre de situation me consterne; j'en ai encore le frisson.

La supérieure m'a raconté un mauvais souvenir du même cru. Alors qu'elle était une jeune religieuse, sa mère est tombée malade. Sa supérieure lui a permis d'aller visiter sa mère, mais en la mettant en garde: «Si elle meurt, vous ne pourrez retourner dans votre famille pour les obsèques.» Et c'est exactement ce qui s'est passé.

« *Nous avons dit adieu au monde, ma fille, m'a dit la supérieure, par amour pour Dieu. Pensez au sort qui vous attend dans l'au-delà. Mais attendons les événements, sœur Antoinette-de-Jésus… Ne sentez-vous pas, comme moi, une certaine évolution des mentalités dans notre maison ?* »

Je veux bien faire preuve de patience, mais je dois me rendre à l'évidence : les probabilités sont fortes pour que maman meure avant moi, et papa aussi. La mort d'un être cher, c'est la pauvreté des pauvretés. Pardonnez-moi, Seigneur. Je ne suis pas encore parvenue à me détacher de tout.

Au fond de moi, j'ai toujours autant de difficulté à admettre que soit appliqué à la lettre l'esprit de la clôture. Sœur Rose-de-Lima m'a raconté que, lors du transfert de son couvent au nôtre, sa supérieure a demandé à ses parents de la reconduire. Dès son arrivée en nos murs, la supérieure lui a ordonné de descendre rapidement de voiture pour aller continuer de converser avec ses parents, séparée par la grille. Mon Dieu, face à ce qui m'apparaît relever de la plus pure absurdité, je ne peux m'empêcher d'avoir l'esprit critique… mais je vais faire un effort pour m'amender.

20 juillet 1957
Parce qu'elle contenait des propos qu'elle jugeait trop émotifs, l'assistante m'a fait reprendre une lettre écrite à ma jeune sœur Hélène. Mon cher journal, seul bien de ce monde qui m'appartienne en propre, à toi je peux confier mes blessures. Quelles sont-elles ? Cette obligation constante de demander des permissions pour tout et pour rien : se laver la tête, changer de brosse à dents, écrire une lettre, prendre

un bain… Seigneur, je Vous offre ces agacements en sacrifice pour les péchés du monde, en particulier pour ceux de papa – dont la conduite n'est pas toujours morale, d'après ce que je décode des propos de maman, lorsqu'elle me rend visite.

20 mars 1958

Aujourd'hui, papa est venu me voir au parloir. Comme le veut le règlement, il était évidemment derrière la grille, contre laquelle il fulminait et fulminera toujours. Chaque fois, je le laisse s'emporter, en me disant qu'il n'arrive pas – et n'arrivera jamais – à comprendre la signification du cloître.

— À part prier, m'a-t-il dit, que peux-tu bien faire de tes journées? Oui, je sais… Tu t'occupes de tes délinquantes… mais elles le sont et le resteront. J'aurais tant de tâches que je pourrais te confier au bureau.

— Mais papa, mes journées sont pleines à déborder, ici.

— Tu ne connaîtras donc jamais les plaisirs de la vie? Passeras-tu le reste de ta vie à obéir comme un pantin aux directives de ta mère supérieure? « Oui, ma sœur, tout de suite, je viens… », « Oui, ma sœur, je vais le faire immédiatement… »

— Oh, papa, j'ai beaucoup plus de bonheur que vous ne pouvez l'imaginer, et je ne fais pas allusion qu'à mes joies spirituelles en vous disant cela. Je parle de bonheurs humains. Il y a d'abord mes grandes, que j'aime. Puis, le Seigneur me comble en me demandant d'aider la plus mignonne des petites filles; d'ailleurs, vous la connaissez.

Alice a maintenant neuf ans et elle m'a été confiée depuis environ six ans. Prévenez-moi à l'avance de votre prochaine visite : je la ferai venir au parloir pour l'occasion. Vous verrez que je peux éprouver du bonheur dans cette vie qui est la mienne, tout comme vous pouvez en avoir dans la vôtre, mais différemment.

Le visage de mon père était transfiguré par la joie.

— Mais dis donc, ma Fifille, te serais-tu découvert un instinct maternel ? Je ne savais pas que tu aimais les enfants à ce point. Tu sais, dans le monde normal, tu trouverais facilement un bel homme qui pourrait t'en faire !

J'ai vu papa s'attendrir ; sous son écorce se cachent de bons sentiments. Je n'ai pas voulu contrarier ses rêves et le laisser repartir sur une mauvaise note. Il m'a demandé de pouvoir toucher ma main. Faute de m'embrasser sur les joues — les carreaux ne le permettent pas —, il a baisé mes doigts.

— Je reviendrai le premier jeudi de septembre, à « ton » heure de parloir. Tu me montreras ton petit phénomène.

Il est parti en laissant sur le tour une boîte de chocolats Laura Secord. La tourière s'est empressée de la prendre et de la déposer sur un comptoir, près du réfectoire. Là encore, je n'ai pas cru utile de décevoir mon père en l'informant que ces friandises, qui me font saliver, ne m'appartiennent pas.

21 mars 1958

Cette nuit, j'ai fait un rêve. Alice et moi, toutes seules, nous promenions dans l'Île-aux-fleurs-de-mai. J'avais avec moi la boîte de chocolats que m'avait offerte mon père la *veille. Alice en a choisi un premier, avec une cerise dedans, puis un second, au caramel. Au troisième, elle avait les joues barbouillées. Même sa gloutonnerie est beauté.*

12 septembre 1958

Mes temps libres sont de plus en plus rares, au point que je n'ai pas écrit une ligne dans mon journal depuis des mois. Je ressens toutefois le besoin de reprendre la plume et de ne pas différer plus longtemps ces retrouvailles.

Le chemin de la sainteté n'est pas aisé et s'avère un défi quotidien, permanent. Un passage de L'Imitation de Jésus-Christ *m'est apparu comme une vitamine de l'âme :*

Si vous savez vous taire et souffrir, sans doute Dieu vous assistera.

Quelque affront qu'il reçoive, l'humble vit encore en paix, parce qu'il s'appuie sur Dieu et non sur le monde.

Ces paroles me suggèrent la réflexion suivante : peu importe les discours et les pensées des êtres humains, ce ne seront pas eux qui me jugeront. Quant aux jugements de certaines de mes consœurs, je ne dois pas m'y arrêter, car je dois agir selon ma conscience. Je suis ce que je suis – ou, plus exactement, ce que je suis devenue. Ainsi, je refuse de subir des humiliations dites « salutaires ». À mes yeux, elles ne sont qu'inhumaines et inutiles.

3 avril 1959

La supérieure m'a permis de m'entretenir avec un confesseur extraordinaire. Non pas que notre confesseur

régulier me déplaise, cependant son parti pris pour l'obéissance – un vœu que je respecte, à l'intérieur de certaines
limites – me convient plus ou moins. Depuis quelque temps,
il m'est plus difficile d'obéir – d'obéir aveuglément, en tout
cas. Un scrutin a confirmé que la majorité des religieuses
désirent que le confesseur régulier soit maintenu dans ses
fonctions ; pour ma part, j'ai voté autrement, selon ma
conscience.

J'ai donc profité de l'un des rares passages du confesseur
extraordinaire – on ne le voit que deux ou trois fois l'an –
pour le rencontrer. Je lui ai confié les difficultés que j'éprouve
face au vœu de pauvreté ainsi que mon instinct de possession
à l'égard d'Alice. À ma grande surprise, il n'a rien trouvé
d'anormal à ma confession. Aujourd'hui, ma conscience est
donc à nouveau en paix.

Il faut dire que si je fais de mon mieux pour tendre vers
la perfection, je ne m'embarrasse pas de scrupules inutiles.
Je n'ai rien à voir avec ces sœurs qui inscrivent sur un bout
de papier, par crainte d'en oublier, une interminable liste de
fautes dont elles se plaisent à ensevelir leur confesseur. Sœur
Sainte-Félicienne est l'une de ces zélées du péché véniel.
Connaissant sa manie, je me suis hâtée de passer avant elle
au confessionnal. Agenouillée dans la chapelle, à prier, j'ai
pu voir la file des pauvres sœurs qui, derrière sœur Sainte-
Félicienne, ont attendu patiemment qu'elle se soit accusée
de tous les péchés de la création. À peine sortie du confessionnal, elle s'est aussitôt remise en ligne : elle avait sûrement
oublié une ou deux vétilles…

1er février 1960

Deux semaines avant l'anniversaire d'Alice, papa, qui connaît bien ma protégée et veut tant me faire plaisir, est débarqué les bras pleins de cadeaux : une robe, un bracelet, du chocolat, un chandail. Quel cœur immense il a ! Comme il est chanceux d'avoir les moyens de sa générosité. Pour moi, il ne saurait exister de plus grand bonheur que de posséder beaucoup afin de pouvoir donner autour de soi.

13 février 1960

C'était aujourd'hui l'anniversaire de la petite Alice, ma fille spirituelle. C'est maintenant une belle adolescente de onze ans, dans laquelle une femme commence doucement à s'épanouir, et qui m'a rejointe en taille : cinq pieds et trois pouces. Ses succès scolaires me réjouissent, tout autant que son attitude face à la vie. Elle s'entend bien avec tout le monde et me surprend par sa belle assurance, y compris en compagnie des dures à cuire, dont elle est devenue l'amie. J'ai fini par deviner les raisons de cette affinité : elle a aidé plus d'une fois des fugueuses de nuit à réintégrer l'école au petit matin, et cela sans en toucher un mot à qui que ce soit, pas même à moi – à moi, qui fais semblant de ne rien savoir de ce manège.

Mon Dieu, si Vous saviez comme je suis fière d'elle ! Appellerez-Vous cette belle âme à se consacrer à Vous ? Que votre volonté soit faite !

13 octobre 1960

Une lâche s'est vantée qu'elle fuguerait pour ne jamais revenir. En fait, elle n'est pas allée très loin, se réfugiant sous un escalier pour une partie de la nuit. Ce sont ses amies qui l'y ont découverte, penaude et ridicule. Elles m'ont pressée de les laisser s'occuper elles-mêmes de la fugueuse, confiantes de lui faire entendre raison.

C'est une récompense inouïe de constater à quel point peut se développer le sens des responsabilités de ces jeunes si on leur en donne la possibilité.

15 février 1961

Que Dieu me pardonne : je ne peux me corriger de gâter Alice en cachette. Je lui ai même donné quelques sous que j'avais osé demander à papa. Il fallait nous voir au parloir, avec nos mines de conspirateurs, quand il a glissé entre les barreaux de la grille une petite liasse de billets !

À douze ans, elle aime déjà se promener en ville. Malgré ses origines modestes, elle sait reconnaître les belles et bonnes choses. Pour ma part, je m'avoue incapable d'estimer la valeur que représentent les cadeaux de mon père, mais mon petit doigt me dit qu'il est généreux – très généreux ! Comme il m'est bien entendu interdit de recevoir quoi que ce soit, papa me permet indirectement de donner – un plaisir véritable qui ne taquine même plus ma conscience.

20 février 1961

Maman est venue me rendre visite avec les deux petits de mon frère cadet. La grille du parloir intimidait les garçonnets, qui ont pris un certain temps à ouvrir la bouche.

Quand l'aîné a enfin surmonté sa gêne, il a débité d'une traite :

— Grand-papa m'a dit que toi, tante Éliane, tu vas bientôt enlever ta grande robe noire pour revenir à la maison. J'aime pas ça ici !

J'aurai beau vivre centenaire, je ne me ferai jamais à l'idée de ne pouvoir serrer, embrasser, toucher les miens. Comme j'étais triste de ne pouvoir presser ces deux petites têtes blondes contre moi... Ces bouffées de vie de famille sont exaltantes... mais je dois admettre qu'elles me distraient à l'heure de prier. Seigneur, veuillez accepter le bonheur de cette visite que je Vous offre en guise de prière.

3 mars 1961

L'un de mes sujets privilégiés de méditation porte sur la modestie, vertu propre à la sainteté de l'état religieux. La modestie suppose l'humilité et la patience. Cette dernière me fait souvent défaut, et j'ai beau travailler fort à la développer, mes mouvements d'impatience sont de plus en plus fréquents dans mes rapports avec les délinquantes, face à l'insolence de l'une ou au sans-gêne de l'autre.

Aujourd'hui, la plus dure d'entre elles, âgée de quatorze ans, m'a longuement dévisagée avec une expression d'effronterie qui me faisait intérieurement bouillir. Devant la grossièreté des répliques qu'elle adressait à ses compagnes, j'ai failli sortir de mes gonds plus d'une fois. Il n'est pas toujours facile, Seigneur, de communiquer avec certaines d'entre elles. Je m'efforce de ne jamais oublier que je suis à leurs côtés pour soigner leur âme. Aidez-moi, Seigneur, à supporter tous ces désagréments avec le sang-froid adéquat.

Je parlais de patience, mais revenons à la vertu d'humilité. Celle-là aussi, je suis encore loin de l'avoir acquise. Le moins qu'on puisse dire, c'est qu'elle est bien complexe. Je me souviens que, jeune religieuse, je devais parfois baiser les pieds de la supérieure au réfectoire. Pour ce faire, il me fallait d'abord m'extraire d'un long banc en dérangeant plusieurs consœurs avant de traverser le réfectoire pour rejoindre la supérieure, à qui je demandais la permission de lui embrasser les pieds. Celle-ci tendait alors le pied droit et je m'exécutais. Mais ce que toutes, autour de moi, assimilaient à un geste d'humilité était aussi de l'orgueil. En effet, je n'ai pas la conviction que mes actes d'humilité aient toujours pris leur source dans un élan de sainteté. Aux yeux de mes consœurs, évidemment, je donnais l'impression de pratiquer une humilité tout évangélique, une humilité édifiante. Quand je scrute aujourd'hui mes motivations d'alors, j'y détecte de l'orgueil et un désir de dépassement spirituel qui renvoie à une forme de performance athlétique. J'aurais dû m'en confesser à chaque récidive.

Si j'en crois nos Constitutions, une bonne manière de pratiquer l'humilité consiste à ne jamais répondre à aucune louange, vraie ou fausse, en s'humiliant intérieurement devant Dieu.

Là où mon avis diverge sensiblement des Constitutions, c'est au sujet du choix délibéré des emplois les plus bas et les plus méprisés. Je refuse aussi de renoncer à ma façon de penser et de me soumettre, par humilité, à celle des autres. Quant à « la modestie dans le visage et dans la vue », elle m'apparaît comme une façade de vertu que j'ai soigneusement fabriquée et entretenue depuis le noviciat. Comme

toutes mes consœurs, je suis parvenue à développer cette gym-
nastique par la pratique : tête droite, ni trop haute ni trop
penchée... « Point d'yeux égarés ni arrêtés trop fixement ni
trop baissés... »

Pour moi, toutes ces règles concernant la modestie dans
la posture du corps, du langage et de la démarche ne sont
qu'un ensemble de contraintes visant à faire entrer toutes
les sœurs dans un même moule. À mes yeux, la sainteté
habite l'âme et ne s'affiche pas sur le corps ; elle est une
question d'être et non de paraître.

Sans le vouloir, je viens de désobéir : ma réflexion sur la
modestie et l'humilité m'a fait négliger l'heure du coucher.
Je m'empresse de refermer mon cahier et de l'enfouir dans
sa boîte.

11 mai 1961
Aujourd'hui, ma méditation portera sur le mépris du
monde.

D'après les Constitutions, *il importe de se vider l'esprit*
de tout ce qui, dans le monde, est contraire à Jésus-Christ.
Même après un quart de siècle de réclusion, il n'est guère
facile de me détacher de tout ce qui me rappelle le monde.
« Vous devez regarder votre habit, couvert d'une cape noire,
comme celui de la pauvreté de Jésus-Christ, que le monde
a en horreur. » Justement, plus je vieillis et plus me pèse ce
vœu de pauvreté. Je suis loin, si loin de la sainteté ! J'aime
mon saint habit, mais je préférerais pouvoir ouvrir une
penderie et contempler ma garde-robe, caresser une multi-
tude de beaux vêtements, agencer les couleurs des uns et des
autres... Je pèche contre mon vœu, par personne interposée

en priant papa de me permettre d'offrir à ma chère Alice une blouse ou un foulard.

« *Les religieuses, disent encore les* Constitutions, *doivent éviter de se mêler aux affaires temporelles de leurs parents, de les aider, car ce sont autant d'obstacles à la perfection.* » Et, bien sûr, à chacune des visites de papa, je me délecte à parler avec lui de ses affaires qui progressent, à jauger les risques que représente la diversification de ses activités...

Je ne suis pas encore arrivée – y arriverai-je jamais? – à mépriser le monde. En relisant un passage du Coutumier, je constate que mon vœu de pauvreté n'est toujours pas assumé.

Les sœurs n'ont, comme les pauvres, ni miroir dans leur cellule, ni dentelle, ni ruban de soie, ni dorure dans leurs habits, ni tabatière, ni mouchoir en dentelle dans leur pochette, ni or ni argent dans leurs cuillères, fourchettes, couteaux, montres, croix, reliquaires, etc.

Hors de ces murs, je pourrais m'offrir tellement plus que toutes ces choses... Pardonnez-moi, Seigneur, ma nature indomptable et mon désir de possession qui prennent trop souvent le dessus. Je Vous aime. Un jour, j'en suis sûre, je parviendrai à mépriser totalement le monde pour être toute à Vous.

4 *août 1961*
Je reviens sur la dernière réflexion de mon journal, en rapport avec un autre passage de mon Coutumier *sur le mépris du monde, où l'on nous met en garde contre l'esprit mondain religieux qui consisterait, entre autres choses, « à*

parler, avec estime, des biens du monde et des talents natu-
rels, et à témoigner en avoir envie ». Eh bien, je regrette,
mais cet esprit est en moi. Si je suis forcément éloignée de
bien des plaisirs défendus, je ne les désire pas moins.
Que la voie de la perfection est ardue !

5 avril 1962
C'est plus fort que moi, je ne peux m'empêcher d'imaginer
le bonheur que j'éprouverais à emmener Alice dans un
grand magasin comme Morgan et à l'habiller de pied en
cap. Elle est si jolie fille ! Je ne suis pas seule à le penser :
papa, qui l'aperçoit de temps à autre, abonde dans ce sens.
Sa beauté n'est pas que physique ; Alice est profondément
pieuse. Je prie fort pour que ma fille spirituelle accomplisse
de grandes choses dans la vie. Mon Dieu, la simple pensée
qu'elle quitte un jour la maison me plonge dans des affres
terribles...

11 avril 1962
Visite de papa et de maman. Je me suis présentée au
parloir en respectant, comme toujours, l'obligation d'être
accompagnée d'une consœur – chargée d'une surveillance
discrète mais réelle des conversations. Peut-on imaginer
pareille chose aujourd'hui, en 1962 ?
Apparemment absorbée dans un ouvrage de broderie,
elle n'a pas vu, ou n'a pas voulu voir, une enveloppe que
papa m'a glissée entre les barreaux. J'y ai découvert, plus
tard, des photographies de mes frères et sœurs, et aussi un
billet que je me ferai un plaisir de remettre à Alice plutôt
qu'à la supérieure.

Bien que j'aie expliqué plusieurs fois à papa le fonction-nement de la communauté et le principe de mon vœu de pauvreté, il doit persister à croire que je peux m'acheter quelque chose avec cet argent. S'il savait...

10 juin 1962

J'ai conservé l'enveloppe des photos de famille et je ne juge pas mal de l'avoir fait. Je les regarde de loin en loin, lorsque je jouis d'une certaine confidentialité. Or, hier, seule dans un coin du réfectoire, je les ai étalées pour les examiner à loisir, une par une, dans le détail, à la lumière du jour. Chacune me rappelait avec une présence inouïe un membre de ma famille, une pièce de la maison, un paysage aimé de Sainte-Claudine, bref, chacune produisait en moi une nostalgie profonde, lancinante. Une sœur est entrée à ce moment et m'a aperçue, avec mes photos et mes larmes. Au lieu de chercher à me consoler, elle m'a froidement ordonné de lui remettre toutes les photos.

— C'est manquer à la pauvreté que de regarder ces images, m'a-t-elle reproché. Ne savez-vous pas que vous devez vous détacher du monde et des biens terrestres?

Peut-on être plus cruelle? De quel droit croit-elle pouvoir me détacher de mes racines? C'est inhumain. J'ai préféré sécher mes yeux et la remercier de m'avoir remise dans le droit chemin. Je suis restée attablée longtemps après son départ, ce qui m'a laissé le temps de réfléchir sur l'incident et mon entêtement à vouloir conserver ces photos.

Au bout d'un moment, ma résolution était prise. J'ai saisi les photos et je suis allée les déposer dans ma boîte qui ferme à clé, sous mon journal.

20 juillet 1962

Alice est venue me rendre visite après la classe, sans avoir rien de spécial à me dire :

— Ça me fait plaisir de venir vous dire bonjour, ma sœur, m'a-t-elle dit. Je ne saurais vous expliquer pourquoi, mais je me sens toujours bien avec vous.

La fillette d'hier s'est muée en une très jolie fille de treize ans, maintenant plus grande que moi. Elle affiche une assurance rare pour les gens de son âge, dont la plupart se cherchent et peu se trouvent. Son allure, naturellement fière, en impose aux autres.

Malgré son attachement à la maison et à sa «sœur Nénette», elle ne devra pas moins tout quitter, au plus tard dans trois ans. Il m'arrive de plus en plus souvent de me demander ce que je vais devenir sans elle... Je me rends compte qu'elle a fini par représenter, au fil des ans, ma principale raison de persévérer dans la vie religieuse.

17 août 1962

Les laïcs qui croient que tout est gardé secret dans une communauté se trompent royalement. Sans cesse on murmure, on chuchote, on commente discrètement les comportements qui manquent à la règle, et les sœurs en autorité ne peuvent imaginer à quel point nous sommes bien informées.

Il y a par exemple, entre nos murs, des cas de détresse et de santé mentale affligeants. Quand une religieuse se met à crier et délirer comme celle que j'ai entendue hier soir, il n'est plus permis d'en douter. Malgré l'interdiction de parler entre nous du cas d'autres sœurs, j'ai pris la liberté, avec certaines de mes compagnes, aussi effrayées que moi par ces hurlements déchirants, de mettre en commun nos informations. Celles-ci nous ont permis de mieux connaître et comprendre l'histoire de cette religieuse. Tout se sait, et ce qui n'est pas encore connu finira par l'être. Les murs ont des oreilles, et les lourdes murailles des monastères ont l'ouïe formidablement aiguisée.

Le cas de cette sœur est bien particulier : elle est obsédée par la peur du péché, au point qu'elle est parfois sujette à des crises, comme hier, alors qu'elle s'est mise à crier et à se débattre jusqu'à ce qu'on lui enfile la camisole de force et qu'on l'envoie à l'hôpital en ambulance. Une sœur du Conseil général m'a expliqué que ce type de cas de détresse pouvait quelquefois survenir, au « retour d'âge ». Je me demande combien de ces cas pathétiques comptent les annales de la communauté ?

Cet incident me fait songer à sœur Géraldine, sortie de la communauté après avoir obtenu l'indult du pape, il y a cinq ans – sœur Géraldine dont j'ignore tout du sort. Cette malheureuse, une femme brillante à l'esprit original, entrée en religion pour faire plaisir à sa mère, était devenue alcoolique. Je me rappelle qu'un jour, lors de la visite de papa, c'est elle qui me servait d'ange gardien. Durant cette rencontre, mon père, pour une rare fois, avait osé me confier que son moral était bas, à la suite d'une mauvaise transaction.

— Je suis dans la cave, m'avait-il dit.

— Ah, cher monsieur ! avait rétorqué sœur Géraldine, à qui rien de notre conversation n'avait échappé. Vous avez dû m'y voir, je suis toujours dans la cave.

C'est la réalité : elle était toujours en proie à la dépression et, pour surmonter sa misère spirituelle, elle buvait tout l'alcool qu'elle pouvait trouver au dispensaire. On avait fini par éclaircir le mystère de toutes ces bouteilles trouvées vides en y postant une sœur espionne, qui avait surpris notre sœur ivrogne en flagrant délit...

17 août 1962
Alice a organisé une plantation de fleurs avec une dizaine de grandes filles. Après avoir préparé le projet sous tous ses aspects – évaluations, achats, localisation sur le terrain, division des tâches – et fait signer le document par neuf de ses compagnes, elle m'a demandé de servir d'intermédiaire entre la supérieure et elle pour obtenir son aval.
Adorable Alice ! Elle a même séduit la supérieure.

21 août 1962
Je ressens le besoin de raconter la triste histoire d'une compagne qui s'est déroulée dans le couvent : sœur Isabelle a tenté de se suicider en avalant des somnifères. Le chat est sorti du sac, ce matin, après la messe. Son comportement ne nous a guère laissé d'autre choix que d'en parler : elle titubait littéralement comme une personne ivre et s'affaissait sur les sœurs, tantôt à gauche, tantôt à droite, en s'approchant de la sainte table.
En fait, elle n'a pas voulu réellement se tuer ; elle désirait seulement attirer l'attention de la supérieure, de qui elle est follement amoureuse. La supérieure, une femme forte et équilibrée, lui avait fait comprendre qu'elle ne la suivrait

jamais dans cette voie et sœur Isabelle, inconsolable, a voulu en finir avec la vie.

À mon avis, il vaudrait mieux qu'elle obtienne son indult et qu'elle sorte de la communauté ou elle ne pourra jamais s'épanouir dans son lesbianisme. Dans le monde, elle trouvera sans doute des compensations. Peut-être a-t-elle un grand besoin d'amour charnel et, privé d'homme, jette-t-elle son dévolu sur une femme ? Qui sait ?

4 septembre 1962

Je me demande par quel mystère Alice est toujours avec nous dans la maison. Je ne comprends pas les motifs qui poussent les autorités à la garder ici. J'effeuille les raisons sans parvenir à en trouver une qui ait vraiment du sens. Est-ce parce qu'on la considère comme un bon exemple pour les autres ? Parce qu'elle n'a pas de foyer où aller ? Parce qu'elle-même ne désire pas quitter la maison ? Parce qu'on ne peut plus se passer de son aide ? Alice ne dit mot. Et moi, je me garde bien de lui poser la moindre question.

Merci, Seigneur, pour chaque nouvelle journée où Vous gardez près de moi ce soleil dans ma vie. Moi que la pensée du mariage n'a même jamais effleurée, je goûte le sentiment de vivre avec ma fille. Je crains depuis déjà longtemps le jour où, à dix-huit ans révolus, plus aucune raison ne pourra la confiner ici. Elle devra alors voler de ses propres ailes, tandis que les miennes seront brutalement arrachées. Je l'aime.

Mon journal est figé. Je n'ai plus rien à écrire. J'ai tout dit. Toutes mes énergies, je les emploie à chasser la perspective de voir Alice être bientôt éloignée de moi.

10 septembre 1962

J'ai l'après-midi devant moi. Je vais en profiter pour relire mon journal du premier au dernier mot, question de mesurer l'évolution de ma pensée depuis douze ans.

[...]

Il se dégage de ma relecture cette évidence que j'ai apprise, au fil des ans, à la dure : pauvreté et obéissance religieuse se liguent pour entraver la liberté... une liberté qui vient pourtant de nul autre que de Dieu.

Chapitre 8

Passage à risque

Un matin de 1961, Luce se leva au terme d'une courte nuit de sommeil. Au cours des dernières heures, le mal de dents qui la tenaillait depuis trois semaines avait atteint un seuil presque intolérable.

Après un bref examen, le dentiste attitré du couvent informa la supérieure que la douleur décrite par Luce dépassait le cadre de ses compétences et que seul un spécialiste serait en mesure de détecter la source du mal. Il proposa, en outre, de prendre sans tarder rendez-vous avec le docteur Erdani, un chirurgien maxillofacial, spécialiste des gencives, afin d'éviter que l'inflammation se propage aux oreilles, puis à la gorge. Luce se vit accorder le privilège de choisir elle-même son accompagnatrice pour la visite, et ce fut sœur Gilberte qui découvrit à ses côtés les fastueux bureaux du docteur Erdani, rue Sherbrooke.

Dès la salle d'attente, la richesse de la décoration impressionna vivement les deux religieuses, rompues en toute chose au dépouillement. Au haut des murs, rehaussés de reproductions de peintres italiens, courait une bordure de papier peint doré, du plus joli effet dans cette pièce au plafond de quatorze pieds qui évoquait une petite salle de musée. Dans un coin, un énorme bouquet de fleurs pointait hors d'un vase de Murano posé sur une colonne corinthienne. Les ors et les bleus de la pièce éblouirent tant les sœurs que la plus souffrante des deux en oublia pendant quelques secondes son mal lancinant, avant qu'on la mène à la rencontre du docteur.

Le diagnostic tomba sans délai : Luce devait se résoudre à subir sur-le-champ une délicate chirurgie qui visait à lui extraire une dent de sagesse incluse, logée près d'un sinus. On installa sœur Gilberte dans une autre petite pièce, attenante à la salle d'opération, celle-là aussi d'inspiration italienne, et on lui servit une tasse de café d'une cafetière d'argent étincelante. Du coup, la brave sœur, impressionnable, se crut atterrie dans un restaurant cinq étoiles.

Encastré dans un meuble d'un style qu'elle était incapable d'identifier, un téléviseur trônait. Sœur Gilberte contint sa curiosité, d'autant plus qu'elle n'aurait pas su, sans tâtonnements, comment mettre l'appareil en marche. Elle préféra feindre le désintérêt, une contenance qui lui demandait un talent certain de comédienne, car elle n'avait jamais vu tant de belles choses réunies autour d'elle. Béatement enfoncée dans un canapé aux coussins moelleux, elle empoigna son livre de méditation et tenta d'en lire quelques lignes, sans succès, car tout ce qui l'entourait brouillait sa concentration.

Entre autres facteurs de distraction, son œil était attiré par un choix de revues disposées en éventail sur la table basse du salon. Elle referma résolument son livre, après en avoir lu à grand-peine une page, et se mit à feuilleter avidement la première revue qui lui tomba sous la main. C'était un magazine dit « de presse féminine », au papier glacé, en couleurs, aux antipodes de ses livres de spiritualité aux lettres toutes noires sur papier jauni.

Pendant ce temps, de l'autre côté du mur, Luce recevait une injection d'un puissant analgésique. Les tissus de son palais réagirent avec une telle vigueur que son pouls atteignit une cadence inquiétante, avant de se stabiliser, puis de recommencer à battre la chamade. Légèrement paniquée, elle fondit en larmes, ce qui l'aida à se calmer un peu. Cette tempête passée, elle fut parcourue de longs frémissements et se révéla parfaitement incapable de comprendre ou de contrôler la vague de palpitations sensuelles qui déferlaient maintenant dans tout son être. D'où pouvaient venir ces sensations oubliées depuis plus de vingt ans ?

Elle sentit soudain sur ses joues les mains chaudes du docteur Erdani, dont la voix profonde la réconforta :

— Ça va aller, ma sœur, gardez votre calme. Je suis là.

Le courant électrique qui la traversait de la gorge jusqu'aux pieds ne lui facilitait guère la tâche, ni les ondes sensuelles qui n'en finissaient plus de la secouer et de la soûler. Pourtant, elle en vint à se détendre, et se détendit en fait si bien qu'elle eut tôt fait d'imaginer, à proximité de ses lèvres, à portée de son souffle, le visage de Benoît. Ces visions oniriques lui firent tout oublier des manipulations bien peu sensuelles auxquelles l'homme de l'art se livrait durant ce temps dans sa bouche.

— Voici la méchante, dit bientôt le docteur Erdani, en lui exhibant fièrement la dent de sagesse extraite de son écrin.

Peu après, il aida Luce à se rendre dans une pièce où un lit accueillit son corps secoué par toutes ces sensations désordonnées.

— Détendez-vous, lui intima le docteur, dormez si vous le voulez. Je viendrai vous voir dans une heure.

Un peu plus tard, remise d'aplomb, quoique encore faiblarde, Luce marchait rue Sherbrooke aux côtés de sa consœur. La suite du programme allait de soi : elles devaient sauter le plus rapidement dans un taxi pour reprendre la route du couvent. Pourtant, Luce, prétextant le besoin de prendre un bon bol d'air, pria sœur Gilberte de bien vouloir différer de quelques minutes le retour au bercail. L'occasion était trop belle de découvrir un brin Montréal par l'une de ses plus belles artères. De la métropole, Luce ne connaissait pour ainsi dire rien : elle n'y avait passé que vingt-quatre heures, la veille de son entrée au postulat. De cette journée ne subsistaient dans sa mémoire que des visions pêle-mêle : l'oratoire Saint-Joseph, le musée de cire, la Maison des nains…

Elles passèrent bientôt devant le Grand Séminaire et marquèrent une pause face aux deux tours de pierre du XVIIe siècle, rares vestiges de l'Ancien Régime en ce secteur de la ville. Un peu plus loin, leur admiration se porta sur le château, immense immeuble que ses concepteurs s'étaient amusés à doter d'ornements médiévaux et dans lequel, se mirent d'accord les promeneuses, devaient habiter des gens richissimes.

Sœur Gilberte lui fit alors timidement remarquer que le temps était venu de prendre le taxi; Luce lui signala tout aussi timidement que son mal de cœur, opiniâtre, la tenaillait toujours, mais qu'un peu de marche et de grand air urbain finiraient bien par en avoir raison. Sa compagne ne parut pas catastrophée par la nécessité de prolonger la balade et suivit Luce qui, pour plaider le malaise, n'en marchait pas moins d'un bon pas, digne d'un pèlerin de Compostelle.

Les lignes du temple maçonnique firent naître en elles des réminiscences de la lointaine Grèce et de ses somptueux palais.

— N'est-ce pas trop beau pour des athées? demanda sœur Gilberte, déclenchant l'hilarité de Luce.

Comme deux gamines devant une confiserie, elles allèrent appliquer leur nez sur la vitrine de Holt Renfrew, où de jolis mannequins affichaient les dernières tendances de la mode. Luce apprécia tout particulièrement le bleu, qui semblait être la couleur reine de la saison. À la hauteur du *Ritz*, Luce se déclara fatiguée et insista pour entrer s'asseoir quelques minutes dans le grand hall de l'hôtel. Le regard oblique

que leur jetaient la plupart des clients – et même les employés – leur fit comprendre que leur uniforme détonnait en ce lieu et qu'elles n'y étaient pas à leur place. Elles s'esquivèrent donc le plus discrètement possible, c'est-à-dire en continuant d'attirer sur elles tous les regards, et retrouvèrent la rue Sherbrooke.

Une église anglicane aussi gracieuse que massive les impressionna si bien qu'elles prirent racine un moment sur le trottoir, se méritant l'irritation de badauds qui les contournaient en grognant ou en soupirant. Encore une fois, elles durent reconnaître que les églises catholiques ne détenaient pas à elles seules le monopole de la beauté. L'air était bon. Le soleil découpait les silhouettes des passants, dont le spectacle passionnait Luce au plus haut point, assez pour qu'elle osât avouer à sa compagne qu'elle préférait voir des êtres humains vêtus autrement qu'en robe longue, avec de «vraies jambes». Elle appréciait spécialement l'allure des hommes, qu'elle ne se privait pas de détailler d'un œil vif et pénétrant. Elle crut même croiser, à plus d'une reprise, son cher Benoît, mais elle se trompa tout autant de fois.

Les galeries d'art, avec leurs vitrines rehaussées de tableaux, piquaient la curiosité des deux sœurs, mais leur statut leur en interdit l'entrée. Chaque rue perpendiculaire à Sherbrooke offrait, vers le nord, des perspectives sur la montagne, et chacune d'entre elles les amenaient à observer une nouvelle pause pour contempler ces échappées sur une verdure, sur une nature pour elles inaccessible.

Devant le Musée des beaux-arts, elles firent halte au bas de l'escalier monumental et levèrent la tête vers le fronton du temple, sur lequel on avait tendu une grande affiche annonçant l'exposition du moment: *Orfèvrerie des XVIIe et XVIIIe siècles canadiens.*

— Hélas! dit Luce, ce n'est pas pour nous!

Et, bien à contrecœur, elle convint que la récréation avait assez duré et que l'heure était venue de héler un taxi.

En dépit de la grille qui les séparait, Luce était ravie de retrouver Gertrude pour une visite surprise. Plus de deux semaines s'étaient écoulées depuis son périple rue Sherbrooke, mais l'esprit de Luce continuait à être obnubilé par les visions excitantes de la métropole. Si elle avait pu, depuis ce jour, échanger avec sœur Gilberte quelques sourires de connivence, le besoin de confier en long et en large ses impressions lui manquait cruellement. Gertrude en serait quitte pour ce grand déballage – à plus forte raison puisque la supérieure avait jugé Luce assez responsable pour se passer d'ange gardien en compagnie de sa cousine, ce qui représentait pour elle un pas vers l'émancipation.

— As-tu réglé ton problème de dents?

— Mieux que tu peux l'imaginer. Je veux te raconter mon expérience… Si j'étais journaliste et que je devais lui donner un titre, je l'intitulerais « Deux heures dans le monde ».

À partir de cet instant, les mots et les images se bousculèrent dans la bouche de Luce, qui livra un récit épique de tout ce qu'un simple rendez-vous chez le docteur Erdani avait produit en elle d'impressions. Dans la foulée, Luce évoqua dans un joyeux pêle-mêle immeubles, boutiques, églises, galeries d'art, hôtels, voitures, passants, jusqu'à ce que l'intérêt marqué de sa cousine pour son récit l'incite à ralentir son débit et baisser un peu la voix – surtout lorsqu'elle en arriva à s'exprimer, avec un plaisir manifeste, sur les sensations éprouvées dans le cabinet du chirurgien.

Gertrude écoutait attentivement Luce, se contentant tout juste de hocher la tête de loin en loin, sans mot dire. Passée une certaine surprise de voir Luce se livrer avec autant d'intensité, elle discernait dans ce soliloque l'amorce d'une transformation, en même temps qu'une profonde souffrance engendrée par le cloître et la promesse d'une grande joie.

Lorsque Luce eut terminé son témoignage, elle recouvra un peu de son emprise sur elle-même et entama une réflexion sur certaines difficultés de la vie en communauté.

— Ces derniers temps, le non-sens d'une vie à la fois monastique et active m'est apparu clairement. Je sais que tu peux me comprendre, même si tu ne vis pas vraiment la même chose que moi. Si je fais abstraction des heures passées auprès des malades – les plus belles heures de la journée –, le monastère me fait de plus en plus l'impression d'un lieu fermé, voué à la reproduction d'une certaine caste.

— Ne t'en fais pas, dit Gertrude. Ce qui commence à se passer dans ma communauté va se produire tôt ou tard dans la tienne. Chez nous, il est évident que les mentalités sont en train de se transformer en profondeur ; j'en veux pour preuve la liberté d'expression, de pensée et d'action qui influent sur nos paroles et nos gestes. Cette nouvelle mentalité finira par balayer les anciennes valeurs de soumission.

— Je peux déjà le constater au monastère. Les jeunes filles qui font leur entrée ont grandi dans une société plus permissive ; elles n'ont pas le même rapport que nous à la liberté. Le monde a changé, politiquement et socialement, et leur comportement en est le reflet fidèle. Elles n'accepteront pas de s'enfermer dans un même moule comme nous l'avons fait.

— Oui, nous ne pouvons plus en douter, reprit Gertrude en écho, une révolution des mentalités est en marche.

— Tu as raison, convint Luce. On ne pourra plus obliger les jeunes recrues à gober tout rond des principes vieux de plusieurs siècles. Quand je pense aux manuels écrits à la main par nos sœurs qui nous dictent d'être « sourdes, muettes et aveugles »… Crois-moi, rue Sherbrooke, ce jour-là, je n'étais ni sourde, ni muette, ni aveugle.

— Je connais dans ma communauté des religieuses qui sont extrêmement malheureuses lors des obédiences, quand elles apprennent publiquement leur sort sans avoir été consultées au préalable. Évidemment, elles n'osent protester, elles préfèrent baisser la tête et répondre : *Deo gratias*. Mais le jour viendra où toutes les sœurs pourront discuter de leur obédience avant de l'accepter.

— Même chose chez nous. Les obédiences ont littéralement brisé bien des sœurs et provoqué des crises de larmes terribles. Nous avons peut-être le droit de penser, mais pas celui d'émettre des opinions. Quiconque ose le faire est immédiatement étiquetée « tête croche ». Les rapports entre sœurs sont faux.

— Dans l'ensemble de ma communauté, on refuse de voir l'évolution de la société. Au collège où j'enseigne, on ne peut plus nous défendre de penser tout haut, nous qui avons poursuivi des études avancées et appris à réfléchir par nous-mêmes. Mais, même là…

— Depuis environ un an, le silence est un peu moins rigoureux que par le passé, et l'esprit de la maison change peu à peu. Les sœurs se connaissent davantage et apprennent à s'exprimer. Pour tout te dire, Gertrude, ce qui me pèse le plus, c'est de n'être pas libre de me déplacer comme je l'entends. Et ce qui me tue, c'est cette cloche qui n'en finit plus de sonner à tous les instants…

— Moi, c'est du temps libre pour faire la sieste qui me manque. Tu connais mon proverbial besoin de sommeil.

— Moi, je voudrais faire mes exercices quand je le veux. Et sortir sans avoir toujours une compagne sur le dos…

Les deux cousines observèrent une pause en se dévisageant. Sans avoir à parler, elles pensaient la même chose et ressentaient avec une acuité aussi aiguë qu'il y a vingt ans le manque de liberté.

— À part le loisir de faire une sieste quand bon me semble, reprit Gertrude, j'avoue que je ne me suis jamais sentie vraiment brimée. On m'a témoigné une belle confiance. Il faut dire qu'on ne peut m'en imposer autant qu'à une sœur entrée en communauté à seize ans et qu'on aurait privée d'instruction.

— J'ai évidemment remarqué que les fortes personnalités étaient davantage respectées que les autres, souvent écrasées comme des poux.

— Nous avons la chance, Éliane, toi et moi, de ne pas compter parmi ces sœurs faibles. D'une certaine façon, il faut savoir se défendre. Par exemple, même si ma supérieure est une femme à l'esprit large, elle nous interdit, à nous, enseignantes au collège, *Les Insolences du Frère Untel*, ce qui s'apparente pour moi à une surprotection inutile imposée à des gens qui ont la formation et le bagage pour le lire. À toi je l'avouerai : papa me l'a prêté.

Luce soupira profondément.

— Ici, on persiste à nous limiter aux *Annales de la bonne sainte Anne*, aux *Annales de saint Joseph* et à l'*Almanach de saint François*. C'est tout. Dis-moi, toi qui fais partie d'une communauté enseignante, est-ce que vous avez la radio et la télévision ?

— Oui, mais elle ne fonctionne que lors des apparitions du pape ou de l'évêque. Quant à la radio, pour le chapelet en famille, point à la ligne.

— Nos expériences se rejoignent, n'est-ce pas ? Tout un fatras de contraintes et d'interdits qui ne sont bons qu'à nourrir l'infantilisme – dans mon couvent, en tout cas. À vivre à huis clos avec les mêmes visages et les mêmes idées, à répéter les mêmes paroles et les mêmes gestes, sans aucune référence avec le monde extérieur, la moindre peccadille vient à prendre des proportions inimaginables. L'autre jour, une sœur distraite s'est assise à la place d'une autre. Cette dernière a voulu y voir une intention longuement mûrie et en a fait un drame. Le mois dernier, à la chapelle, une compagne a fait tomber par terre le missel de sa compagne et a omis de le ramasser. Cet écart aux bonnes manières est bien entendu devenu *le* sujet de conversation au cours des jours suivants.

— Voilà bien le genre de niaiseries, ma chère Luce, qui me passent au-dessus de la tête. Tu as sans doute remarqué mon embonpoint ? Eh bien, depuis quelque temps, ma voisine de réfectoire me dit, chaque fois qu'elle veut ouvrir son tiroir de table : « Pousse tes gros jambons. » Et je te prie de croire que le ton de sa voix écarte toute intention de taquinerie. C'est agaçant, mais je laisse couler. Je continue plutôt de converser avec une voisine avec qui je m'entends beaucoup mieux...

Son statut de fillette abandonnée faisait d'Alice un être à part parmi les délinquantes. Mais comme ces dernières, elle commençait à penser au jour prochain où elle devrait quitter la maison des religieuses. Où irait-elle vivre alors? Certainement pas avec sa mère... Elle appartenait maintenant à un autre monde, plus honnête, plus raffiné, plus instruit – un monde poli par les bonnes manières. La seule véritable appréhension d'Alice, c'était de s'éloigner de celle qui la protégeait depuis bientôt dix ans : sœur Antoinette-de-Jésus, sa deuxième mère, qu'elle considérait à tous égards supérieure à sa vraie mère.

Alice savait depuis longtemps que certaines jeunes filles, qu'elles soient comme elles des protégées ou des ex-détenues, manifestaient le désir de rester au couvent pour le reste de leurs jours. Après une période de formation, elles pouvaient devenir «auxiliaires» et seconder les religieuses dans leur apostolat. Elles vivaient par la suite parmi les délinquantes, mais s'en distinguaient par l'influence morale qu'elles exerçaient sur le groupe. À cause de sa personnalité entière, Alice hésitait à s'engager dans ce genre de vie active. En fait, elle songeait depuis un certain temps déjà à devenir, comme sa protectrice, religieuse, sous le vocable de «madeleine», dans un cloître du même couvent, mais séparé de la communauté, afin de vivre une vie de contemplation, de labeur et de pénitence.

Elle en discuta des heures durant avec sœur Antoinette-de-Jésus avant de prendre une décision longuement mûrie : elle deviendrait madeleine. Avec sa maturité précoce, Alice se prépara mentalement à cette nouvelle vie, qui débuterait dans deux ou trois ans.

Éliane et sa petite protégée ne seraient plus jamais séparées ; elles vieilliraient ensemble, sous le même toit, contribuant à la même œuvre.

⟋⟍⟍⟋

Éliane apprit la nouvelle par sa supérieure, le jour même du décès :

« Alphonse Savard, époux de Léna Varin, est décédé le 15 septembre dernier, à l'âge de soixante-sept ans. Il laisse dans le deuil six enfants et vingt et un petits-enfants. Les funérailles auront lieu le 18 septembre à l'église de Sainte-Claudine du diocèse de Trois-Rivières. »

Effondrée sur une chaise, dans le réfectoire, Éliane fixait le plancher, les bras ballants, en proie à un curieux mélange de sentiments, à la fois saisie par l'accablement de la nouvelle et soulevée par la colère de n'avoir jamais été mise au courant de la maladie de son père.

Cette mort la foudroyait. Était-il possible d'imaginer qu'un être aussi débordant de vie puisse ne plus respirer, ne plus perpétuellement s'agiter, ne plus brasser mille projets ? Comment des gens pouvaient-ils être assez inhumains pour ne pas l'avoir prévenue, elle, la fille préférée de son père ? Par quel mal avait-il été emporté ? Où avait-il rendu son dernier souffle, et en compagnie de qui ? Quels avaient été ses derniers mots ? Autant de questions auxquelles personne n'était en mesure de répondre. Atterrée, bouleversée, révoltée, Éliane finit par perdre son emprise sur elle-même et fut bientôt incapable de contenir sa colère. Sa supérieure lui fit faire un acte de résignation :

— Votre père est sûrement au ciel au moment où nous nous parlons, ma sœur. Il peut voir, là d'où il est, tout l'amour que vous lui portez et il désire certainement que vous ajoutiez ce sacrifice à tous ceux que vous avez déjà consentis dans votre vie, pour l'amour de Dieu qui, Lui, vous a tant aimée.

— Mère, savez-vous s'il a reçu l'extrême-onction ?

— J'en suis certaine. Priez maintenant pour le repos de son âme. Comme il s'agissait d'un insigne bienfaiteur de la maison, vous êtes autorisée à assister à ses funérailles. Sœur Jacqueline vous accompagnera.

Éliane aurait eu tant de choses à dire à sa supérieure, mais tout était noué dans sa gorge, d'où ne s'échappèrent que deux mots : « Merci, mère ! » Elle se hâta ensuite de retrouver sa cellule et s'empara de son *Coutumier*, dans lequel était dissimulée une photo de son père. Elle la cueillit délicatement et l'embrassa longuement. À plat ventre sur son lit, la tête cachée entre ses deux oreillers, elle pleura de rage et de chagrin confondus.

Pendant toutes ses années, elle n'était jamais parvenue à chasser l'image de ce père qu'elle adorait. Pour elle, il avait toujours été et resterait l'homme idéal, celui dont elle aurait rêvé : beau, grand, désinvolte, fonceur, autoritaire, riche, débordant de confiance en lui-même. Il n'avait jamais pu renoncer à une certaine frivolité, mais cela n'entamait pas l'amour profond qu'elle lui vouait. Oui, c'était tout à fait le genre d'homme qu'elle aurait épousé – dans une autre vie.

Lorsque ses larmes se furent taries, elle se releva d'un bloc et prépara sa valise. Elle fit une halte chez sa supérieure, pour s'excuser de son comportement et lui demander de l'argent pour son voyage, puis partit sans tarder à destination de Sainte-Claudine.

Éliane n'avait pas revu la maison familiale et son cher village depuis vingt-quatre ans. Revoir sa mère, dans ses tragiques circonstances, la bouleversa au point où elle ne vit d'abord rien de tous les changements apportés à la maison. Maintenant que tous ses frères et sœurs avaient quitté le nid, des murs avaient été abattus pour rendre les pièces du rez-de-chaussée plus spacieuses, une impression accentuée par un grand miroir placé au fond du salon.

Après les effusions de l'arrivée, elle fit le tour des pièces, comme pour s'imprégner des souvenirs lointains qui y flottaient encore, s'arrêtant surtout aux objets qui évoquaient son père. La maison lui sembla vidée de sa gaieté de jadis. Elle aurait aimé s'attarder un peu dans sa propre chambre et reconnaître des objets qui lui avaient appartenu, mais sa mère voulait tout de suite les entraîner, elle et son ange gardien, vers le salon funéraire.

Cette réalité – un «salon funéraire», pouvait-on imaginer association plus bizarre entre deux mots? –

était toute nouvelle pour Éliane. Dans son for intérieur, elle était indignée que son père ne fût pas exposé dans sa maison, là où il avait vécu, ainsi que le voulait la tradition. Mais elle préféra se taire et se dire que ces dispositions reflétaient une évolution contre laquelle il lui était inutile de protester.

L'entrée au salon de sœur Antoinette-de-Jésus impressionna vivement la parenté. Sœur Jacqueline, discrète, se confondit dès lors avec la tapisserie et laissa Éliane s'avancer seule dans la pièce. Prit alors place une autre première en vingt-quatre ans : Éliane put voir tout à la fois ses frères et sœurs, retrouvailles marquées de longues embrassades. Puis, on lui présenta tour à tour une vingtaine de neveux et nièces qui tous, sans exception, parurent intimidés par son costume.

Au fond du salon, une autre surprise de taille attendait Éliane : Gertrude et Luce avaient elles aussi reçu la permission de venir aux funérailles, et même de séjourner dans leur famille pendant trois jours – un signe irréfutable que les règles de la vie religieuse traversaient une période de changement. La présence inattendue de ses deux cousines en cette occasion vint crever la bulle de tristesse d'Éliane et lui arracha quelques francs sourires.

Éliane s'agenouilla auprès de son père, le dévisagea durant un long moment et, d'une voix éteinte, entama la récitation d'un chapelet. C'était le dernier soir de l'exposition du corps ; elle n'aurait plus jamais la chance de le revoir. Elle mit ses mains sur ses joues et laissa un instant reposer ses lèvres sur son front. Puis, elle serra longuement ses mains, qu'on avait liées par un chapelet, avant de se relever et de trouver son chemin hors de la salle, désirant être seule.

Une fois les funérailles terminées, le notaire convoqua la veuve et ses six enfants pour procéder à la lecture du testament. Dans le silence absolu de l'étude, un bruit de feuilles froissées introduisit enfin la voix grave et solennelle du notaire :

— «Moi, Alphonse Savard, je remets mon âme à Dieu et mon corps à la terre…»

Ce fut à compter de l'article IV qu'Éliane fut soudain concernée par cette lecture :

— «Pour lui permettre de s'installer dans le monde, je lègue à ma fille Éliane une somme de 75 000 dollars, qui sera mise en fiducie jusqu'au jour où, je l'espère, elle sortira de communauté. Si, dans dix ans, elle est toujours religieuse, sa part sera également léguée aux autres enfants.»

La tournure de cette clause avait déjà de quoi surprendre l'auditoire, mais elle reflétait bien la volonté d'Alphonse Savard de voir sa fille s'épanouir hors des murs du couvent. Vint immédiatement après la commotion, provoquée par l'article suivant :

— «Je lègue à Alice Légaré, fille que j'ai eue d'Irène Légaré, et qui est actuellement pensionnaire chez les sœurs du Saint-Berger, la somme de 75 000 dollars, qu'elle pourra toucher à partir de ses dix-huit ans, somme qui sera mise entre-temps en fiducie.»

Une consternation profonde s'inscrivit sur tous les visages de la famille Savard, dont plus un membre fut dès lors capable d'accorder la moindre attention au pauvre notaire. Les bouches béaient et les regards se cherchaient, désemparés, pour s'assurer que tous avaient bel et bien entendu les dernières paroles. Se rendant compte de l'atmosphère singulière qui s'était abattue sur la petite assemblée, le notaire crut judicieux de marquer une pause dans sa lecture.

Éliane avait empoigné son chapelet si fort que des grains s'en détachèrent et roulèrent sur le sol. Le trouble que lui apportait cette révélation sensationnelle différait de celui de ses proches. Au-delà de l'écart de conduite de son père et de l'indignation qu'elle pouvait soulever chez sa mère, ses frères et ses sœurs, Éliane accueillait cette primeur comme s'il s'agissait d'une grâce : Alice, sa chère « délinquante », était sa demi-sœur.

Durant la demi-heure suivante, elle vit le notaire continuer à agiter la bouche sans se soucier le moins du monde des mots qui en sortaient. Une seule phrase tournait en boucle dans son esprit et dans son cœur, qui chassait tous les autres mots de la langue française : « Alice, ma petite sœur ! »

Maintenant, elle comprenait…

La parenté, qu'elle fût proche ou lointaine, déferla dans la maison des Savard. Comme c'était l'habitude après les heures d'intense émotion vécue durant le service, l'atmosphère était maintenant plus légère. On aurait dit que tous étaient contents d'être réunis à nouveau entre vivants et se réconfortaient mutuellement d'avoir laissé au cimetière celui des leurs qui ne l'était plus. Les taquineries fusaient, les plaisanteries aussi; on gesticulait, on riait fort, parfois même aux larmes; on mangeait, on buvait, et les toasts à la santé d'Alphonse se succédaient autour de la table où trônait sa photo, entre assiettes de sandwichs, de gâteaux et de crudités, sans compter un énorme chaudron rempli de ragoût de pattes, surélevé au-dessus d'un réchaud.

— À ta santé, Alphonse ! lançait une voix.

— À la bonne tienne ! ripostait une autre en écho.

Aux quatre coins du vaste salon, les enfants avaient établi leurs quartiers généraux et se livraient à des jeux dont les règles étaient connues d'eux seuls. Sous le couvert de leurs cris et de leurs cavalcades, les apartés se multipliaient ici et là pour commenter les articles IV et V du testament, dont le contenu était maintenant connu de presque tout le village, par la grâce du téléphone arabe – service gratuit, rapide, et combien plus efficace que celui du Bell Téléphone.

D'un tacite accord, les accompagnatrices de Luce et d'Éliane se tinrent à l'écart afin de permettre aux cousines de jouir d'un rare moment d'intimité. Consciente du caractère privilégié de cette réunion impromptue pour les trois religieuses, maman Savard leur prépara une bonne théière bien chaude et leur abandonna une assiette de pâtisseries.

— Bon bavardage, leur souhaita-t-elle avant de refermer la porte du salon.

Elle servit les mêmes politesses aux deux religieuses étrangères, qui s'étaient retirées dans le boudoir adjacent.

— Tout est clair maintenant pour toi, Éliane, dit Luce. Alice est donc ta sœur... N'est-ce pas merveilleux ? Elle qui t'aimait, elle va bien t'adorer désormais... Quelle histoire... Une famille monoparentale dans le cloître... Ce n'est pas banal.

— Sois sérieuse, intervint Gertrude, toujours posée. Je propose que nous ménagions Éliane et ne parlions pas de ce qui vient d'arriver...

— Oui, acquiesça Éliane. Même si j'ai beaucoup de difficulté à me concentrer sur autre chose, je te donne raison. Nous avons tant à nous dire...

— Je veux bien, renchérit Luce. Écoutez, je veux vous rappeler la promesse que nous nous étions faite il y a presque un quart de siècle : tout nous dire. Eh bien, disons-le : il se passe des choses dans nos couvents. Des changements souterrains qui commencent déjà à faire surface.

Gertrude opina énergiquement du bonnet :

— Si vous voyiez l'évolution des mentalités au collège... Nos élèves les plus âgées ont maintenant leur salon, où elles peuvent même fumer, une situation impensable il y a un an. Certaines nous ont raconté qu'elles sont allées en ville en auto-stop, ou « sur le pouce », comme elles disent.

— Nous avons une plus grande liberté qu'auparavant, convint Éliane, mais pour l'instant, nous vivons dans le plus pur formalisme. Il reste que de plus en plus de sœurs exercent leur sens critique pour tâcher de s'en sortir, et il était temps. La règle a fini par l'emporter sur l'esprit. Une religieuse est jugée par la façon dont elle applique la règle à la lettre. J'en parle dans mon journal que vous lirez peut-être un jour.

— Je devine un peu ce que tu confies dans ton journal, dit Gertrude en souriant. Il y a encore un an ou deux, tout était structuré au quart de tour et tournait rondement. On était continuellement à la course, on marchait à la cloche. Nous fonctionnons de plus en plus à coup d'exceptions et d'exemptions.

Luce soupira :

— On ne pouvait jamais se permettre d'arriver en retard à quoi que ce soit. Je me souviens être arrivée à la chapelle plus d'une fois aux trois quarts habillée, les souliers pas encore lacés.

Éliane abondait dans le même sens :

— Dans notre communauté aussi, on commence à jeter un peu de lest. Si nous n'avons pas le temps de faire nos exercices spirituels, il faut en informer la supérieure. Tantôt, elle nous excuse et nous en exempte, tantôt elle dit : « Allez faire vos prières au chœur. »

— Chez nous, surenchérit Luce, on peut prendre de l'avance lors de nos congés et faire toutes nos lectures spirituelles de la semaine la même journée.

— Jusqu'à il y a deux ans, poursuivit Éliane, nous nous levions à cinq heures, au son de 180 coups de cloches. Au dernier de ces coups, tout le monde devait être à la chapelle. C'était la règle… jusqu'en 1960.

— Je me souviens, novice, que nous étions obligées de sortir dehors pendant les récréations. Lorsque celles-ci coïncidaient avec une grosse averse, nous nous retrouvions une trentaine entassées les unes contre les autres, sur une petite galerie. C'était le règlement…

— C'est encore la même chose aujourd'hui, confirma Luce. Nous nous soumettons, mais c'est pour la forme. Quand on travaille toute la journée, sans compter quatre heures de prière dans une atmosphère suffocante, la concentration n'est pas chose facile. Et lorsque les prières ne sont pas bien faites, on se culpabilise. Je commence parfois à trouver la vie monastique bien lourde…

Les *Constitutions* étaient formelles, elles mettaient dès les premiers mots l'accent sur la soumission, ainsi que Gertrude le rappelait :

— « La règle est pour toute la communauté et pour chacun de ses membres ce que sont les roues à une voiture, les ailes à un oiseau, les forteresses à une ville entourée d'ennemis. »

Les trois cousines échangèrent à loisir sur les brimades dont elles étaient victimes et qui leur semblaient aujourd'hui bien inutiles pour les « protéger » contre le monde extérieur. La télévision était symbolique des limitations auxquelles elles étaient encore tenues. Gertrude, une enseignante, n'avait eu longtemps droit qu'à des émissions religieuses ; tout récemment, on avait permis aux sœurs de la communauté de regarder certains téléromans.

Gertrude n'était pas la plus à plaindre : du côté de Luce, la télévision était interdite. Il y en avait bien une, cachée quelque part dans la maison, mais elle n'était sortie des « boules à mite » et branchée que lors d'émissions portant sur des sujets religieux. Luce pestait contre tant d'infantilisme :

— On nous juge trop jeunes pour écouter la télévision ! Je crois que nos supérieures préféreraient parfois gouverner des enfants plutôt que des adultes… car c'est bel et bien trop souvent comme des enfants en pouponnière qu'on nous traite !

Luce n'avait pas réglé ses comptes avec la soumission, une réalité contre laquelle elle rongeait son frein :

— Je réfléchis depuis quelque temps à l'esprit de soumission dans lequel nous avons été formées, une soumission qui valorise étrangement la souffrance. Croyez-vous vraiment que Dieu aime faire souffrir ceux qu'Il aime ?

Éliane, elle, y croyait de moins en moins. Elle se posait aussi de sérieuses questions sur l'obéissance aveugle et sur l'humilité. Gertrude estimait que les trois points d'ancrage de leur pratique religieuse étaient la soumission, l'angélisme et la mortification, et que toute la société canadienne-française pratiquait une « religion de larmes ».

Luce aurait aimé baser sa spiritualité sur la joie en y faisant une place aux valeurs terrestres. La religion séparait trop le corps de l'âme ; il en découlait un angélisme inconscient et trop de comportements aberrants.

— Imaginez : moi qui travaille dans un hôpital, pour faire pipi ou pour boire, je dois traverser du côté du cloître. Il ne faut pas que les gens du monde nous voient prendre quoi que ce soit sous le nez : défense, donc, de manger et de boire devant eux. Quand j'étais novice, on nous répétait *ad nauseam* : « Avant d'être une femme, vous êtes une religieuse. » Comment peut-on chercher à nier la femme qui est en nous ? Comment peut-on accepter de se nier soi-même ?

— Tu as raison, abonda Éliane. Il faut être un ange. Que de fois j'ai dû réfréner mes élans de tendresse à l'égard d'Alice, que j'aurais tant aimé serrer dans mes bras et embrasser comme une petite sœur. Les autorités voudraient écraser les valeurs humaines. C'était bien pire avant, mais il y a encore beaucoup d'angélisme. Il n'y a pas si longtemps, dans une réunion, une sœur a dit : « Quand on vit l'amour, on peut passer au travers de n'importe quoi. » Une autre sœur s'est levée, furieuse : « Excusez-moi, ma sœur, mais vous mentez… Un de mes frères aime sa femme et ses enfants, il vit l'amour, comme vous dites. Mais quand l'argent vient à manquer à l'heure de faire le marché, il dit "Tabernacle !" Vos phrases sont des nuages, ma sœur, des nuages ! »

Luce esquissa un sourire en coin :

— Et je suppose que tu l'as approuvée… J'espère que vous vous rendez compte que nous n'avons jamais vécue ensemble une telle séance de défoulement!

— Ça ne peut que vous faire du bien, dit Gertrude, car je sens que vous en ressentiez le besoin. Moi, vous savez, je vois les choses comme vous, mais tous ces discours me dérangent un peu. J'en prends et j'en laisse… C'est ce que j'ai toujours fait, et c'est ce que je vais continuer de faire.

Les trois cousines partageaient un même doute sur la spiritualité de la mortification : elles ne croyaient pas que la croix pût être la seule voie menant à Dieu. La théologie de Tanquerey ne trouvait plus d'écho chez la majorité des religieuses, avec sa liste de mortifications malsaines et dépassées : mettre des chaînes autour de ses reins ; porter une ceinture de crin ; se donner la discipline. « Faisons couler quelques gouttes de sang et nous serons heureux comme jamais » constituait l'étrange message de Tanquerey. En plus d'être artificielle, l'ascèse traditionnelle ne se voulait pas toujours saine sur le plan psychologique. Les religieuses instruites en étaient conscientes et s'exprimaient désormais volontiers sur le sujet. Même Gertrude, la plus modérée des cousines, nourrissait des réticences :

— La mortification, point trop n'en faut.

Éliane opinait du bonnet avec vigueur :

— Je suis d'accord avec toi. Bon nombre des mortifications qui sont pratiquées dans mon couvent

sont insensées : prier à genoux sur le « terrazzo » ;
manger à genoux ; manger ses trois repas quotidiens
sur un banc au lieu d'une chaise à dossier, etc. Si on
échappe un objet par terre, on doit baiser la terre.
Tout ça n'a rien d'hygiénique.

Gertrude estimait que le port de leur costume, si
lourd et si chaud, représentait une mortification
permanente. Tous les soirs, quand elle retirait sa capine
et son bonnet piqué, ils étaient trempés. Pour Éliane,
la pire mortification avait été de ne pouvoir revoir son
père qu'une fois mort. Sa supérieure savait perti-
nemment qu'il était moribond, mais n'avait pas voulu
le lui dire avant les funérailles. De son côté, Luce
rapportait que la pire source de mortification de
certaines de ses compagnes consistait, pendant le
carême et l'avent, à se prosterner à la chapelle, le
temps d'un *miserere*. Pour elles, « se lever le derrière »
pour se prosterner représentait une profonde humiliation à laquelle Luce elle-même n'avait jamais
consenti.

Les mortifications pouvaient revêtir les formes les
plus saugrenues, les plus simples – pendant longtemps,
il avait été coutume de demander la permission pour
aller boire – ou les plus extrêmes, telle que l'auto-
flagellation.

— Puisqu'on aborde le sujet, dit Luce, il y a deux
mortifications que j'ai en horreur : battre ma coulpe et
me donner la discipline.

— En effet, approuva Éliane, quelle horreur ! Cet
horrible fouet à cinq branches, aux cordes grossières.

Nous sommes obligées d'y passer une fois par semaine, sauf au moment des menstruations.

Gertrude avait entendu raconter que, dans certains couvents, les disciplines étaient faites de cinq bouts de chaîne de huit à dix pouces. Dans sa communauté, Dieu merci! le choix du matériau dont étaient constituées les disciplines restait à la discrétion de chacune. Gertrude vouait à tous ces accessoires un profond dégoût. Les bouts de chaîne ou de corde, très peu pour elle! Elle ne s'adonnait pas à ce genre de pratiques et se contentait de tenir sa langue à ce propos.

Luce tint à décrire le déroulement de la séance hebdomadaire qui prenait place dans son couvent:

— Les sœurs se rendent en rang dans la salle du noviciat, en laissant entre elles assez d'espace pour ne pas risquer de s'accrocher en se frappant de toutes leurs forces. Les sœurs se mettent à genoux et retroussent alors leurs jupes et leur corset. L'opération requiert quelques minutes, avec son lot d'humiliation, surtout pour les plus corpulentes. Et puis on se fouette, le temps d'un *De profundis*. Et un *De profundis*, ça peut être très long. Au point d'en avoir les fesses bien enflées après. Croyez-moi, il n'y a pas la plus petite pincée d'érotisme dans cet exercice. Mieux vaut se fermer les yeux et souhaiter que vos compagnes en fassent autant. Pendant qu'on se fouette, on se répète toutes la même formule: «Seigneur, vous aussi vous avez été flagellé.» Tout est censé se passer au niveau de la sublimation... Il paraît que ça fait plaisir au bon Dieu. En tout cas, je ne me suis jamais fouettée avec zèle.

— Un jour, se rappela Éliane, du temps de ma jeunesse, au plus fort de ma dévotion, j'avais demandé la permission de faire une mortification particulière. Je désirais, chaque matin, pendant deux heures, enrouler autour de mon bras un bracelet fait de crochets métalliques cousus sur une bande de tissu. J'avais conscience que le tout était excessivement souffrant. Je connais encore des sœurs qui en ont gardé des marques indélébiles. Plus elles aimaient le Seigneur, plus elles serraient, et plus le bras s'engourdissait. À un certain moment, elles ne sentaient plus rien. Mais ma supérieure de l'époque, une femme intelligente, a refroidi mes ardeurs : « Vous verrez, m'a-t-elle dit, vous verrez avec le temps que la mortification n'est pas l'essentiel. L'essentiel, c'est la charité. »

Luce soupira profondément :

— Dire qu'au noviciat, j'aimais me mortifier. Je voyais tout cela comme un défi... Ça me donnait un air d'anachorète.

Puisqu'on était dans le vif du sujet, Gertrude aborda la question de la coulpe. Dans sa communauté, jusqu'à tout récemment, une fois par semaine, on s'accusait des choses les plus insignifiantes : avoir marché les bras ballants, parlé dans le corridor, couru dans l'escalier, marché trop vite, apporté un café trop froid à la supérieure... On ne s'accusait que de manquements extérieurs...

La coulpe ! Par sa faute, bien des religieuses avaient quitté la communauté avant leurs vœux. Ce simple mot ravivait des souvenirs cuisants chez Luce : un jour, la maîtresse des novices l'avait traitée de «dernier des renégats de l'humanité». Elle était alors jeune et innocente, et avait demandé publiquement à ses compagnes de lui pardonner de n'être qu'un rejeton, tout en leur quémandant sa nourriture. Elle en avait retiré l'impression d'être une sainte!

Ces moments graves viraient parfois à la rigolade la plus impromptue, et Éliane se souvenait que quiconque riait pendant la coulpe devait se coucher par terre à plat ventre.

— Une fois, quatre sœurs se sont successivement accusées d'avoir poussé un chariot à linge avec une sœur dedans. Puis une cinquième les a suivies, disant: «Je m'accuse d'avoir été poussée dans un chariot avec du linge dedans.» La phrase a déclenché un éclat de rire général qui a expédié tout le monde au plancher, à plat ventre!

Les trois cousines n'en pouvaient plus de rire, et Luce n'arrangea rien en demandant, entre deux hoquets, si, pour s'être moquées de la coulpe, elles ne devraient pas immédiatement se mettre à plat ventre. Le calme revenu, Luce reprit le fil de ses souvenirs:

— Lors des retraites, l'exercice de la coulpe était plus intense. Cela se passait au réfectoire. Souvent, à l'heure des repas, il y avait une sœur à genoux au milieu de la salle qui battait sa coulpe devant la table des conseillères. Cela n'ouvrait pas l'appétit... Ces dernières années, je trouvais la chose complètement grotesque.

Gertrude convint de la désuétude de la coulpe:

— Je pense que ce genre d'«activités spirituelles» est en train de perdre tout son sens, à mesure que la foi baisse...

De son côté, Éliane souligna la dimension malsaïne de ces pénitences qui, pour certaines, se transformaient en marathon, pour ne pas dire en compétition de haut niveau :

— Il y en avait qui mettaient beaucoup d'orgueil dans la vie spirituelle... Certaines rêvaient d'être championnes dans d'étranges disciplines : celle qui ne mange pas, celle qui dort le moins, celle qui se flagelle le plus...

— J'espère, conclut Luce, que la philosophie du véritable amour remplacera bientôt l'ascèse désuète des couvents.

Gertrude voyait venir des temps nouveaux. Elle constatait, par exemple, du moins dans son institut, que l'autorité ne s'exerçait plus avec la même fermeté et le même aveuglement qu'auparavant. La pyramide des commandements était toujours en place, mais on la sentait plus fragile, plus instable, à cause d'une base plus remuante.

— Pouvez-vous nous imaginer ainsi, il y a seulement deux ans ? Impossible ! Aucune de nous trois n'aurait osé aborder des sujets pareils...

Éliane avait senti souffler le même vent de liberté et d'émancipation dans son couvent :

— Même des converses n'acceptent plus leur état d'infériorité et se révoltent contre leur condition. Récemment, on est venu bien près d'une révolution !

Elles ont même menacé de ne plus faire de dessert si on ne leur accordait pas certains droits... Bien sûr, on ne peut envoyer à l'université ces sœurs qui, à leur arrivée au couvent, n'avaient qu'une quatrième année... Elles pourraient à tout le moins suivre des cours de spiritualité, de cuisine ou de couture. Le mouvement est lancé : les converses luttent maintenant pour l'abolition des classes dans la communauté et rien ne les arrêtera.

— Le poids de la hiérarchie pèse encore beaucoup, déplora Luce.

— En effet, approuva Éliane. Les exemples ne manquent pas : on sert de grands verres d'eau aux supérieures et de plus petits aux autres. De même, les supérieures sont les seules à avoir un petit banc pour leurs pieds. Ce genre de privilèges...

— La nôtre est traitée aux petits oignons, dit Luce, un ton plus bas. Avant le coucher, chaque soir, on ouvre son lit, et on prépare son bassin et son pot d'eau. On lui sert du «notre mère» par-ci, «notre mère» par-là. Néanmoins, elle descend peu à peu de son piédestal. Jusqu'à tout récemment, quand on allait à son bureau, la visite se révélait aussi solennelle qu'une rencontre avec le pape ! Plus maintenant...

— L'évolution se fait lentement mais sûrement, insista Gertrude. Les religieuses qui étudient en histoire, en sociologie, en littérature – et dans bien d'autres disciplines encore – font pénétrer entre nos murs, outre la culture scientifique, la liberté d'expression... Jugez-en par vous-mêmes : cette heure de franche conversation dont nous disposons montre bien à quel point notre esprit critique s'est développé.

Après ce moment de liberté, les cousines jugèrent approprié de rejoindre les deux sœurs accompagnatrices. Luce eut alors l'idée de les emmener voir leur retraite préférée, l'Île-aux-fleurs-de-mai, suggestion accueillie avec enthousiasme par Éliane et Gertrude. On réquisitionna des pommes fraîchement cueillies dans le cher pommier de Gertrude et deux thermos de thé. Après avoir relevé leurs grandes jupes encombrantes jusqu'aux genoux et les avoir attachées avec des épingles à linge – non sans quelques rires –, les sœurs se mirent en branle sous le soleil de midi et enjambèrent les hautes herbes vers les bois de bouleaux aux feuillages déjà teintés des coloris de l'automne. Le spectacle de la petite troupe aux silhouettes inusitées, progressant à la queue leu leu dans les herbes folles, arracha quelques sourires aux témoins, avant qu'elles se perdent dans la végétation environnante. Ancienne cheftaine chez les guides, une sœur entonna une chanson de marche rythmée. Si la conversation libératrice avait rendu les trois cousines plus légères, le grand air frais des bois accentua encore cette impression : elles crurent voltiger au-dessus du sol comme des papillons sortis de leur chrysalide.

Éliane, Luce et Gertrude retrouvaient leur enfance. Rompant soudainement la queue, elles y allèrent d'un geste tout simple qu'elles n'avaient pas fait depuis des années : elles coururent pour franchir le ponceau de l'île, à la stupéfaction des deux autres sœurs.

— Venez! Venez! leur cria Luce, essoufflée et radieuse.

Les deux anges gardiens se dévisagèrent un instant puis, laissant toute dignité au vestiaire, détalèrent à toute allure pour rejoindre leurs trois compagnes. Assises sur des roches disposées en demi-lune, tout le monde croqua de concert dans une pomme et la conversation roula sur des histoires drôles survenues dans sa communauté : sœur Carmen dont le ventre gargouillait si fort pendant la messe qu'il faisait rire ses voisines, la chaise qui avait cédé sous le poids d'une supérieure trop corpulente...

Éliane amena bientôt sur le tapis un sujet plus sérieux : où en était le concept d'obéissance dans les couvents ? En entendant cela, Luce et Gertrude furent saisies de leur tic familier : l'une se lissa le sourcil, l'autre se joua dans la tignasse. Discuter d'un vœu, c'était pénétrer dans une zone défendue ; discuter de l'obéissance, c'était déjà désobéir. Sans rien dire, chacune pensait à la hiérarchie sur laquelle reposait la force de la communauté, d'un palier à l'autre : de la supérieure locale à la supérieure régionale, de la régionale à la provinciale, de la provinciale à la visiteuse-déléguée, de la visiteuse-déléguée à la supérieure générale, de la supérieure générale au chapitre général, et ainsi de suite jusqu'au pape.

Tout bas, on entendit une voix réciter :

— « Un corps religieux n'a de vie, de force et de beauté que si tout y porte le cachet de l'unité : unité résultant de l'obéissance des inférieures aux supérieures… »

Une autre enchaîna :

— « L'objet du vœu est l'exécution pure et simple du commandement… »

Obéir aux supérieures sans réserve, sans délai, joyeusement, sans respect humain, sans raisonnement et aveuglément, était-ce encore imaginable en 1962 ?

Les tiraillements intérieurs des cinq randonneuses étaient manifestes. Il suffirait d'un mot, un seul, pour déclencher une avalanche de réflexions effrénées. Mais leur vœu les rappela à Jésus-Christ.

Quoi qu'il en soit, un trouble s'était déjà insinué dans l'esprit de chacune d'elles. La tentation était forte d'affirmer que les commandements auxquels leur communauté les soumettait ne se voulaient pas toujours sensés, mais cette soumission allait de soi et se situait au cœur de leur engagement : « Les sœurs recevront toujours avec reconnaissance les avis qu'on leur donnera, quand même on les accuserait de quelque faute dont elles se croiraient exemptes. » Un vœu, ce n'était pas rien ; c'était une promesse faite à Dieu.

D'une voix assurée, Éliane brisa le silence :

— Je me dois de l'avouer, maintenant que je suis dans la quarantaine, et avec la formation qui est la mienne, il est de plus en plus difficile de m'infantiliser…

Quatre voix s'exclamèrent presque à l'unisson :

— Moi aussi !

Mais de quelle manière pouvaient-elles formuler leurs réserves sans pour autant renier leur propre engagement ? Soudain, la discussion s'anima et les langues se délièrent, celle de Luce la première.

— On ne peut pas faire un pas devant l'autre sans demander la permission. L'obéissance, c'est dire comme la supérieure. Il est vrai que toutes les supérieures ne sont pas pareilles. Je me souviens d'avoir débattu avec l'une d'elles au sujet de la coupe de cheveux. Même sous le voile, je n'admettais pas qu'on me fasse une tête identique à celle de mon petit frère. Inutile de vous dire que mon interlocutrice a eu le dernier mot.

Sœur Marie-Agnès crut utile d'intervenir :

— Il y a tout de même une philosophie derrière le principe de l'obéissance. Il ne s'agit pas de brimer les religieuses pour le plaisir... Ce qu'on attend d'elles en leur imposant cette soumission de tous les instants, c'est qu'elles renoncent au temps... Le temps ne doit plus leur appartenir : il est dicté par la vie religieuse.

L'autre ange gardien, sœur Marie-Hélène, considérait son cœur de pomme avec une mine songeuse :

— Moi, je procède par exception. Je demande toujours des permissions spéciales, du moins dans le cas des choses importantes, tel que posséder un bréviaire. Pour les plus petites, je fais à ma tête sans rien dire.

Sœur Marie-Agnès accueillit ces révélations en réprimant mal un rictus de désapprobation.

— Vous constituez sûrement une exception, ma sœur, lui dit-elle.

— Je ne crois pas, répliqua Luce en souriant. Est-ce que tout le monde reprendrait du thé ? J'ouvre le second thermos.

Éliane livra le fond de sa pensée après l'avoir longuement mûrie :

— Selon moi, c'est impossible qu'un destin soit dirigé de telle façon qu'un être humain en arrive à ne plus réfléchir par lui-même. Par exemple, il ne faut pas dire : « Je ne suis pas à ma place dans cette fonction, je serais mieux dans une autre. » Cela est susceptible de mettre n'importe quelle religieuse bien-pensante en conflit avec elle-même. On ne peut demander à qui que ce soit de renoncer à ses vues propres, de nier sa propre personnalité. J'y vois un manque de respect de l'individu. Le Saint-Esprit parle à tout le monde, pas seulement aux supérieures.

De l'avis de Gertrude, toutes cinq avaient vécu une contrefaçon de l'obéissance. Elle cita du mieux qu'elle le put un article que le cardinal Villeneuve avait publié, deux ans auparavant, dans le *Donum Dei*, et qui disait en substance qu'une nouvelle conception de l'obéissance était en train de renverser l'ancienne, monolithique, autoritaire, stéréotypée, plus extérieure que surnaturelle ; une obéissance soucieuse de sauver les apparences et de sauvegarder les coutumes et les traditions pour la simple raison qu'il en avait toujours été ainsi.

Sœur Marie-Agnès connaissait le texte, rédigé à l'occasion d'une rencontre organisée par la Conférence religieuse canadienne sur le thème de l'obéissance. Pour bien des religieuses, aujourd'hui, obéir sans se poser de question coulait de moins en moins de source ; elles étaient sans cesse plus nombreuses à désirer que cette obéissance ait un sens. Certaines demandaient même des comptes et réclamaient qu'on leur explique les raisons de cette obéissance.

Luce, éternelle rebelle face à l'ordre établi, avait aussi lu ce texte avec intérêt. Elle n'était pas surprise qu'on reproche aujourd'hui à l'ancienne obéissance, celle à laquelle elle avait goûté depuis son entrée dans la vie religieuse, d'encourager l'infantilisme et de favoriser une certaine stagnation dans l'évolution spirituelle. En fait, l'obéissance de jadis était devenue suspecte. Un passage du texte du cardinal allait jusqu'à dire qu'elle avait rendu des hommes et des femmes incapables de penser par eux-mêmes et qu'on les avait habitués, comme sous le régime totalitaire de certains pays, à ce qu'on pense pour eux.

Sœur Marie-Hélène reprit :

— Les autorités sont tout de même conscientes qu'elles se doivent d'écouter les sœurs. Reconnaissons qu'il y a un progrès de ce côté. On peut même prévoir que dans un avenir rapproché nous n'aurons plus à nous plier chaque jour à la cérémonie de l'obédience où, pour la moindre chose, prendre un médicament ou écrire une lettre, nous devons nous tourner vers la supérieure. Il ne nous reste qu'à souhaiter que nos supérieures s'adaptent à cette nouvelle réalité... car, pour le moment, elles semblent désemparées...

Le vœu de pauvreté interdisait la propriété pour les membres des communautés. Celles-ci ne connaissaient pour tout luxe que la propreté et la simplicité. Toute « frivolité » – l'usage d'un dentifrice parfumé, par exemple – était exclue et des objets usuels pour tout individu laïque – telle une montre – ne pouvaient être possédés par une religieuse.

Prononcer le vœu de pauvreté ne signifiait pas pour autant qu'on arrivait à la perfection. L'atteinte de cette dernière exigeait de franchir quatre étapes dans la pratique de la pauvreté religieuse. En premier lieu, il fallait s'abstenir de posséder quoi que ce soit ; il s'agissait de la matière même du vœu. Deuxièmement, il importait de se priver du superflu ; c'était la matière de la vertu. Troisièmement, on devait apprendre à se contenter du strict minimum : choisir les habits les plus grossiers, manger la nourriture la moins élaborée ; c'était le degré le plus élevé de la vertu de pauvreté. Enfin, aimer à se priver de ce strict minimum représentait la perfection de cette vertu de pauvreté.

Le vœu de pauvreté défendait à quiconque, sauf les religieuses en position d'autorité (supérieure, assistante, dépositaire et secrétaire), d'avoir dans sa chambre un contenant fermant à clé. L'exemption dont jouissait Éliane constituait bien sûr une exception – les largesses qu'Alphonse Savard avait prodiguées à la communauté de sa fille n'étaient sans doute pas étrangères au phénomène... Les sœurs devaient se satisfaire de l'essentiel en toute chose : pour dormir, se laver, prier ou balayer le plancher. Au nom du vœu de pauvreté, la religieuse ne pouvait rien posséder ; par conséquent, elle ne pouvait non plus rien offrir en cadeau – bien que, pouvait-on lire dans les *Constitutions*, l'assistante avait un dépôt d'images, de chapelets et d'*agnus dei* pour les occasions où les sœurs étaient obligées de faire de petits présents.

Le démon de la possession venait assaillir Éliane par de multiples tentations pour lui faire transgresser son vœu de pauvreté. Elle n'aimait guère ce passage du *Coutumier* : « Quand vous vous sentez beaucoup d'affection pour un bien, quittez-le pour un temps ou privez-vous-en tout à fait. » Son penchant pour l'ordre et l'archivistique lui firent dresser une liste de tous ses effets personnels afin d'en faire un bilan, d'une part, et, de l'autre, de rêver de tous ces biens défendus : robes, jupes, jupons, bonnets, ceintures, voiles, pèlerines, tabliers et autres pièces de lingerie, ou encore de menus articles d'utilité courante comme ciseaux, panier à ouvrage, peigne et brosse. Mais l'objet des objets demeurait sans conteste son coffret renfermant son journal et ses quelques photos de famille.

En cette année 1962, les religieuses avaient parfois l'impression que les années 1950 dataient de plusieurs décennies. Elles dépensaient l'argent qu'elles recevaient en cadeau, abusaient des permissions présumées et ne rataient jamais une occasion d'améliorer leur mieux-être dans la maison – autant d'indices de la crise profonde qui ébranlait l'esprit de pauvreté.

— Comme on ne possède rien, dit Éliane, il faut tout demander : un mouchoir, un crayon, une brosse à dents. Les plus timides se privent du strict nécessaire. Ce n'est plus mon cas, croyez-moi !

Luce s'empara du « crachoir » avec animation :

— Je dirais que les gens du monde savent souvent mieux que nous ce qu'est la pauvreté ! J'ai connu bien des pauvres qui n'en avaient pas fait le vœu et qui auraient sans doute apprécié notre situation. Pour moi, vivre pauvrement, c'est ne pas savoir si on aura de quoi manger le lendemain. La pauvreté au couvent, c'est de la foutaise ! On a tout ce qu'il nous faut… Non, on ne sait pas ce qu'est la pauvreté.

Sœur Marie-Agnès en avait long à dire sur les exagérations auxquelles les confinait la hantise de l'esprit de pauvreté :

— On reprise des bas à l'infini… Parce que nous sommes supposément pauvres, nous devons rapiécer *ad vitam æternam*. J'ai vu des sœurs boire dans des verres qui étaient des bouteilles de Coke qu'on avait coupées. La pauvreté ne devrait pas être cette économie de bouts de chandelles poussée à l'extrême.

Luce approuva avec vigueur :

— Oui, les sœurs, ça ménage ! À l'hôpital, on persiste à laver les aiguilles… et la chose n'est pas toujours faite par du personnel compétent. Souvent, on voit encore des traces de sang sur les aiguilles…

— Moi, dit sœur Marie-Hélène, j'ai trouvé très pénible de porter les souliers d'une sœur décédée qui avait les pieds tout tordus par l'arthrite. Pendant l'année canonique, celle de la formation spirituelle, sous prétexte que nous sommes coupées du monde extérieur, nous devions porter des vêtements usagés afin de développer l'esprit de pauvreté. Les robes, les souliers, les sous-vêtements, tout avait vécu déjà plusieurs vies, porté par bien d'autres avant nous. Pour contrer ma honte, je me faisais un point d'honneur de ne m'affubler que des vêtements les plus grotesques pour faire rire mon entourage. Oui, j'étais orgueilleuse, car je préférais le ridicule à la honte…

Luce hochait la tête avec une expression douloureuse. La discussion ramenait à la surface des souvenirs oubliés :

— Je vois régulièrement des sœurs quêter discrètement auprès des malades de l'hôpital. L'une d'elle affectionne particulièrement le chocolat et ne se gêne pas pour en demander des boîtes aux malades, puisque les autorités ne sont pas assez intelligentes pour nous en offrir.

Éliane évoqua pour sa part une peine qu'elle n'avait jamais pu panser :

— Pour moi, le pire c'est de ne pouvoir rien donner parce que je n'ai rien… Mais à vous je veux bien me confesser : j'ai commis quelques petites entorses à la règle. Entre autres cachotteries, puisque je jouis de la permission d'avoir un coffret qui se ferme à clé, je conserve des photos de ma famille. Que Dieu me pardonne : posséder, posséder exclusivement, m'est un besoin impérieux. Je ne trouve aucune satisfaction dans un bien collectif. Je suis comme ça : personne ne me changera. Maintenant que mon père, par ces dernières volontés, a fait de moi une femme riche, il me vient l'idée de me faire plaisir en donnant ce que bon me semble à qui je l'entends... C'est un rêve un peu fou qui vient de me traverser l'esprit...

Luce se retint à grand-peine d'applaudir au cri du cœur de sa cousine. Elle se limita à une boutade bien de sa façon :

— Allez en paix, ma fille, je vous absous. En guise de pénitence, vous nous emmènerez toutes un jour dans un grand restaurant et vous nous payerez la traite !

Au moment même où Luce faisait éclater de rire la petite troupe, deux beaux garçons dans la trentaine longèrent la rivière, sur la berge opposée à l'île, bottes aux pieds, canne à pêche sur l'épaule et chaudière à la main. À la vue des religieuses sur l'îlot, ils s'arrêtèrent net, comme frappés de stupeur. Apercevant les deux hommes, les religieuses ne furent pas en reste, se figeant comme des statues. Quelques secondes interminables passèrent, et autant d'anges. Puis, la vie sembla reprendre son cours normal. Les deux compères exhibèrent de larges sourires et lancèrent un « Bonjour, mes sœurs ! »

Sœur Marie-Agnès murmura :

— Jolies frimousses...

Luce – qui d'autre ? – surenchérit :

— Vision inspirante, non ? Et fort à-propos, car j'allais justement oser vous demander comment vous vivez votre vœu de chasteté...

Aucune des quatre sœurs, par ailleurs si bavardes sur les vœux d'obéissance et de pauvreté, ne remua les lèvres. Le sujet de la chasteté leur en faisait perdre leur latin, et la langue tout court. Ironiquement, toute allusion à la chair devait être exprimée en latin. Jamais les mots « cuisse », « fesse », « sexe » n'étaient prononcés. Même dans les communautés d'hommes, on avait recours au latin pour décrire les choses de la sexualité – le mot *verenda* désignait par exemple les « parties honteuses ».

Le vœu de chasteté immolait la femme qui sommeillait dans chaque religieuse. Les cinq sens – l'ouïe et la vue, surtout –, les amitiés particulières, les affinités diverses représentaient « les épines au milieu desquelles croît et se conserve le lys de la chasteté ». Il était évidemment défendu de se trouver seule avec une personne de l'autre sexe, fût-ce un prêtre, sans laisser ouverte la porte de la pièce où la religieuse le recevait. Le principe qui régissait ces mises en garde faisait figure de rengaine pour ces femmes à qui on le rabâchait depuis des décennies : la virginité constitue la perfection de la vie humaine – verset de l'Évangile à l'appui : « Bienheureux les cœurs purs parce qu'ils verront Dieu[5]. »

Les mots auxquels les autorités religieuses recouraient pour évoquer la chasteté semblaient si délicats à déterminer que le discours officiel des règles et des *Constitutions* confondaient tout à la fois les concepts

---

5. Matthieu 5,8.

de modestie, de pauvreté et de chasteté. Les recommandations les plus explicites adressées aux sœurs parlaient de «pureté virginale» et les enjoignaient à éviter les marques d'affection trop prononcées et trop naturelles. Même avec les membres de sa propre famille, la religieuse devait faire montre d'une grande réserve et fuir toute familiarité. Pas un seul instant elle ne devait oublier son titre d'épouse de Notre-Seigneur.

— Puisque vous semblez toutes avoir perdu votre langue, reprit Luce, j'oserai donc dire bien haut ce que je pense depuis longtemps tout bas : le vœu de chasteté me dérange de plus en plus. À vingt ans, je n'avais pour ainsi dire pas de corps, je ne le sentais presque pas. À trente ans, je pouvais vivre avec le fait de n'être pas un ange. Mais à trente-cinq ans, mon corps est devenu un obstacle. L'interdiction de toute familiarité, de toute conversation, du moindre toucher s'est mise à peser des tonnes pour moi. N'est-il pas suprêmement ridicule de voir deux religieuses patiner ensemble en tenant un manche à balai pour ne pas se toucher ?

— *Idem* quand nous dansons du folklore, dit Gertrude. Les sœurs doivent tenir dans la main un objet qui leur permet de communiquer avec les autres danseuses sans contact.

La perception d'Éliane tranchait avec celle de ses cousines; le vœu de chasteté ne l'avait jamais dérangée.

— Peut-être suis-je tout bonnement... comment dire... froide de nature ? Peut-être aussi est-ce grâce à

Alice, que j'ai eu la chance d'aimer comme ma fille ? Je n'en sais trop rien. Ce que je sais, en revanche, c'est qu'il existe dans nos communautés, même à petite échelle, un lesbianisme étouffé. Il s'exprime très malaisément, mais il existe indéniablement, et on comprend qu'il existe. Mais je vous avoue que ce n'est pas mon cas.

Sœur Marie-Agnès était si pressée de prendre la parole qu'elle faillit lever la main, comme à la petite école :

— Une compagne qui vient de sortir de communauté m'a confié son histoire...

Intriguées, les quatre autres sœurs, sans en avoir conscience, se penchèrent vers sœur Marie-Agnès pour ne rien perdre de son récit.

— Elle a été amoureuse de sa supérieure de l'âge de vingt-cinq ans jusqu'à sa sortie, vingt-trois ans plus tard ! Elle en était follement éprise. Si elle avait pu faire l'amour avec elle, m'a-t-elle même dit, elle l'aurait fait.

Semblant soudainement réaliser la crudité de ses propos, sœur Marie-Agnès porta brusquement les mains à ses joues, devenues cramoisies.

— Mon Dieu, qu'est-ce que je suis en train de dire ? Enfin... c'est la vérité, que voulez-vous, je n'y peux rien. La supérieure l'aimait bien elle aussi, mais c'était une femme solide et compréhensive qui savait garder une parfaite maîtrise de ses sentiments. Cette ex-religieuse avait un énorme besoin d'aimer. Elle se faisait un devoir d'éviter le contact de sa supérieure, par peur, disait-elle, de «prendre feu». De temps à autre, elle devait s'absenter pour travailler en mission à l'extérieur. Or, comme les *Constitutions* permettent à une supérieure d'embrasser une religieuse qui s'absente ou revient au couvent, notre amoureuse avait frissonné pendant des jours à la simple pensée de cette brève accolade avant son départ. Elle vivait une grande passion... mais refoulée.

— Moi, intervint Luce, je n'irai pas par quatre chemins pour vous le dire : c'est le rapport avec l'homme qui m'intéresse.

Sœur Marie-Agnès jeta un regard mi-surpris, mi-amusé à cette sœur pour le moins «allumée» et lui dit gentiment :

— Je poursuis, si vous me permettez. La supérieure lui avait donné la permission de consulter un psychologue – un ecclésiastique. Vous devinez peut-être la suite ? Eh oui ! Ils sont tombés follement amoureux l'un de l'autre ! Ils sont allés au bout de leurs sentiments et se sont beaucoup aimés. Il l'a vite convaincue que leur expérience était normale. Cette relation s'est avérée une bonne préparation pour la religieuse, avant sa sortie. Aujourd'hui, elle est mariée et a commencé une nouvelle vie...

Avant que Luce pût reprendre la parole, sœur Marie-Hélène raconta le cas, très récent, d'une religieuse de sa communauté dont la passion s'était soldée d'une façon beaucoup moins romantique : elle avait eu un enfant avec un prêtre et avait dû sortir avant que sa grossesse devienne trop apparente.

— Chez vous comme chez nous, j'imagine, continua-t-elle, une religieuse n'entre jamais dans sa chambre, et à plus forte raison dans celle d'une autre, sans réciter un *Ave Maria*. Nos *Constitutions* recommandent de prier surtout la Sainte Vierge, modèle des véritables vierges. On enjoint les sœurs de résister fortement dès les premiers signes d'une tentation, sous peine de succomber. Bref, il ne faut jamais donner à son corps tout ce qu'il demande.

Les sœurs ne tardèrent pas à se mettre d'accord sur une évidence : dans la société canadienne-française, la peur du péché signifiait la peur de la chair. Et, plus que tout autre membre de cette société, cette peur marquait profondément les religieuses. Quand leur supérieure leur disaient, dans un langage coloré, de prendre garde à ce que « le monde n'entre pas par les fenêtres », cette hantise de la chair était présente. Cet avertissement signifiait aussi que les religieuses avaient singulièrement évolué, au fil des dernières années, et qu'elles étaient maintenant intégrées au monde.

Le métier d'infirmière de Luce n'était pas pour rien dans son inclination pour la chair ; il l'avait mise en contact avec une réalité ô combien abstraite pour tant de religieuses : l'homme.

— J'ai soigné des sœurs enseignantes qui étaient bien moins évoluées que les sœurs hospitalières. (Regard ironique vers sa cousine Gertrude.) Nous apprenons, pendant nos études d'infirmière et par nos contacts auprès des malades, une foule de choses. Nous ne parlons pas que du nez, des oreilles ou des pieds... Nous parlons des seins et de l'utérus. Un homme, nous savons comment c'est fait. À l'École d'infirmières, les religieuses collaient dans leurs livres de médecine un petit papier sur les parties nobles de l'homme. Et bien sûr, toutes les sœurs décollaient le petit papier pour savoir... Jusqu'à tout récemment, les sœurs ne changeaient pas les couches des petits garçons; les laïcs le faisaient pour nous. C'est seulement à partir de 1956 et 1957 – hier, quoi! – que les hospitalières ont commencé à mener des études en gynécologie et à entrer dans les salles d'accouchement.

— Rappelez-vous, dit Éliane d'une voix où vibrait le ressentiment, la formation nous inculquait la peur de la chair. On nous apprenait même à se méfier de la tendresse, car elle pouvait conduire à une « tentation de la chair ». Un jour, j'avais pris le bébé de ma sœur, par le guichet de la grille, pour le déposer sur mes genoux. Mère maîtresse s'était presque étranglée en s'écriant: « Un enfant dans le cloître! » Un ours ne l'aurait pas moins terrifiée... Eh oui, c'était défendu. Cet interdit nous était présenté comme un sacrifice, celui de ne jamais se laisser aller à une tendresse humaine.

Le sujet bien entamé et les sœurs mises en verve, l'inévitable question de la toilette vint sur le tapis. Pour Luce, le rituel du bain – pendant lequel les religieuses ne pouvaient se dénuder – lui avait toujours paru relever de la folie pure et simple. En théorie, les sœurs devaient, à l'heure du bain, enfiler une longue robe ample et se laver sans un regard pour leur corps en passant la serviette sous les pans du vêtement. L'obéissance à cette consigne ne faisait toutefois jamais l'objet de vérifications suivies et Luce, pour sa part, ne s'y était jamais conformée.

Sœur Marie-Agnès se rappelait trop bien des rites qu'elle avait dû observer au sein de la première communauté qu'elle avait connue concernant la toilette du matin et celle du coucher. Il fallait se laver à la serviette avec l'eau d'un bassin, tandis que le rideau devait rester ouvert en permanence, au moins d'un pied et demi. La maîtresse des novices voyait d'ailleurs à ce qu'il le soit, faisant des allées et venues le long des cellules. Le corps était lavé sous la robe de nuit, puis c'était au tour de la figure. Ensuite, on devait déposer le bassin sur le sol et s'asseoir ; on enlevait alors un bas, lavait un pied avant de remettre le même bas sale (car gardé toute une semaine !) et le soulier. Même chose pour l'autre pied.

Si une religieuse sortait de sa cellule le soir, elle devait porter sa robe de nuit, une chemise en dessous, un tablier par-dessus – fût-ce pour le simple geste de fermer une fenêtre. Le rituel n'avait disparu qu'en 1952, grâce au cardinal Léger, qui était intervenu sur la question. Les sœurs avaient enfin pu sortir de leur cellule sans bonnet, et des douches et des bains avaient enfin été installés dans le couvent. Dans cette communauté – comme dans bien d'autres –, l'angélisme avait été poussé trop loin…

De la même façon qu'elle avait lancé la conversation sur le thème de la chair, Luce y mit fin :

— Avant que ma grande langue dise encore davantage de sottises, et ce n'est pas l'envie qui m'en manque, je propose que nous fassions une prière pour le regretté papa de sœur Antoinette-de-Jésus.

Elle s'adressa directement à cette dernière, en l'appelant par son nom civil :

— Tu peux pleurer à ton aise, Éliane. Les larmes font du bien. Elles ont été créées avec ton corps. Dieu ne te veut pas désincarnée, sans émotion, sans peine ou sans joie.

— Mon Dieu, entonna Gertrude, vous avez délivré oncle Alphonse de son corps, lui qui appréciait tant les belles et bonnes choses de la vie. Vous, et Vous seul, jugerez s'il en a abusé. Vous qui régnez dans les cieux, nous Vous prions de bien accueillir son âme.

— Mon Dieu, murmura Éliane en prenant le relais, nous implorons votre miséricorde et votre clémence. J'espère que le sacrifice de ma vie n'aura pas été fait en vain. Ouvrez grands les bras à mon père... Papa, mon papa, je vous aimerai toujours ! Notre Père, qui êtes aux cieux... *Amen.*

En retournant à la maison des Savard, les cinq religieuses, toujours à la file indienne, longèrent la rivière en voyant dans l'eau claire le reflet de leur sombre silhouette les accompagner. Chacune d'elles se sentait plus légère qu'une plume, comme si cette excursion surprise dans l'Île-aux-fleurs-de-mai les avait délestées d'une chape de plomb.

Chapitre 9

Changement de cap

Ragaillardie par ce séjour chez les siens, Gertrude reprit sa charge de cours, plus enthousiaste que jamais. Les tête-à-tête avec ses cousines, l'excursion dans l'Île-aux-fleurs-de-mai, les discussions franches et ouvertes entre religieuses, les conversations avec parents et amis du village, tout cela lui donnait l'impression de s'être absentée de l'institut pendant longtemps.

Aussi se réjouit-elle de retrouver ses étudiantes, qui lui témoignèrent un accueil tout aussi joyeux. Rarement l'enseignement lui avait-il été à ce point agréable et facile : elle se surprenait elle-même de l'aisance avec laquelle elle expliquait les fables de La Fontaine. Sur le rythme et le sens de chaque vers, elle se montrait intarissable de commentaires.

Peu après, elle entreprit de monter *Le Malade imaginaire* avec ses étudiantes de belles-lettres, qu'elle divisa en cinq équipes : interprétation, décors, costumes, musique et, puisque la pièce serait jouée devant public, vente des billets. Même les éléments les plus apathiques de la classe furent emportés par l'entrain de leur professeure et contribuèrent avec ardeur à la réussite de l'événement. Elle se donna pour objectif de présenter le spectacle avant le début de l'avent.

Afin d'encourager ses « grandes filles », et aussi pour chercher l'inspiration, elle demanda la permission – aisément obtenue – d'aller voir *Le Médecin malgré lui* au Collège Saint-Laurent, pièce interprétée par les rhétoriciens. Coup sur coup, elle eut de sa supérieure la permission d'accompagner ses étudiantes au Gésu pour voir *Polyeucte*, de Corneille, puis *L'Annonce faite à Marie*, de Claudel, à l'Ermitage. En l'espace de trois mois, elle était allée autant de fois au théâtre et deux fois au cinéma – toujours avec ses étudiantes. Elle s'étonna alors de constater avec quelle facilité il était maintenant possible de recevoir des permissions.

Une nouvelle philosophie, axée sur la « liberté responsable », s'était rapidement développée dans son institut, reflet d'un courant de pensée imprégnant toute la société. Des valeurs nouvelles, encore mal définies, avaient investi sa communauté et changeaient la vie des religieuses ; sans être radicales, les consé-quences de ces valeurs n'en étaient pas moins visibles dans le quotidien du couvent.

Le mot « désœuvrement » ne faisait pas partie du vocabulaire de Gertrude. Dans ses temps libres, elle poursuivait ses travaux en vue de constituer son arbre généalogique du côté maternel. Pour améliorer la qualité de son enseignement, elle s'inscrivit à un cours de littérature au premier semestre, puis à un autre, en histoire, au second. Ce périple hebdomadaire à l'université la ravissait. Bien sûr, elle s'enrichissait au point de vue intellectuel, mais il ne lui déplaisait pas non plus de retrouver dans la même classe qu'elle son confrère André, un père de Sainte-Croix, qui suivait, par un hasard bien inspiré, les mêmes cours. Pendant les vingt minutes de pause, ils discutaient à la cafétéria des idées exprimées durant le cours. Leurs conversations dérivaient souvent vers le concile du Vatican II, qui battait alors son plein.

À la mi-novembre, estimant ces récréations un peu courtes à leur goût, ils prirent l'habitude de prendre un café après le cours ; une fois encore, leurs entretiens s'attardaient souvent sur les transformations de leur communauté respective.

Ils se reverraient bientôt, hors des cours et du contexte scolaire, lors de certaines conférences publiques données à l'université.

De retour dans son couvent, Éliane ressentit le besoin de se recueillir pendant de longues heures à la chapelle. Elle y demandait à la Sainte Vierge d'intercéder auprès de son Fils pour appeler Alphonse Savard à Lui. Elle demandait pardon pour les fautes de son père – celles qu'elle connaissait et toutes celles qu'elle préférait encore ne pas connaître. Puis, elle conversait avec son père, lui posant des questions et imaginant ses réponses, émaillées çà et là de « Fifille ».

Différente en toute chose de lui quant au sens des responsabilités et sous l'angle des relations avec le sexe opposé, Éliane se révélait pourtant incapable de faire abstraction de ce modèle paternel. L'attirance de son père pour le luxe, son goût prononcé pour la fête, son assurance dans la vie, sa confiance en lui-même, sa liberté d'action : tous ces aspects, qui lui seraient toujours inaccessibles, ne l'avaient pas moins profondément marquée. Cet homme, si éloigné du modèle du Christ à qui elle s'était consacrée, la mettait en flagrante contradiction avec elle-même et n'avait de cesse de tirailler sa conscience. La prière ne lui était d'aucun secours. Elle aurait aimé posséder, comme son père, une abondance de biens, en jouir et en faire profiter les autres. Son vœu de pauvreté lui interdisait évidemment d'y songer, mais son compte de banque en fiducie exerçait sur elle un magnétisme indéniable.

Ce perpétuel conflit entre spiritualité et matérialisme lui procurait tantôt des crampes d'estomac, tantôt des bouffées d'énergie. Ces états changeants s'expliquaient aussi par la récente discussion survenue dans l'Île-aux-fleurs-de-mai, sorte de thérapie verbale. Si cette dernière lui avait permis de s'exprimer librement sur certains aspects de son cheminement religieux, elle avait aussi fait naître en elle des doutes, amplifiés par le surprenant contenu du testament.

Elle croyait ardemment que cette conversation l'aiderait à accepter le meilleur et le pire de sa situation. Elle ferait, en tout cas, de son mieux pour faire évoluer les mentalités dans sa communauté. Mais tout n'était pas simple dans son esprit. La pensée du legs de son père ne lui déplaisait pas, mais se heurtait d'emblée à son vœu de pauvreté, qui ne lui permettait pas de posséder et d'user de cette fortune. Le pactole en réserve se rappelait constamment à elle et la torturait. Comme un ludion, elle oscillait entre deux extrêmes : repentir et désir. Elle avait beau prier pour la sauvegarde de son vœu, des visions l'assaillaient : celles d'une maison spacieuse et luxueusement meublée, ornée de tableaux de grands maîtres et flanquée d'une voiture de prestige... Par ailleurs, l'image d'Alice en jeune femme du monde élégante, admirée pour sa beauté et enviée pour sa richesse, la poursuivait au plus fort de ses méditations.

Elle revenait sans cesse à cette révélation éblouissante, sans jamais y croire tout à fait : Alice était sa demi-sœur. Si ahurissante soit-elle, cette primeur l'avait aidée à élucider un mystère, celui de la personnalité d'Alice. Grande et belle, boute-en-train, sûre d'elle-même, elle partageait bien des traits de son père – leur père. Elle avait enfin pu s'expliquer l'attirance, aussi indéfinissable qu'irrésistible, qui l'avait portée vers cette enfant pendant toutes ces années. Alice lui rappelait en tout point son père ; et voilà, pour ajouter à cette ressemblance, qu'elle était désormais riche !

Dans son enthousiasme, Éliane voulut ajouter à ses activités régulières l'enseignement du piano à ses élèves de l'extérieur. Non seulement l'autorisation lui fut-elle immédiatement accordée, mais elle put même transformer à son gré une petite classe en salle de musique. On y fit installer un piano et on en acheta un deuxième, qui fut placé dans le vestibule de la classe ;

ainsi, pendant qu'une élève recevait une leçon, une autre avait la possibilité de s'exercer.

La vitesse et l'aisance avec lesquelles ses propositions étaient acceptées et exaucées stupéfiait Éliane et la laissait incrédule, un peu abrutie de bonheur. Aussi ne s'arrêta-t-elle pas en si bon chemin : elle demanda bientôt un tourne-disque afin d'initier ses élèves les plus motivées à la « grande musique ». Une fois encore, la permission fut accordée tout de go et, ô surprise, rehaussée d'un petit budget pour l'achat de disques.

On était bien loin du timbre-poste qu'il fallait mendier à la supérieure, il n'y avait pas si longtemps encore...

De son côté, Alice, en pleine fièvre spirituelle de l'aspirante novice, connut toute une série de distractions. La petite fille errante s'était trouvée des points d'ancrage par les liens du sang : un père – décédé, peut-être, mais bien vivant dans sa mémoire – et une grande sœur, à la fois protectrice, mère et amie ; des amarres qui la confortaient dans son espoir d'une vie heureuse. De plus, voilà que ce testament inopiné faisait d'elle une jeune fille aisée.

Elle n'arrivait toutefois pas à trouver le baume qui apaiserait une plaie béante dans son cœur : l'amer regret de n'avoir pu se blottir dans les bras de son père, la tristesse de n'avoir pu lui confier ses peines et ses joies. L'hypocrisie de la société lui inspirait parfois des pointes de colère : pourquoi tant de soins pour cacher le fait qu'elle était une enfant illégitime ? Si ce manège avait sauvé les apparences, il lui avait aussi volé l'occasion de connaître son père. Alice, qui fêterait dans quelques jours son treizième anniversaire de naissance, était bouleversée par tant de découvertes en si peu de temps : un père, une demi-sœur – autant dire une quasi-mère – et un magot en banque…

À l'inverse d'Éliane et de Gertrude, Luce avait réintégré son couvent sans enthousiasme. Recluse dans sa chambre, elle essayait de prier mais, mis à part les *Ave* du chapelet, pas la plus petite inspiration n'alimentait ses prières machinalement marmottées. Lorsqu'elle voulut s'absorber dans un livre de méditation, le résultat ne fut guère plus brillant. À la fin de chaque ligne, elle ne parvenait pas à se rappeler ce qu'elle venait de lire. Pourtant, la conversation franche dans l'île l'avait d'abord réconfortée, allégeant son esprit d'un lourd nuage de doutes. Hélas ! un autre avait pris position au-dessus d'elle, chargé de pensées incohérentes et de sentiments mitigés. Elle espéra que le silence de la chapelle pût y mettre de l'ordre et lui permettre d'y voir plus clair, mais les questions surclassaient les réponses en nombre et en profondeur : « Suis-je au bon endroit ? Benoît est-il toujours le même ? Pense-t-il encore à moi comme je pense à lui ? Est-il aux prises avec les mêmes petits démons que moi ? Le reverrai-je un jour ? Ai-je manqué ma vie ? Vais-je tenir le coup ? » Plus elle se posait de questions, plus son humeur se faisait chagrine.

Un matin, en entrant dans la salle de communauté, tout autour d'elle lui sembla avoir viré au noir : murs, livres, fleurs, fruits, tables, chaises. Même les larmes de sang du Sacré-Cœur étaient passées au noir. Après le petit-déjeuner, elle retrouva ses malades, qui eurent tôt fait de lui insuffler à nouveau sa gaieté habituelle. Il y avait en elle au moins une certitude : elle aimait ses malades, et seules leurs souffrances lui permettaient d'oublier pendant quelques heures ses sombres interrogations.

Heureuse en communauté, convaincue de son choix de vie, Gertrude n'avait jamais remis en question un seul instant son état de religieuse consacrée. Sensible aux vents du changement, elle pensait qu'elle pouvait, par son attitude et par ses prises de position, contribuer à l'évolution des mentalités déjà amorcée dans sa communauté. L'occasion se présenta avec le Concile œcuménique, qui s'amorça en octobre 1962. Elle en suivit de près les séances, surtout celles qui touchaient au renouveau dans l'Église et dans les congrégations religieuses face au monde moderne.

S'il se trouvait encore des religieuses pour tenir la formation traditionnelle comme l'unique moyen d'accéder à la perfection, Gertrude et bon nombre de sœurs la percevaient comme de l'immobilisme, de la stagnation. À leurs yeux, la perfection s'atteignait par et dans l'évolution.

Gertrude, Éliane et Luce représentaient le type même de la religieuse éduquée, prête à renouveler les dimensions de sa vie et déterminée à faire passer l'individu avant l'institution. Gertrude était partisane d'un allègement des règles qui permettraient de mieux retrouver les vraies valeurs de la vie religieuse. Au cours des réunions, tout en prenant la parole, elle s'employait à ne jamais perdre de vue que des changements radicaux ne s'opéraient pas facilement dans une communauté vieille de plus d'un siècle – de deux ou trois pour celles de Luce et d'Éliane. Mais elle était poussée par le vent de changement apporté par la Révolution tranquille et sentait bien que les structures des communautés en subissaient les contrecoups. Bientôt, dans sa communauté, trois groupes se formèrent et s'opposèrent : les sœurs de « droite », tenantes de la tradition ; les sœurs de « gauche », favorables à une ouverture plus large et les sœurs modérées du « centre », plus pondérées dans le renouveau religieux.

Gertrude connaissait bien les limites de ses observations, qui se butaient à la solide barrière des sœurs traditionalistes. Elle en discuta avec son ami, le père André. Dans les communautés d'hommes, tout semblait plus simple. Mais son confident lui raconta les prises de bec de l'un avec l'autorité, la sortie d'un autre, l'attente de l'indult papal pour plusieurs qui aspiraient à voir leurs vœux annulés. Pourtant, quand

Gertrude lui demanda où il en était lui-même face à cette « révolution », il se montra prudemment réservé.

Alors qu'il parlait des retraites qu'il prêchait à des groupes de prêtres, Gertrude eut l'idée que des sœurs puissent se joindre à des prédicateurs. Ainsi, religieux et religieuses pourraient s'associer et prêcher des retraites aux uns et aux autres.

Le projet fut bien accueilli par leurs autorités respectives, et bientôt Gertrude et le père André se retrouvèrent côte à côte pour organiser leur première retraite mixte.

Gertrude était souvent blessée, tant par des laïcs que par des membres du clergé, qui, dans des articles de journaux et de revues, ridiculisaient les communautés religieuses de femmes et les réduisaient au rang d'écoles maternelles ou de musées d'anges momifiés. Dans l'ambiance un peu folle de la Révolution tranquille, ce genre d'attaques et de condamnations était devenu chose courante. Sans demander la permission à personne, elle publia un premier article dans les pages du *Devoir*, qu'elle signa « sœur Unetelle » (en référence au célèbre frère Untel, Jean-Paul Desbiens), de peur d'être mal jugée par ses consœurs. Dans cet article, elle chercha à démontrer les efforts déployés par sa communauté pour se renouveler, se moderniser, rafraîchir sa mentalité. Beaucoup avait été fait, et il restait encore autant à faire…

⟲∿⟳

Lors d'une série de cours portant sur la spiritualité offerts au Département des sciences religieuses de l'Université de Montréal, Gertrude et Éliane eurent le bonheur de se revoir pendant quatre soirs consécutifs. Avant les cours, les deux cousines se retrouvaient à la cafétéria de l'institution et mangeaient ensemble, simple prétexte pour échanger sur les difficultés vécues par les religieuses.

Éliane avait lu l'article de Gertrude paru dans *Le Devoir* et ne partageait pas entièrement les vues qu'elle y avait exprimées. À ses yeux, le concile n'avait apporté que des assouplissements à la règle, mais aucun sur les vœux et sur les *Constitutions* elles-mêmes – du moins dans sa communauté.

— Il est vrai que je parle de ma communauté, reconnut Gertrude. Les religieuses ont eu accès à des études avancées afin de s'ajuster aux changements en éducation. Sans parler de l'adaptation à la nouvelle génération de jeunes et à certains ajustements quant à notre façon d'enseigner.

— Cela vaut pour les religieuses universitaires. Tu dois admettre que la grande majorité des sœurs ne sont pas en mesure de voir l'évolution de la société. En tout cas, les choses évoluent très lentement dans ma communauté, principalement à cause du formalisme que les sœurs plus anciennes assimilent à la vertu.

— Je te donne raison. Le concile vient chambarder une façon de vivre chargée d'une variété de dévotions accumulées au fil du temps. Ces changements ne vont pas sans heurts. Bien des sœurs regardent en arrière et se demandent si ce qu'elles ont fait jusqu'à maintenant est bon; il en découle de grandes inquiétudes. Les sœurs qui étudient à l'université ne sont pas évidemment exemptes de toute angoisse. Je suis portée à tout remettre en question. C'est aussi ton cas… comme c'est sûrement celui de Luce.

— À vrai dire, le concile a déclenché une sorte de guerre dans ma communauté, reconnut Éliane. L'évolution des mentalités nous amène à soumettre des projets qui, par réaction, provoquent des durcissements chez les tenantes du traditionalisme. Nous sommes bien des religieuses à vivre des tensions depuis quelque temps. Ma supérieure générale, elle, n'a pas bronché. Son vocabulaire a un peu changé, mais ça ne reste que des mots. Tu le sais aussi bien que moi, les communautés du monde entier ont vécu depuis des centaines d'années, c'est-à-dire depuis le milieu du XVIe siècle, dans le sillage du concile de Trente. Cela n'a aujourd'hui plus aucun sens. Voilà pourquoi Jean XXIII a ouvert le nouveau concile en déclarant: «L'Église a des rides.» Nos communautés n'y ont pas échappé. Il est désuet d'accepter de vivre dans une institution où toutes les sœurs doivent penser et agir de façon identique! Dire que je ne me posais pas la moindre question, il y a encore trois ou quatre ans…

— Moi, dit Gertrude, plutôt que de me rebiffer, je m'emploie à retrouver le sens véritable de la vie consacrée, en allant plus loin que l'esprit de la règle. Bref, je préfère réfléchir plutôt que me révolter.

— Pour ma part, il me faut d'abord transformer ce mode d'obéissance que j'ai accepté aveuglément, comme s'il ne me dérangeait pas. À l'époque, je n'existais pas en tant qu'individu, mais comme une partie de la communauté ; aujourd'hui, je ne peux plus me résoudre à cela. Pas plus que je ne peux composer avec la centralisation excessive du pouvoir. Le régime de la communauté est trop dictatorial : pas de collégialité, pas de démocratie... Il faut que l'initiative personnelle puisse s'affirmer.

— Ma chère Éliane, tu as repris du poil de la bête : c'est très bien, je t'encourage à persévérer dans cette voie. Les changements accomplis ces dernières années sont indubitables : on a modifié l'habit religieux, l'horaire journalier, on laisse une plus grande place à l'individu. Mais nous flottons encore dans l'incertitude... Changer les mentalités prend du temps, beaucoup de temps. Je persiste à faire ma part pour que nos *Constitutions* deviennent un code de vie plutôt qu'un code de loi. On ne doit plus s'en remettre à des coups de cloche pour agir.

— Eh bien, moi, Gertrude, j'ai peur d'être moins patiente que toi. Ce sont les têtes dirigeantes qu'il faudrait changer, mais c'est hélas ! impossible. Au-delà de cinquante ou soixante ans, il n'est presque pas possible de changer une façon de penser... Les changements que j'ai observés dans ma communauté ne me semblent pas toujours très décisifs. Un exemple : en décembre dernier, une consœur a demandé la permission d'aller voir sa sœur, qui venait de perdre son mari des suites d'une longue maladie. Sa permission a été refusée sous prétexte qu'elle était déjà allée, à l'intérieur de la même année, à des funérailles dans sa famille. Mais comme la communauté évolue… eh bien, on lui a donné du sucre à la crème et des chips le dimanche soir ! Je t'admire de travailler dans le long terme, à quarante-cinq ans… Pourtant, je me sens profondément religieuse. Je tente de me raccrocher à l'essentiel, mais l'accessoire prend beaucoup de place… trop de place. Surtout, et c'est le plus grave, le vœu de pauvreté ne correspond plus à ce que je suis devenue.

La conversation s'acheva abruptement quand Gertrude se rendit compte de l'heure : elles étaient en retard. Et elles se mirent à trottiner le plus vite possible vers leur salle de classe en regrettant une fois de plus leur robe qui, moins longue, leur aurait permis de courir…

Depuis quelque temps, Luce éprouvait parfois la douloureuse sensation d'avoir raté sa vie. Pour lutter contre une morosité qui l'accablait de plus en plus, elle résolut de se vouer à une cause : celle du changement de costume. Ce dossier n'était pas simple, car trois grands groupes s'affrontaient dans sa communauté en un combat épique : le premier, constitué des sœurs traditionalistes, généralement âgées, ardentes partisanes d'un *statu quo* intégral; le second, qui rassemblait les sœurs désireuses de changer le costume traditionnel, mais ne voulant pas moins être reconnaissables comme religieuses; le troisième, dit «avant-gardiste», qui appelait de tous ses vœux un costume laïque, point à la ligne.

Ce débat autour du costume démontrait la diversité des courants et des opinions qui régnaient au sein des membres d'une même communauté. Jeunes, anciennes, conformistes, ritualistes, novatrices, inadaptées, déboussolées, ces religieuses oscillant entre deux extrêmes formaient une masse hésitante, incapable de se rallier derrière une même bannière.

Consciente de la lutte qui l'attendait, Luce décida trois de ses compagnes à mettre leurs efforts en commun pour promouvoir l'habit séculier. Deux idées s'opposaient: d'un côté, on invoquait tout le temps perdu à se coiffer, à se friser, à magasiner; de l'autre, on dénigrait une vêture désuète, symbole d'un âge révolu et de femmes incapables de servir la société actuelle dans leur accoutrement traditionnel. Il s'avérait presque impossible de discuter avec détachement d'une question aussi délicate tellement elle était chargée d'émotion.

Luce obtint de sa supérieure la permission d'exposer à sa communauté le problème de l'habit qui devait être, selon elle, à tout prix modifié.

— On ne peut plus s'habiller comme les veuves des XVIIe et XVIIIe siècles, dit-elle, car ce costume peut constituer un obstacle aux vocations. De plus, il vaudrait mieux qu'il corresponde aussi aux critères de la pauvreté et de l'hygiène.

Une fois lancée, Luce s'exprima avec une assurance sans cesse plus grande :

— Le costume religieux empêche la connaissance mutuelle des laïcs et des religieuses. Pourquoi, au nom de Jésus-Christ, faut-il faire ainsi injure à l'esthétique ? Cet attirail moyenâgeux donne à voir un personnage guindé et crée, entre le monde et nous, d'inutiles barrières. Avouez comme moi qu'il est ridicule d'adopter des mesures aussi puériles qu'un plan quinquennal où l'on raccourcit la jupe de deux pouces par an ! Les laïcs ont bien raison de rire de nous, et le frère Untel de parler de « ces costumes irrationnels et anachroniques ». Ai-je besoin d'insister sur le manque de liberté de mouvement que provoquent ces robes longues, larges et lourdes, aux manches volumineuses ? Sans parler de la jupe qui rase le sol, de la guimpe empesée, de la coiffe qui limite le champ visuel... Le costume religieux doit disparaître parce qu'il est un obstacle à notre présence dans trop de domaines. Il n'est bon qu'à refléter l'idée d'une classe privilégiée et à symboliser le retard de notre communauté.

Luce fut bientôt appelée à répéter son exposé lors d'une réunion de la Conférence religieuse canadienne, à Montréal, puis à Québec et à Ottawa. D'une fois à l'autre, elle s'enhardissait et développait des propos de plus en plus radicaux, allant jusqu'à dire que les sœurs projetaient « l'image folklorique de personnes dépassées par l'évolution de la société ». Peu après,

Luce et ses trois compagnes décidèrent de passer à l'action et de porter l'habit séculier dès que l'occasion se présenterait.

Pour tempérer les propos de Luce, une religieuse – un peu plus âgée qu'elle – demanda à la supérieure un droit de réponse aux arguments avancés en faveur du costume laïque :

— Qu'importe si l'habit religieux est devenu archaïque et inadapté à la vie active que nous menons ! Nous devons avant tout le conserver parce que c'est la tradition. Il faut aussi le conserver parce que la tenue séculière est source de temps perdu en coquetterie, devant le miroir, chez le coiffeur, dans les grands magasins…

Les arguments du camp conservateur étaient rares et brefs, mais ils emportaient l'adhésion de la majorité des religieuses.

Cette présentation piqua Luce à vif. Ne voulant pas en rester là, elle s'éleva contre les conservatrices de sa communauté et, même, contre la Sacrée Congrégation des religieux, à Rome, qui entendait dicter le port du costume aux religieuses en leur défendant de prendre l'habit séculier, sauf exception. Cette même autorité religieuse – uniquement constituée d'hommes – avait obligé les communautés de femmes à respecter la robe qu'ils avaient dessinée. Pour éviter toute méprise autour du port du costume, ils avaient poussé la précaution jusqu'à faire parvenir aux communautés de religieuses une poupée revêtue de la tenue imposée. C'était la façon bien particulière qu'avaient trouvée ces hommes pour enseigner aux femmes la façon de s'habiller.

En se basant sur des documents produits par le concile lui-même, Luce adressa donc à Rome une lettre dont elle remit une copie à toutes les sœurs de la communauté. « L'habit, y disait-elle en substance, n'est pas essentiel aux relations de l'homme à Dieu. » Elle reprochait à la Sacrée Congrégation son attitude autoritaire et s'élevait également contre l'état d'obéissance aveugle dans lequel on voulait maintenir, par la question de l'habit, les religieuses. S'appuyant sur des écrits de Paul VI, selon qui le renouveau de la vie religieuse appartenait aux instituts, Luce disait que les sœurs étaient « assez grandes pour décider par elles-mêmes quand, où et comment s'habiller ».

Sa lettre se retrouva dans les revues religieuses et même jusque dans les journaux laïques. Sa grande diffusion donna à son auteur, sœur Marie-Claude-de-la-Croix, une certaine audience et les appuis en sa faveur fusèrent de toutes parts ; de moins en moins de ses consœurs désiraient revenir à l'époque préconciliaire. Luce et ses coreligionnaires étaient fermement résolues à s'opposer à la domination mâle de l'Église.

En 1965, on commença à observer au Québec un lent, très lent changement dans la garde-robe des religieuses. Fidèles aux recommandations du concile, des supérieures concédèrent alors aux sœurs deux assouplissements vestimentaires : ces dernières eurent le droit de raccourcir leur robe d'un pouce et demi, et leur jupe, large de cinq verges, d'une demi-verge.

Luce ressentit le besoin de discuter de la cause qu'elle avait épousée avec un prêtre en qui elle pourrait placer toute sa confiance. Mais qui? Le père Gagné, l'ami de Gertrude? Il ne semblait pas si bien connaître le monde des religieuses... Quant au confesseur de sa communauté, c'était peine perdue : son allégeance allait clairement aux traditionalistes. Indécise, elle demanda l'aide de Gertrude qui, à l'université, avait la chance de côtoyer des prêtres ouverts sur le monde et sur l'évolution de leurs communautés. Peut-être connaîtraient-ils un interlocuteur qui voudrait bien endosser sa cause?

À sa grande surprise, Luce reçut bientôt l'appel d'un père de Sainte-Croix, et pas n'importe lequel: le père Benoît Tanguay – *son* Benoît. Par ses fonctions de directeur spirituel auprès de deux communautés de sœurs, il possédait une connaissance approfondie des ordres de religieuses.

Après avoir surmonté un accès de stupéfaction, fort légitime, Luce exposa tant bien que mal à Benoît sa difficile campagne d'éducation sur l'évolution du costume.

— Si vous me permettez, ma sœur, peut-être pourrions-nous nous tutoyer? proposa-t-il. Entre nous, le « vous » sonne faux... ne trouves-tu pas? Sache que je suis avec toi dans cette cause. Je suis contre le port de l'habit religieux.

— À mon avis, l'habit traditionnel est devenu un facteur négatif du témoignage de la religieuse.

Celui-ci se trouve dans la personne qui porte l'habit, non dans le vêtement, qui ne signifie rien. Je sais que le problème du costume est loin d'être fondamental... mais si tu savais à quel point il divise notre communauté !

— Pas seulement la tienne... toutes les communautés ! Il m'apparaît plus important pour nous, religieux, de nous demander ce que nous faisons ensemble. Que dirais-tu si nous organisions un sondage auprès de diverses congrégations de religieuses, en recueillant leurs opinions ? De ton côté, tu pourrais te charger d'interroger le plus de membres de ta communauté ; du mien, je ferais en sorte de trouver une « responsable du sondage » par communauté. Au terme de notre cueillette de données, tu colligerais les points de vue exprimés, que nous regrouperions par catégories. Nous disposerions alors d'un état de fait de ce que pensent les religieuses, aujourd'hui, en 1965.

Luce, qui n'en espérait pas tant, jubilait. Après avoir raccroché, elle fit trois pirouettes et se rua, sous le regard ahuri de trois consœurs, à la chapelle pour remercier Dieu en un flot de mots spontanés. Puis, elle se mit sans plus attendre au travail.

Quelques mois plus tard, au début de 1966, Luce put compiler les témoignages recueillis, illustrations fidèles des affrontements et blocages régnant au sein des communautés. Elle constitua une anthologie des commentaires les plus représentatifs à l'intention de

Benoît et les lui posta, non sans y avoir joint quelques réflexions personnelles.

Cher Benoît,

La première question cherche à définir le costume. Il est difficile, voire impossible de décrire des costumes types. Cependant, de l'ensemble des témoignages, on peut affirmer que ceux qui sont présentement portés sont lourds, chauds, peu hygiéniques, compliqués, coûteux ; plusieurs répondantes les qualifient même de moyenâgeux et de carnavalesques ! Je me rappelle de ce petit enfant qui m'avait demandé, un jour : « La nuit, comment t'habilles-tu ? »

En fait, les religieuses sont intarissables lorsqu'on aborde la question des inconvénients d'un costume dont elles souffrent quotidiennement depuis des années. La chaleur de la robe les fait suffoquer ; sa lourdeur les encombre et nuit à leurs mouvements. Je te joins quelques témoignages ; tu pourras tous les lire plus tard, si tu le désires.

« L'été, on porte un habit usé : cette usure contribue à l'alléger. Mais je suis petite et mon habit pèse tout de même 18 livres. »

« Quel nid de saleté ! L'hiver, le bas de la robe racle la neige et trempe dans les flaques d'eau et la gadoue. Quand on rentre à l'intérieur pour s'asseoir, notre robe dégoutte et une mare d'eau s'étale sur le plancher. »

« Lorsqu'on déambule en ville, dans la circulation, une serviette à la main, un parapluie dans l'autre, la mante devient dangereuse quand le vent la rabat sur notre tête. »

« Peut-on imaginer un costume plus mal adapté pour faire de la soudure, avec le masque par-dessus le bonnet ? Quel danger pour le feu ! »

« Avec mon habit religieux, à l'université, j'ai l'air d'un musée ambulant parmi la foule d'étudiants. »

« Comme j'aimerais avoir les oreilles à l'air libre ! Un médecin m'a affirmé que mes otites répétées étaient tout simplement dues à ce manque d'air, qui favorise la prolifération des bactéries. »

Quant aux sous-vêtements – en autant que je puisse aborder ce sujet avec un prêtre –, ils ne répondent pas aux normes de santé :

« On est complètement comprimées dans ce corset grotesque : des baleines dans le dos et une autre à l'avant qui monte entre les deux seins jusqu'en haut. Que d'indigestions ce harnachement m'a-t-il fait subir ! Les médecins sont d'ailleurs irrités par les maux d'estomac des sœurs, qui pourraient être aisément évités. Ajoutez par-dessus ça un bandeau très serré pour que les seins ne paraissent pas. Et bien sûr, pas de soutien-gorge, parce que ça pourrait provoquer les hommes… »

Les véritables transformations n'ont pas commencé. Le jour où le costume laïque sera réalité est encore loin… D'une jupe d'une quinzaine de pieds de large, trois pieds ont été retranchés. D'un demi-pouce de terre, le bas des robes a été élevé à trois pouces. Les premiers grands changements sont prévus pour 1967. La robe sera à mi-jambe : on passera de l'austérité à la laideur.

D'après nombre de témoignages, les insultes essuyées par les sœurs à propos du costume constitueraient à elles seules une raison suffisante de l'abandonner. Que de religieuses se font traiter de « pisseuse » !

« J'ai été plus d'une fois injuriée. Un matin, un camionneur arrêté à un feu rouge m'a lancé : "Je vous salue, Marie, pleine de grâce..." »

« Un jour, un automobiliste m'a délibérément éclaboussée. Il n'y avait qu'une flaque dans la rue et il a fait un détour pour passer dedans. »

« En attendant l'autobus, j'ai reçu un grand coup de sac dans le dos. Je n'ai pas osé dire quelque chose. »

« À l'université, plus d'une fois le Minuit, chrétiens a été entonné par les élèves quand une religieuse entrait dans la classe. »

Les arguments en faveur du costume laïque sont multiples et variés. Tu pourras le constater par toi-même :

« On ne se sent pas une personne à part entière. »

« Je me sens comme un singe dans mon costume. Rien ne fait plus mal que d'être détaillée des pieds à la tête par des inconnus. J'ai envie de leur dire : "Je ne vous reproche pas de trouver ma tenue étrange, mais laissez-moi un peu en paix." Le costume suscite le mépris ou, au mieux, la curiosité. »

« J'ai les joues bleues : l'empois ne me convient pas. L'habit n'est pas hygiénique. Pourquoi devrait-on souffrir en le portant ? »

Il reste, cher Benoît, et d'autres témoignages le démontrent, que les arguments contre le costume laïque ne manquent pas non plus : peur de la laïcisation, peur de contrevenir au vœu de pauvreté et d'entacher l'esprit religieux, peur de succomber au goût des beaux vêtements, peur de perdre la protection, réelle ou non, du costume.

« *Les gens désirent savoir à qui ils s'adressent, et une religieuse doit avoir l'air d'une religieuse.* »

« *Quand je vois une sœur en civil, accoutrée comme "la chienne à Jacques", je préfère le costume religieux.* »

« *Il n'y a aucune raison de changer de costume. On a déjà la liberté du blanc et du noir.* »

Voilà, Benoît, un petit aperçu des témoignages reçus. Tu peux y constater l'affrontement entre la tradition et l'évolution, entre une conception passéiste et une autre, plus progressiste. L'essence de la vie religieuse doit certainement s'être perdue pour que notre plus gros problème soit celui du costume.

Réfléchis sur ces témoignages et peut-être, dans un avenir rapproché, pourrions-nous nous voir pour en discuter ensemble ? Je te laisse l'initiative du lieu et du moment ; ma supérieure m'accordera cette permission, j'en suis sûre.

Luce

Benoît fut vivement impressionné par le remarquable travail de classification des témoignages de Luce et la pria d'en ajouter un autre, venu d'un membre d'une congrégation de frères :

« *Lorsque nous avons enlevé la soutane, récemment, nous nous sommes rendu compte qu'aucun d'entre nous n'avait de pantalon long. Nous les avions tous coupés en dessous du genou, puisque le reste était inutile.* »

Tu vois d'ici le spectacle ! écrivit Benoît à Luce. *Ce fait anodin mais révélateur pourrait être signalé dans bien d'autres communautés d'hommes que je connais. Cela dit, chère Luce, nous pourrions nous rencontrer dans quinze jours, le mercredi 12, à l'entrée de la cafétéria de l'université. J'ai très hâte de te revoir.*

Benoît

Deux semaines plus tard, à l'endroit convenu, les deux religieux purent enfin se retrouver. Discipliné et ponctuel, Benoît arriva un quart d'heure à l'avance. Pour se donner une certaine contenance, il avait acheté *Le Devoir,* dont il fut au bout du compte incapable de lire la moindre manchette, car il ne parvenait pas à se concentrer. Sur une chaise voisine, il se débarrassa de son journal et chercha alors à se composer une allure méditative : le dos bien droit, la jambe croisée, l'expression recueillie. Dans son long habit noir fraîchement repassé, il ne semblait pas laisser indifférentes les étudiantes qui passaient, même si son col romain trahissait son état. Le temps lui sembla une éternité.

Soudain, une femme à la démarche assurée, serviette à la main, se dégagea de la masse estudiantine. Plus âgée que la moyenne de ses condisciples, elle arborait un sourire un peu contraint, gêné. Elle était vêtue d'un tailleur laineux rouge vin dont la jupe à plis descendait juste au-dessous de son genou. Enfin, une blouse blanche rabattait les pointes de son collet sur la veste.

— Luce ! balbutia Benoît en la reconnaissant.

À la vue de Benoît, Luce éprouva un malaise indescriptible – elle qui s'était d'abord crue parfaitement maîtresse d'elle-même. Ses tempes grisonnantes, sa beauté virile, l'assurance que confère l'expérience de la vie, tout chez Benoît la troublait. Sa bouche s'asséchа dans la seconde. Il lui restait tout juste assez de conscience pour sentir que son émoi était partagé par son vis-à-vis. Cette connivence transforma leur gêne en un agréable malaise et leur fit comprendre qu'ils pourraient peut-être partager beaucoup plus encore. Mais en cet instant précis, la situation ne se prêtait guère à l'expression des sentiments qui pouvaient les agiter – et les unir.

— Bonjour, Benoît! dit Luce, rayonnante.

— Je n'en crois pas mes yeux... Luce, que t'arrive-t-il?

La question pouvait comporter plus d'un sens... Par bonheur, Benoît ne lui laissa pas le loisir de répondre en détail à cette question, car elle aurait été bien trop heureuse de satisfaire sa curiosité.

— Allons à côté, dans la salle D-23; elle est vide pour au moins une bonne heure. Nous y serons plus tranquilles.

Sitôt installés dans la salle, Benoît réitéra à Luce son étonnement, cette fois en précisant que celui-ci s'attardait à sa vêture. La religieuse en habit laïque voulut bien confier son cheminement à son confrère en col romain:

— Le sondage et mes réflexions m'ont menée droit... chez Eaton! Avec maman – et les sous de papa ! –, j'ai décidé de m'habiller en laïque de pied en cap, au grand dam de beaucoup de mes consœurs. Je porte cet ensemble depuis deux jours. Je voulais m'y habituer un peu avant notre rencontre.

— Tu me vois tout abasourdi de te découvrir en civil... et des tas d'autres questions se bousculent dans ma tête. Ton costume cache-t-il une autre surprise, bien plus grande encore ? Non, ne me réponds pas. Laisse-moi d'abord te dire que je te trouve ravissante. J'avais oublié les bouclettes noires de tes cheveux... Comme tu es belle !

Ce premier compliment d'un homme sur son apparence en quelques décennies teinta les joues de Luce d'un rose bien légitime.

— Disons que je me sens différente... très différente. Quel contraste de pouvoir faire un simple pas sans effort, sans que mes jambes aient à lutter contre les jupes ! Un jour, j'avais essayé de me piquer avec une épingle, pour voir... mais la masse de tissus que je portais a empêché la pointe de l'épingle d'atteindre ma peau ! J'étais comme figée dans un monceau de linge. Habillée en laïque, je sens enfin mon corps. Mes articulations sont libres... et mon esprit aussi ! Mon cas était devenu grave... J'en étais au point où je me mettais complètement nue dans ma chambre tellement j'avais besoin de me sentir femme. Oups ! Ma foi, j'ai toujours la langue trop bien pendue...

Benoît ne parut pas choqué outre mesure par la teneur de cette confidence. Au contraire : il en remit.

— Femme ? Ah, comme tu l'es !

Il observa un long silence ; il avait l'air d'un homme sur le bout d'un tremplin qui hésitait encore à se jeter à l'eau.

— Si je me permets de te parler sur ce ton, c'est que je suis en attente d'un indult de Rome qui me permettra de me laïciser. Ma décision est prise depuis déjà six mois.

Luce eut soudain l'impression d'être arrachée à la force d'attraction et de flotter dans l'espace, propulsée dans une bulle qui la coupait des sons, des odeurs et de la vue du monde qui l'entourait. Elle s'efforça de reprendre le plus vite possible la maîtrise d'elle-même, mais incapable encore de prononcer le moindre mot, elle se laissa aller à ses tics familiers : se lisser les sourcils et cligner des yeux. Du regard, elle implora Benoît de répéter les mots qu'il venait de dire. Il fit mieux encore : il posa ses larges mains sur les épaules de Luce, pour tâcher d'apaiser la chamade de son cœur et les syncopes de sa respiration. Au bout d'un temps, Luce eut assez récupéré pour planter son regard dans celui de Benoît et lui révéler :

— Je t'attends depuis vingt-sept ans !

— Luce, nous nous attendons depuis vingt-sept ans. Je serai bientôt libre. Le reste de ma vie t'appartient.

— Le costume laïque dans lequel je me promène dans le couvent, depuis deux jours, prépare peut-être déjà l'esprit de mes supérieures à ma résolution. Je sais comment me faire rapidement relever de mes vœux. Dans la lettre que j'adresserai à Rome, je n'ai, pour toute raison, qu'à évoquer celle-ci: «Je suis sur le point de manquer à mon vœu de chasteté.» L'indult arrivera vite... Qu'en penses-tu? Moi, je crois qu'il faut accélérer les choses. Tant d'années ont filé... et celles qui nous restent passeront plus vite encore.

Pour toute réponse, Benoît la serra dans ses bras. Leurs deux cœurs battaient à tout rompre, comme ceux d'adolescents découvrant la vie. Et finalement, ce jour-là, dans la salle D-23, la question qui était à l'origine de leur rendez-vous ne fut même pas soulevée. Un seul sujet meubla l'ordre du jour: l'avenir.

Dans les semaines suivantes, les prétextes ne leur manquèrent pas pour se retrouver – non plus à l'université, mais plutôt dans de petits cafés des alentours. Ils se virent aux trois, puis aux deux jours, épris de liberté et d'amour, non sans quelque relent de remords, mais pas suffisant pour gâcher un seul instant de leur idylle. Bien au contraire, ce cachet d'interdit ajoutait un piquant supplémentaire à leurs rencontres.

Rayer un pan entier de leur vie n'était toutefois pas si simple. Plus d'une fois, leurs rendez-vous furent l'occasion de discussions au fil desquelles ils s'employaient à justifier leur décision de quitter leur communauté, en analysant au passage les nouvelles valeurs d'une société en ébullition.

— Ne penses-tu pas, dit Benoît, que les communautés vivent la même crise de valeurs que la société en général? La pratique religieuse est en déclin, on remet en question le statut social des religieux, l'Église est ébranlée dans son ensemble.

— Oui, nous sommes au cœur d'une crise : les anciens modèles sont en train d'éclater. Quant aux nouveaux, où sont-ils ? Dans ces conditions, il est normal que nous, religieux, tentions de redéfinir le bonheur, la liberté, la morale, la vie religieuse elle-même. Nous sommes en pleine quête. Te rends-tu compte à quel point le concile a bouleversé les coutumes de ma communauté en levant la clôture ? La grille est disparue depuis un peu plus d'un an. Nous ne sommes désormais plus isolées du reste du monde.

— J'imagine que le passage de la vie monastique à la vie de congrégation active doit en secouer certaines. Surtout celles qui ont vécu ainsi pendant plusieurs décennies…

— Oh oui ! Les plus réticentes au changement sont celles qui avaient prononcé leurs vœux avec l'intention de mourir cloîtrées, à l'ombre de la grille. Mais en général, les sœurs se sont réjouies. Nous avons enfin pu sortir, aller dans nos familles et avoir une meilleure perception de ce qu'elles vivent. N'empêche que sans grille ni clôture, la vie n'est pas si facile. Avant, on avait mis un point final au monde et coupé net tous les ponts. On ne souhaitait rien parce qu'on ne voyait rien. Maintenant, on sait ce qui se passe et on sait aussi ce qui nous manque. Quand je pense que la clôture nous intimait de ne pas entrer en contact avec d'autres communautés sous peine de perdre l'esprit de la nôtre... Quand les congrégations ont commencé à travailler ensemble, il y a six ou sept ans, nous ne nous mêlions pas. Or, un jour, tu t'en souviens certainement, les journaux en avaient beaucoup parlé, nous étions plusieurs communautés réunies dans un immense amphithéâtre et un animateur jésuite nous a interpellées : « Qu'est-ce que c'est que ces instituts qui se toisent comme des bataillons ennemis prêts à s'affronter sur un champ de bataille ? Faites-moi le plaisir de vous mêler les unes aux autres. Vous êtes toutes de la même Église, mes sœurs ! »

Benoît se rapprocha de Luce et lui souffla son haleine chaude dans le cou. Plus jamais aucune clôture ne les séparerait. Pour un moment, un délicieux silence prit ses aises entre eux. Luce retrouva bientôt sa langue :

— Récemment, bon nombre de sœurs de toutes les communautés ont dû joindre les rangs du marché du travail. À leur grande surprise – en tout cas, celle des religieuses de chez nous ! –, elles ont trouvé un monde totalement différent de tout ce qu'elles avaient pu imaginer. Leur univers s'est alors élargi et enrichi. C'est d'ailleurs mon cas, et ce, depuis quelques années déjà. Nos contacts avec les étudiantes ou les malades ne nous offraient qu'une facette bien incomplète du monde extérieur. Là où une religieuse aurait pu prendre conscience de la condition humaine, c'était dans sa famille... mais avant 1965, les visites étaient si rarement accordées qu'il ne lui était pas possible de vraiment communiquer avec les siens. Figure-toi que des religieuses ne sont pas retournées chez elles depuis... soixante ans ! Encore aujourd'hui, dans certaines communautés – Dieu merci ! plus la mienne –, les religieuses doivent être accompagnées pour aller dans leur famille. Et je ne te surprendrai certainement pas en te précisant qu'il incombe aux parents de payer le voyage de leur fille.

— Je peux comprendre qu'après avoir un peu goûté au monde extérieur, les religieuses accordent soudainement beaucoup d'importance à l'individu.

— Oui, c'est un grand changement... une vraie révolution, en fait. Jusqu'à tout récemment, une sœur un peu trop originale, dotée d'une personnalité le moindrement colorée, éprouvait beaucoup de difficulté à être acceptée par toute la communauté. La communauté, vois-tu, n'aime pas les têtes qui dépassent... Si tu veux rester, il faut que tu coupes tout ce qui déborde, que tu limes tout ce qui fait saillie.

— Bref, tu me dis qu'une religieuse ne pouvait vivre et s'épanouir dans une communauté en tant qu'individu ?

— Absolument. Maintenant, c'est le monde à l'envers : la personne est plus importante que l'institution.

— Ma foi, Luce, tu parles comme une psychologue... une adorable psychologue. Je te donne raison : la personne humaine doit être le principe et la fin d'une institution. Grâce au concile, on est passé de la sauvegarde des apparences à l'authenticité.

— Connais-tu la toute nouvelle discipline appelée « dynamique de groupes » ? Depuis un an, elle nous rend de grands services... Elle nous aide à devenir plus vraies, plus libres, plus spontanées – du moins pour celles qui veulent y participer. Je suis une de celles qui en ont profité et qui ont mieux pris conscience de ce qu'elles sont.

La perspective de découvrir cette « nouvelle Luce », plus consciente d'elle-même et de ses réels désirs, troubla quelques instants Benoît, qui enchaîna :

— Je crois que l'évolution récente de notre société remet en question l'existence même des instituts religieux. Certaines de nos activités traditionnelles les plus fondamentales – la santé, l'éducation – en sont profondément ébranlées. L'accès des masses à la culture a entraîné une recrudescence d'inscriptions dans le système scolaire... Durant les quinze dernières années, le nombre d'élèves au secondaire a quintuplé ! Le problème qui en résulte était écrit dans le ciel : le manque de personnel enseignant compétent. Le rapport Parent a démontré qu'un bon pourcentage d'enseignants religieux ne possèdent pas le diplôme requis pour exercer leur profession. Les communautés enseignantes sont durement touchées, car leur enseignement privé se trouve désormais concurrencé par le réseau public.

— Oui, et c'est ce qui a déclenché la course aux diplômes au sein des communautés. Plus instruites, plus critiques, les sœurs se tournent maintenant vers des valeurs humaines, trop longtemps négligées au profit des valeurs spirituelles.

— Il faut se rendre à l'évidence : l'État a décidé de diriger la société, point à la ligne. Quel chambardement !

Du jour au lendemain, on voit les laïcs intégrer des domaines de l'action sociale où les communautés religieuses jouaient depuis des siècles des rôles de premier plan. Nous assistons, si tu me permets ce mot monstrueux, à une « décléricalisation » de la société.

Depuis quelques minutes, l'intérêt de Luce avait faibli ; elle ne prêtait plus qu'une attention polie aux propos de Benoît. Elle aurait préféré que leur conversation emprunte une tangente un peu plus sensible, pour ne pas dire sentimentale ; elle ne pouvait s'empêcher de penser à l'avenir... leur avenir.

Elle exprima le souhait de rentrer et Benoît la reconduisit le plus près possible du couvent. Avant de se séparer, Benoît lui demanda de prier, si elle le pouvait, pour eux deux. Pour lui, la tâche devenait trop difficile...

De retour dans sa chambre, Luce feuilleta l'exemplaire du *Devoir* que lui avait laissé Benoît. Sans le chercher, ses yeux accrochèrent un article qui traitait de la faiblesse de la formation traditionnelle des religieuses :

Trop souvent, nous rencontrons des hommes ou des femmes-enfants dont l'expérience de la vie religieuse profonde apparaît à peine. L'évolution intérieure qui suit une entrée au noviciat semble être dans le sens du retournement sur soi, de l'infantilisme, du paternalisme (ou du maternalisme) et de la perte du sens social. On dirait qu'on

forme des personnes dont la principale préoccupation est
l'oubli de soi pour soi.

Le papier choqua profondément Luce. Désireuse
d'agir plutôt que de broyer du noir, elle se leva et se
rendit directement à la chapelle où elle adressa à Dieu
une prière bien différente de toutes celles qu'elle avait
pu faire jusqu'à ce jour :

«Mon Dieu, comme j'ai honte de me sentir socialement diminuée dans mon état de religieuse... Voyez
comment nous sommes perçues : comme des enfants
égoïstement repliées sur elles-mêmes. Pardonnez mon
manque d'humilité, mais je n'accepte pas qu'un laïc
accole à ma personne le terme "infantile". Et ce n'est
pas tout... Je dois Vous avouer que la discipline me
pèse et que l'obéissance me répugne. Quand je suis
entrée en religion, c'était pour faire le sacrifice de ma
liberté ; mais aujourd'hui, mes valeurs ont évolué, et
celle qui m'importe dorénavant le plus est l'amour
humain. L'amour de mes malades, bien sûr, mais aussi,
et surtout, l'amour d'un homme dont la seule pensée
suffit à m'épanouir et à me rendre à moi-même. Ce
grand bonheur ne vient pas sans une grande douleur,
une sorte de cassure intérieure. Comme une novice
rebelle, je me surprends à rejeter les prières traditionnelles dont les interminables récitations me sont
devenues des corvées. Évidemment, la cadence des
prières a sensiblement diminué, mais l'évolution se
fait tout de même trop lentement à mon goût. En fait,
c'est ma conception de la prière elle-même qui a

changé. J'aimerais donner valeur de prière à toutes mes activités et à toutes mes expériences nouvelles, y compris l'amour que j'éprouve pour Benoît, un amour auquel je tiens au point que je veuille en vivre l'épanouissement. Au bout du compte, j'ai pris conscience que moi, Luce, suis un individu. J'en ai soupé des prescriptions… Je ne veux plus entendre, autour de moi, ce vieux poncif: «Mes exercices ne sont pas faits…» Cette phrase que me servent à tout vent mes consœurs lorsque je suis attendue à trois endroits de l'hôpital à la fois et que je leur demande un service, alors qu'elles ont toute la journée devant elles. Mon Dieu, je ne Vous vois vraiment plus comme un céleste comptable qui additionne les prières et les sacrifices. Je veux me sentir libre de prier quand et comme je veux. »

De son côté, Éliane s'était remise à la rédaction de son journal, l'évolution du monde ambiant lui offrant un prétexte rêvé pour reprendre la plume. En avril 1966, elle offrit à son directeur spirituel la lecture de passages ayant trait à la crise que traversaient les religieuses.

14 août 1964
Nos familles nous en apprennent beaucoup sur la vie. Avant, personne n'osait parler à une sœur des problèmes qui régnaient au sein de sa famille. Il fallait protéger les sœurs, les garder bien à l'abri de tout ce qui n'était pas joli à voir

et à savoir. *Pourquoi? Parce qu'on nous prenait pour des êtres désincarnés – tant et si bien que nous finissions par le croire. Et quand on est désincarnée, les gens, eux, se disent que nous sommes des anges. Pour ne pas les décevoir, nous faisions semblant d'en être. Bref, nous étions tout… sauf authentiques.*

L'image angélique de la religieuse est bel et bien chose du passé. Au contraire, on se rend compte, à la lecture de certains journaux, comme par exemple Le Devoir, *que les religieuses sont devenues des cibles pour la presse. Les richesses des communautés font tout particulièrement l'objet de critiques. Les reproches adressés à l'Église et aux instituts se répercutent sur chacun de ses membres qui, aux yeux des laïcs, représente tout le corps religieux. Il suffit qu'une sœur ait un mot malheureux, et ce sont des dizaines de milliers de religieuses ainsi que le clergé entier qu'on ridiculise.*

Je ne peux pas dire que je suis heureuse d'être ainsi perçue. Mais je ne suis pas entrée en religion pour être bien vue de la société. Quoique, un minimum de considération n'a jamais tué personne…

2 septembre 1964
Hier encore, les religieuses n'osaient pas dire tout haut ce qu'elles pensaient tout bas. Aujourd'hui, celles qui ont du caractère s'expriment et s'affirment. Une consœur vient justement de faire part de sa prise de conscience à notre mère générale sous la forme d'une lettre, qu'elle m'a donnée à lire. Elle lui révèle que, hors du cercle restreint des parents et des élèves, l'estime portée à la religieuse a diminué dans la société. Elle rapporte quantité de témoignages appuyant

son affirmation, tous produits par des laïcs de l'université : les sœurs souffriraient d'un complexe de supériorité, elles ne se mêleraient pas aux autres, elles seraient menteuses et beaucoup plus empressées à sauvegarder leurs propres intérêts que ceux des autres.

Enfin, elle fait remarquer à notre mère générale que certaines jeunes filles, avides de se consacrer à Dieu, préfèrent ne pas entrer en religion parce que notre vie leur apparaît comme un tissu de pratiques et de devoirs fastidieux.

À mon avis, nous n'en sommes qu'au tout début des contestations ouvertes ; les voix discordantes sont encore rares parmi les religieuses, mais elles se multiplieront rapidement.

28 septembre 1964

En relisant certains articles du Devoir que j'ai conservés, j'ai relu cette lettre d'une religieuse qui signe « sœur Marie » : « Si j'étais identifiée, je me ferais décapiter », écrit-elle. Dans cet article, elle parle de l'accompagnement obligatoire des sœurs quand elles allaient se confesser à l'église voisine de leur couvent (en 1961 !) et aussi de certaines consœurs qui durent interrompre des études jusque-là brillantes sous prétexte qu'aucune autre religieuse de la maison n'était inscrite à la même faculté.

Comme notre petit monde religieux a changé depuis !

15 novembre 1964

Aujourd'hui, on ne compte plus les religieuses qui étudient la sociologie, la psychologie, l'histoire ; elles sont assurément beaucoup plus nombreuses qu'autrefois. Ces *disciplines développent le sens critique et on peut leur attribuer, en partie, la crise d'autorité qui se fait sentir depuis 1960. Cette année-là, les supérieures majeures commençaient à exprimer une inquiétude nouvelle : devant toutes sortes de manifestations d'indiscipline, elles se demandaient si elles n'étaient pas aux prises avec une révolution...*

Avant, les jeunes religieuses obéissaient sans discuter ; aujourd'hui, elles demandent... des explications avant d'obéir. Parfois même... elles discutent ! Les supérieures majeures s'interrogent maintenant sur les manières de mieux exercer leur autorité, fût-ce au prix d'une délégation du pouvoir. L'évolution s'est donc mise en branle depuis quelques années... mais les structures en place n'ont toujours pas bougé.

8 décembre 1964
Le concile a pris fin aujourd'hui. Il est encore trop tôt pour juger de ses effets. Les autorités de la communauté n'ont, en tout cas, pas renoncé au pouvoir, même si elles ont renoncé aux biens de la terre ainsi qu'à la chair.

21 janvier 1965
La grande crise de l'autorité que je pressentais a éclaté. D'un côté, des supérieures qui abusent de leur pouvoir ; de l'autre, des lâches qui n'osent plus exercer leur autorité. Des religieuses progressistes veulent saborder les règlements, et les conservatrices s'accrocher à la tradition disciplinaire comme à une bouée. De jeunes religieuses (d'âge ou d'esprit) se trouvent déchirées entre ce qu'elles sont et ce qu'une tradition désuète les oblige encore à faire paraître ; en face

d'elles, des aînées entendent bien les faire rentrer dans le rang.

Quant aux supérieures, prises entre les deux feux de cet affrontement, elles cherchent activement une façon novatrice de faire valoir leur autorité.

10 mars 1965

Les nouvelles initiatives de partage des fonctions et les expériences à l'essai sont certes intéressantes, mais j'ai le sentiment que la crise de l'autorité bat encore son plein. Je sens que des progrès ont eu lieu et qu'un dialogue s'est engagé, mais je sens aussi que je suis à bout de patience. Suis-je vraiment libre de m'exprimer? Je ne l'étais pas avant, je ne le suis pas davantage aujourd'hui. J'en suis arrivée à une opinion qui me semble franchir un point de non-retour: telle qu'elle est encore exercée aujourd'hui, l'autorité repose sur une conception immorale. Nous sommes en 1965, et les sujets ne sont toujours pas consultés avant leur nomination.

Je ne me reconnais plus, moi qui étais naguère si obéissante, si soumise à la règle, si attachée à mes vœux. J'ai déjà certainement vécu plus de la moitié de ma vie, et voilà que j'ai des désirs impérieux d'émancipation et que j'aspire intensément aux biens de la terre qui m'ont toujours échappé.

20 mars 1965

Aujourd'hui, j'ai été convoquée au Conseil provincial. En entrant dans la pièce, j'ai vu une rangée de six chaises; face à elles, il n'y en avait qu'une seule: la mienne. Ce décor, fait pour m'impressionner, ne m'a pas plu et j'ai refusé de m'asseoir. Chacun de mes mots a été soigneusement pesé :

— Mes sœurs, l'autorité véritable repose sur un dialogue un peu plus égal que celui que vous vous apprêtez à engager.

Me voilà à jamais étiquetée.

8 mai 1965

Ces derniers temps, parce que je réclamais des horaires plus souples, les autorités ont répandu la rumeur que j'étais malade. Aujourd'hui, j'ai pris la peine de préciser à ma supérieure que je n'étais aucunement souffrante. C'est une solution trop commode que de tout vouloir justifier par l'excuse de la maladie. Cela empêche les supérieures de poser aux religieuses la vraie question : « Qu'est-ce qui ne va pas ? »

10 mai 1965

Je viens de parler à ma chère cousine Gertrude, dont le bonheur comme enseignante, et comme religieuse, ne s'est pas démenti. Toutes ses consœurs ne connaissent pas sa chance, surtout celles qui sont moins bien instruites qu'elle. Elle m'a raconté que, lors d'une attribution des obédiences, devant trois cents de ses camarades, une religieuse de sa communauté a appris solennellement qu'elle était nommée dans un couvent situé aux États-Unis... Elle qui ne connaît pas un traître mot d'anglais ! Évidemment, elle a éclaté en sanglots. Elle part ces jours-ci. Elle n'a d'autre choix que de s'initier aux rudiments de l'anglais dans le train...

Je vois venir le jour où les obédiences ne tomberont plus sur nos cous comme le couperet de la guillotine.

18 mai 1965

Alors que les anciennes en sont encore à dire « ma révé-rende mère » et à faire des courbettes, une jeune postulante m'a raconté avoir surgi dans le bureau de la supérieure générale en s'exclamant « Bonjour, sœur Denise ! »

Il y a encore quelques années, nulle n'osait même fouler le sol du corridor du Conseil général...

3 juin 1965

J'ai du mal à me faire à la transition actuelle : je ne me sens ni tout à fait comme une ancienne ni tout à fait comme une jeune religieuse. Autour de moi, je remarque que les nouvelles posent des questions avant d'agir, au lieu d'obéir aveuglément aux directives qu'on leur donne. Les anciennes elles-mêmes n'obéissent plus à la lettre, comme autrefois. Et tel est, je dois l'avouer, mon cas, surtout en ce qui concerne le vœu de pauvreté, mon talon d'Achille.

22 août 1965

Je remercie le ciel pour m'avoir donné une supérieure intelligente, aux yeux de qui chaque sœur est différente. Cet après-midi, alors que nous discutions, elle m'a demandé :

— Croyez-vous que la double vie actuelle, religieuse et laïque, soit plus facile que la double vie monastique et active ?

Sa question m'a fait réfléchir... Après mûre réflexion, je ne crois pas que l'une soit plus facile que l'autre.

14 janvier 1966

Dieu soit loué ! Les supérieures semblent maintenant vouloir collaborer avec les sœurs depuis que les principes de responsabilité partagée ont fait leur apparition dans les couvents. Inutile de dire qu'il s'agit de quelque chose de totalement inédit en communauté : ce qui peut être pris en charge par l'individu doit l'être. La pyramide de commandements semble s'être inversée, partant du bas plutôt que du haut. La supérieure devient dorénavant une sœur comme les autres – une animatrice. Quant aux vœux, maintenant que nous sommes responsables, on nous laisse pour ainsi dire les interpréter, chacune à notre façon. La discipline spirituelle ? Nous n'avons plus aucune consigne en ce sens, et aucune ligne de conduite. Chacune est livrée à son libre arbitre...

20 janvier 1966

Je dois reconnaître l'évidence : notre communauté est entrée de plain-pied dans l'ère des loisirs ! Il s'agit d'une toute nouvelle manière de vivre notre liberté. Pendant les récréations, la télévision fonctionne, maintenant. Cependant, comme certaines préfèrent converser et d'autres regarder les émissions, le groupe a été divisé. Nous avons aussi commencé à jouer aux cartes. Mais les joueuses de cartes font un tel tapage qu'elles dérangent les téléspectatrices et les « parleuses ». Autant dire qu'une sœur qui aurait manqué une année de notre actualité serait stupéfaite de découvrir la récréation telle que nous la vivons aujourd'hui, et se pincerait pour être sûre d'être bien éveillée.

Loisirs... Ce mot me renvoie à un autre, quasi tabou chez nous : « congé ». Les premiers congés de notre communauté ont fait leur apparition en 1942. Nous avions alors droit à une journée, que les frères appelaient la « journée blanche ». Celle-ci pouvait être passée au jardin ; s'il pleuvait, on la prenait dans le grenier. Elle ne pouvait être remise à une date ultérieure.

Plus tard, les congés se sont bonifiés : trois jours par année, puis quatre et bientôt cinq. En 1960, des camps ont été achetés par la communauté et les sœurs ont vu les congés s'étirer à une semaine entière. Nous faisions encore de la chaloupe en grande robe ! Bien pis : Gertrude m'a raconté qu'elle avait campé avec tout le « bazar » : robe, guimpe, voile, etc. Depuis l'an dernier, nous avons... un vrai chalet. Et le plus beau, je viens tout juste de l'apprendre : à compter de l'an prochain, nous pourrons prendre nos vacances dans notre famille.

22 janvier 1966

Aujourd'hui encore, j'ai l'esprit buissonnier et je veux poursuivre mes réflexions sur les vacances, car depuis deux jours, je me suis rappelé une foule de choses...

Je me souviens qu'en 1960, on pouvait se baigner dans la rivière, mais pas sans une sorte d'imperméable peu esthétique qui traînait jusqu'au sol. Luce m'a raconté que, dans sa communauté, vers la même époque, les sœurs en vacances se baignaient après neuf heures du soir ou avant six heures du matin pour ne pas être vues.

Il a fallu l'intervention du concile pour faire comprendre aux autorités religieuses que le sport et la détente n'étaient pas des luxes. Pour ce qui est des sports, je me considère comme trop âgée déjà pour en pratiquer de nouveaux – je ne m'imagine ni sur une piste de ski ni dans une piscine –, mais j'aimerais me remettre au tennis...

Quant aux vacances, je me permets d'en rêver...

28 février 1966

La manie du consumérisme a bel et bien gagné les couvents. Depuis peu, j'ai la permission d'aller dans les magasins... et je ne m'en prive pas. Tout me tente, et je dois lutter en permanence contre mes pulsions depuis que le costume se laïcise. Dès mon entrée dans le magasin, au premier article qui traverse mon champ visuel, je me demande s'il ne me le faut pas... Et il y a souvent une petite voix à mon oreille – ange ou démon? – pour répondre « oui ».

Il n'est pas facile d'exercer cette liberté nouvelle de pouvoir consommer quand on a été à ce point marquée par le vœu de pauvreté. Quand, du jour au lendemain, des personnes qui n'ont pour ainsi dire jamais vu la couleur de l'argent disposent d'une certaine somme, il est écrit dans le ciel qu'elles vont chercher à rattraper le temps perdu. Et dire que tous ces sous m'attendent... des sous que je pourrais dilapider jusqu'au dernier si le cœur m'en disait.

Par ailleurs, je suis toujours touchée de voir bon nombre de mes consœurs s'envoler pour l'Amérique latine afin d'œuvrer dans des milieux pauvres. Moi, je reste au sol, bien ancrée ici. La pauvreté ne m'intéresse pas. Ni celle des autres... ni la mienne!

Il n'y a qu'à ce journal que je puisse le confier: je rêve du jour où je prendrai possession de ce que mon père m'a laissé. N'était-ce pas son ultime volonté que j'accepte cette somme? Je sais, je sais, je n'ai ni le droit de le penser ni celui de l'écrire. Mais cette idée fixe ne m'obsède pas moins...

2 mars 1966

Autre signe des temps, et pas des moindres : nous avons maintenant une voiture pour douze religieuses. À dire vrai, nous n'en avons absolument pas besoin ; un autobus passe à deux minutes de marche du couvent. Cela dit, il y a longtemps que je rêve d'une voiture... mais d'une voiture pour moi toute seule.

Le costume laïque est de plus en plus en vogue dans la communauté et il excite la soif de consommer de celles qui n'ont pas encore succombé à la tentation. Les excès sont iné-vitables... Certaines achètent de très belles choses, qui font déferler des torrents de commentaires... et de « placotages » ! Les chuchotis fusent au passage des nouvelles élégantes : « As-tu vu sa robe courte ? » « Quel décolleté ! » « Que sa coiffure est mondaine ! » C'est la course aux achats, et la ruée pour suivre la mode et ses tendances. Je n'ai rien contre ces attitudes. Pourquoi devrais-je me priver maintenant que le budget personnel a été érigé en système dans la communauté ?

Comment conclure ces observations sans répéter que la somme d'argent qui m'attend en fiducie ne quitte jamais très longtemps mes pensées ?

4 mars 1966

Sœur Évangéline, 83 ans, avec qui je partageais mes réflexions sur le monde de la consommation, m'a retracé l'évolution de la nourriture dans notre communauté.

Quand elle est entrée, en 1903, les sœurs mangeaient du pain et du beurre, le matin ; jamais de fruit. Le midi, le menu comprenait de la soupe, de la viande, des légumes (toujours frais, grâce au potager de la communauté, et sans engrais chimique s'il vous plaît); jamais de dessert. Ceux-ci faisaient très «rustique»! À l'occasion, on pouvait s'offrir une pomme, qui ne trompait la faim de personne. Le soir, aucune viande n'était servie, remplacée par une bouillie de légumes et de sauce blanche. Entre les repas, on ne prenait jamais la moindre bouchée. C'était défendu. La collation a commencé en 1932. Cette année-là, la fille d'un médecin est entrée. Elle a fait comprendre aux sœurs qu'une postulante devait manger davantage. Les sœurs d'expérience le savent: une postulante mangerait du fer! Peu ou pas habituée à travailler sans arrêt et sous tension, elle est perpétuellement affamée. A alors débuté la tradition du verre de lait dans l'après-midi…

Depuis l'an dernier, on mange quand le besoin s'en fait sentir. Une cafétéria vient d'être aménagée, avec un système qui nous permet de manger à tout moment et en nous offrant une infinité de choix… «C'est bien le temps, maintenant que je suis vieille et sans appétit!» maugrée sœur Évangéline, avec un sourire en coin.

D'après ses souvenirs, la nourriture d'autrefois était bonne et saine. On servait toujours de la vraie crème. Comment ne pas regretter les bons gros chaudrons de gruau de jadis, quand on voit les petites boîtes de Corn Flakes du jour?

Chère sœur Évangéline… Elle a l'air si heureuse… Son bonheur me trouble.

Avec tout ce qui se vit dans la communauté, il m'arrive de ne plus savoir où j'en suis… Ou si peu.

Chapitre 10

Quo vadis, ma sœur ?

Éliane dut combattre la tentation de s'ouvrir de ses préoccupations à Alice, devenue novice au début de février 1966. Toutefois, le besoin de parler de ses états d'âme la taraudait sans répit. La prière n'était pour elle d'aucun secours ; elle se sentait de moins en moins capable de réprimer son allergie à l'obéissance et au vœu de pauvreté. Ce vœu et la promesse du legs paternel se livraient dans son esprit un duel sans merci qui harassait sa conscience.

Après mûre réflexion, elle prit la décision de se libérer de ses démons en parlant franchement à Alice. Sa jeune sœur était une adulte désormais ; peut-être la comprendrait-elle ? En fait, Éliane découvrit avec bonheur qu'Alice n'en pouvait déjà plus de sa vie de novice, aux antipodes de ses attentes, et n'attendait qu'un signal de sa grande sœur pour lui confier ses sentiments :

— Je suis si heureuse de pouvoir te parler ! Ma vie religieuse ne se révèle pas du tout cette rencontre que j'avais tant espérée avec le Christ. J'ai pris en horreur la cloche qui marque les exercices : lever, prière, messe, repas, prière, ménage, lecture... Cette vie réglée à la minute n'est pas pour moi. J'ai besoin de fantaisie, d'inattendu, et je dois pouvoir faire preuve d'initiative personnelle. Et puis, je ne supporte pas tout ce silence! Je veux voir et connaître le monde, Éliane... Je veux pouvoir aller au cinéma, au théâtre, au concert, magasiner, voyager, me sentir libre! Peux-tu comprendre ça?

— Tes paroles, Alice, m'inclinent à croire que tu n'as peut-être pas la vocation religieuse. Il faut tout de même que tu saches que le noviciat n'est pas toujours une chose facile. Mais au-delà des difficultés qu'il présente, crois-tu en ce que tu fais?

— Bien peu... Les progrès que je peux accomplir dans ma vie intérieure ne me rapprochent pas de la vie religieuse: ils m'en éloignent.

— Que comptes-tu faire? Rester ou sortir?

— Je me sens beaucoup trop redevable à la communauté pour lui dire: «Au revoir et merci, je tire ma révérence.» Les sœurs m'ont adoptée à l'âge de trois ans... Que serais-je devenue sans elles? Elles m'ont élevée, éduquée, gâtée même. Elles sont ma famille. Dans quelques jours, j'aurai dix-sept ans. Comment les quitter maintenant, alors que grâce à elles, je suis devenue une femme?

— Il faut que tu penses d'abord à toi. Pose-toi uniquement les questions essentielles: «Qui suis-je?» «La vie religieuse est-elle pour moi?» «Suis-je prête à demeurer le reste de ma vie dans un couvent?» «Est-ce dans cette voie que je vais m'épanouir, que je vais m'accomplir?»

— Éliane, j'ai peur… Je pense sans cesse aux trois vœux que je devrai un jour prononcer et tous trois me font également peur. L'obéissance ? Elle me révulse. Le vœu de pauvreté ? Je déteste avoir à quémander le moindre sou, le moindre billet d'autobus quand je connais la somme que notre père a mise de côté pour moi. La tentation de jouir de cet argent – de *mon* argent – est très forte. Quant au vœu de chasteté… Comment dire ? Il me laisse perplexe. Comment renoncer à l'amour d'un homme quand on ne sait même pas ce que c'est ? Je n'ai jamais connu d'homme, mais quand j'entends les discours sur la chasteté, « beauté suprême de l'être humain », je me permets d'avoir des doutes… de gros doutes ! Suis-je anormale ? L'homme que je ne connais pas encore m'attire…

— Je t'avoue que si les hommes me laissent indifférente, je partage, en revanche, ta tentation concernant notre héritage. J'ai presque développé une obsession pour cet argent : en songe, je le touche, je le compte, je le dépense et, surtout, je rêve de le donner comme je l'entends à qui ça me chante. Imagine ce que nous pourrions faire avec nos deux comptes de banque mis en commun…

Ces révélations laissèrent Alice ahurie ; elle n'avait jamais songé que sa grande sœur, en apparence si sage, entretenait elle-même de telles pensées :

— Je ne croyais pas que nous puissions être à ce point sur la même longueur d'onde. Cela me conforte dans mes appréhensions, mais aussi dans mes rêves…

— Quelle sorte de rêves ?

— J'aimerais avoir une grande maison dont la moitié serait aménagée pour des jeunes filles qui sortent de l'École de réforme. Elles pourraient venir prendre un café et parler de leurs problèmes, de leurs propres rêves. Elles pourraient même y recevoir un ami de garçon. Ce serait une maison ouverte où elles trouveraient de la chaleur humaine et du réconfort en quittant l'école.

— Alice, c'est incroyable ! J'ai moi-même rêvé d'une maison d'accueil de ce genre, ces derniers temps. Tu sais, j'ai bel et bien accumulé toutes les expériences dans ce couvent. J'ai été profondément heureuse en tant que religieuse et ma foi demeure aussi forte qu'elle l'était à l'époque de mon noviciat, la sensiblerie en moins. Mais j'ai beaucoup rêvé, depuis quelque temps... rêvé éveillée, j'entends. Je songe sérieusement à me laïciser. Je ne renoncerais pas à une certaine vie religieuse, mais je la mènerais dans une tout autre dimension, dans un confort qui me manque depuis tant d'années. J'ai envie d'une maison meublée à mon goût, d'une belle voiture et de liberté. Liberté de me faire plaisir et de faire plaisir aux autres.

— Tu te rends compte ? Nous sommes en train de faire des plans d'avenir ensemble... Accepterais-tu de fonder cette maison d'accueil avec moi ? Nous pourrions commencer par habiter ensemble, mettre nos héritages en commun et réaliser peu à peu nos plans ?

La petite et la grande sœur se tombèrent dans les bras l'une de l'autre ; entre ces deux-là, aucun contrat ne serait jamais nécessaire.

De la poursuite d'une vision à son accomplissement, il y a parfois un fossé énorme, et le cheminement du rêve à la réalité peut être long et pénible. Éliane vivait ce passage de sa vie avec la crainte d'aboutir dans un cul-de-sac. L'époque requérait une grande force de caractère pour briser des vœux et braver des interdits. Passer de la vie religieuse à la vie séculière impliquait une longue réflexion, qui ne se traduisait pas toujours par un départ. Le confesseur d'Éliane lui conseilla, plutôt que de s'engager dans le projet de rédiger la biographie de son père, de prêter sa plume à un exer-cice infiniment plus utile : coucher sur papier ses raisons de sortir ou de rester dans sa communauté. Éliane le remercia pour son excellente suggestion, qu'elle suivrait une fois de plus à la lettre.

Pourquoi briser mes vœux

Sortir ? J'y songe depuis environ quatre ans. Jusqu'à ce jour, je n'osais envisager la chose sérieusement tellement c'était mal vu. Je sais trop bien comment celles qui sortent sont considérées : comme des damnées. J'avoue redouter les réactions de maman et de certains membres de ma famille. Je comprends les religieuses sans vocation qui préfèrent

attendre le décès de leurs parents pour quitter leur congrégation. Je crains aussi de déplaire à ma communauté, qui
m'a tant donné. Je lui dois toutes ces années d'études universitaires que j'ai accumulées, mon savoir, ma culture ainsi
qu'une part de ma personnalité.

Même si papa est décédé, j'ai l'impression de continuer
à entendre sa voix, qui me répète inlassablement de partir.
À l'époque, l'idée de l'écouter ne m'aurait jamais traversé
l'esprit ; aujourd'hui, l'écho de sa voix me hante. Se peut-il
qu'il ait senti que je n'étais pas à ma place – qu'il l'ait
compris bien avant moi ? Tout est confus en moi.

Autrefois, mon esprit refusait de voir plus loin que les
œillères qui m'étaient imposées. J'acceptais, par exemple,
l'interdiction de lire les journaux comme un bienfait pour
l'âme. En fait, mon évolution a commencé lors de mon arrivée à l'université. Une remarque d'un jésuite qui enseignait
la littérature m'a frappée : « Oubliez que vous êtes sœur et
pensez que vous êtes femme. » Quel choc ! J'en ai discuté
avec deux autres sœurs. Peu à peu, de conservatrice que
j'étais, je suis devenue progressiste, puis revendicatrice, et
enfin, contestataire. Quelle différence entre la femme que
j'étais en 1945 et celle que je suis devenue !

Entre nous, sœurs qui avons décroché des diplômes
universitaires, nous échangeons depuis deux ans. Après
avoir discuté de l'institution, nous avons glissé sur la religion, telle que pratiquée dans la communauté, puis sur les
vœux d'obéissance et de pauvreté. Pour ce qui est de la
chasteté, la question n'a pas été abordée ; en fait, le mot n'a
même pas été évoqué, puisqu'il s'agit d'un vœu absolu. Tout
est remis en question. Plus nos discussions s'allongent et

s'approfondissent, plus nous sentons croître notre désir de liberté.

La communauté est demeurée dans son ensemble ce qu'elle était dans les années 1940 et 1950. Les sœurs trop avant-gardistes sont envoyées aux Philippines. Moi, j'ai eu l'audace de refuser, prétextant que ma mission se déroulait au Québec. Mais la supérieure vient de décider pour moi, et je devrai partir à contrecœur. Et si je décidais de résister à sa décision? Du coup, ma réflexion a fait un énorme bond en avant. Toutefois, l'idée de briser mes vœux me donne le sentiment de renier Dieu.

Comment justifier ma sortie de communauté? La question est complexe, mais je vais essayer de l'élucider. La première raison qui s'impose à mon esprit, c'est la lenteur avec laquelle la communauté s'adapte à la société et l'encadrement excessif dont nous sommes l'objet. Bien sûr, la plupart des sœurs se sentent bien dans un cadre; sans lui, elles s'effondreraient. Le mollusque marche avec sa carapace; sans elle, il s'écrase.

Mais il me faut aller beaucoup plus loin dans le passé pour remonter aux sources de mon désir de liberté. À vingt ans, je n'avais pas suffisamment de maturité pour faire cet adieu définitif au monde. Durant les cinq années préparatoires à mes vœux perpétuels, j'étais en pleine ferveur religieuse, et mon esprit, pour le meilleur ou pour le pire, était emprisonné dans cette ferveur, sans que j'en aie vraiment conscience.

Et puis, s'il me faut être tout à fait franche avec moi-même, la promotion sociale a sûrement pesé lourd dans mon choix. À cette époque, nous, les religieuses, jouissions d'un respect qu'on a peine à imaginer aujourd'hui. Notre rôle au sein de la société était fondamental. L'éducation, les soins de santé et le service social reposaient entre nos mains. À l'heure actuelle, l'État nous tire le tapis de sous les pieds. Bref, nous avons perdu beaucoup de notre rôle, de notre importance et de notre prestige.

Depuis deux ans, une permission postconciliaire nous accorde le droit de sortir seules à l'extérieur du monastère ; comment nier que cette nouvelle latitude m'ait insufflé le goût de la liberté de mouvement et de pensée ? À l'université, il m'est possible de dialoguer avec des étudiants, des professeurs et des religieuses d'autres communautés... et mon sens critique s'en aiguise d'autant, au point où je commence à me sentir marginale dans ma congrégation.

En règle générale, j'ai l'impression que les autorités ne veulent pas vraiment s'adapter à la vie contemporaine. La meilleure preuve est le haut pourcentage de postulantes qui, depuis 1960, ne se rendent plus au terme du noviciat.

J'en reviens donc à la question de mon confesseur : « Pourquoi sortir ? » Parce qu'on ne tient pas assez compte des valeurs humaines dans la communauté. Un exemple parmi tant d'autres ? Une compagne est sortie en 1958. Elle y avait pensé bien avant, mais avait attendu le décès de sa mère. Le jour des funérailles de celle-ci, elle a téléphoné à la supérieure pour l'informer qu'elle resterait avec son père le lendemain – car elle avait droit à trois jours dans sa famille pour l'occasion. C'était la fête des Mères, et elle désirait le soutenir moralement. La supérieure lui a répondu que ce n'était pas une raison et a ajouté : « Mais si vous pensez vous rendre utile en adressant les cartes de remerciements, restez. » À une raison humaine, elle avait préféré invoquer une raison purement pratique.

Je ne veux plus rien me cacher à moi-même. J'ai hérité de mon père le goût de manipuler l'argent, de le faire fructifier, d'établir un budget, de magasiner, de consommer, de donner... Avoir à quémander dès qu'un besoin se fait sentir m'est devenu une chose insupportable. Dans cette maison où vivent plus d'une centaine de sœurs, on fait la queue chaque matin pour se faire reprocher de dépenser des sommes somptuaires alors qu'on nous octroie des montants insignifiants: cinq dollars par mois!

Durant quelques instants, mon plus cher désir est de quitter la communauté; un moment plus tard, le doute me ronge à nouveau. Est-il bien sensé d'abandonner la vie religieuse pour un avenir incertain? Mon adaptation au monde sera-t-elle aussi facile que je veux bien le croire? Trouverai-je un mari à mon âge? Est-ce que j'en ai seulement envie? M'identifierai-je ouvertement comme une ex-religieuse? De quelle façon les autres me percevront-ils?

Je le confesse, mon appétit d'argent autant que de liberté me fait rêver d'un bonheur hors de ces murs. Je sais que j'ai fait un vœu, une promesse à vie; briser un vœu, ce n'est pas rien... Mais je trouve trop injuste de voir tout ce que je gagne tomber dans l'escarcelle de la communauté. C'est mon argent, mon argent que je veux posséder en propre. Disposer à ma guise des sous de papa, réaliser un grand projet avec Alice, voilà ce qui m'incite à franchir le pas.

Mais à peine ai-je écrit ces mots que le doute m'assaille à nouveau, avec son bataillon de questions insolubles.

Parviendrai-je à vivre sans un cadre religieux? À me prendre en charge après tant d'années de vie en communauté? Suis-je bien consciente du geste que je veux accomplir? J'ai peur de devenir mondaine. Aurais-je perdu le sens spirituel à cause de mes études avancées? À cause de la fascination de la fortune qui m'attend? Les principes qui, autrefois, ont justifié mon engagement à vie semblent avoir perdu leur force et leur sens. Je continue à les respecter par automatisme, par habitude. Mais je ne peux nier l'évidence: je ne suis plus la même et je n'ai plus les motivations premières qui ont fait de moi une sœur.

Pourquoi demeurer religieuse? Je n'en vois plus la raison. J'ai quarante-sept ans. Si une seule raison devait me convaincre de refaire ma vie au plus vite, celle-là suffirait: mon âge. Mais comment être certaine de ne pas le regretter un jour? L'ambivalence de mes pensées me donne le sentiment que deux personnes m'habitent. Quand je pense à toutes ces années où j'ai déployé cette ardeur exagérée, qui me faisait me ruer dès quatre heures du matin à la chapelle, les yeux sagement rivés sur le bout de mes souliers... J'ai pris mon perfectionnement à cœur. Je voulais être humble; je voulais être la plus humble de toutes: j'étais d'un orgueil sans borne! Avec l'âge, la réalité m'a rattrapée et cet idéal de sainteté m'est passé. D'ailleurs, ai-je encore un idéal, du moins dans ma vie religieuse?

Les réflexions du père Liégé viennent me conforter dans mon projet, de plus en plus mûr, de tourner le dos au couvent. Il m'a fait prendre conscience du triomphalisme de l'Église, dont je vois partout la trace: dans ma communauté, chez le cardinal Léger, dans les propos des curés et des religieux avec leurs réponses toutes faites et leurs clichés. Trop longtemps je me suis laissé submerger par cette façon de penser. Je ne me posais aucune question, je ne faisais montre d'aucun sens critique. Aujourd'hui, je remets tout en question : l'Église, mon institution et, bien entendu, ma propre personne. Comme je suis devenue critique !

En me relisant, une évidence me saute aux yeux : seule la peur me fait repousser ma décision. Une autre relecture plus tard, ma résolution est arrêtée et approuvée par mon confesseur. Si je suis encore angoissée, je suis aussi – et enfin – soulagée.

Je sors. Par conviction. Tout comme Gertrude reste par conviction.

Éliane ne voulait pas de demi-mesure, et c'est pourquoi elle ne s'embarrassa pas de demander une exclaustration, c'est-à-dire de pouvoir passer six mois de vie dans le monde tout en restant membre de la communauté – six mois de réflexion avant de choisir son camp : abandonner ou non la vie religieuse. Certaines y avaient eu recours pour pouvoir profiter de l'aide matérielle de la communauté pendant leurs mois d'essai de vie laïque. Pour Éliane, il n'en était pas question : elle savait qu'elle sortait pour ne jamais revenir. Elle formula donc tout de suite sa demande officielle. Comme bien d'autres ex-religieuses, elle savait parfaitement quelle raison invoquer pour demander son indult à Rome et recevoir une réponse aussi rapide que concluante : elle se permit un pieux mensonge en mentionnant qu'elle s'apprêtait à enfreindre son vœu de chasteté.

Lorsque la réponse à sa demande d'indult arriva, une compagne vint l'avertir de se présenter chez monseigneur. On aurait pu croire que cette tâche incombât normalement aux autorités, mais celles-ci ne lui adressaient plus la parole. On était en 1967 : les religieuses ne manifestaient aucune sympathie à l'égard de celles qui quittaient leur rang. On remit sa dot à Éliane, mais malgré ses vingt-neuf ans de labeur acharné au sein de la communauté, elle n'eut pas droit à son fonds de pension.

De son côté, Alice jubilait à la perspective de découvrir enfin le monde. Son départ de la communauté lui coûtait moins qu'à sa grande sœur : elle n'y avait pas encore pris racine. Elle prendrait donc congé du noviciat en même temps qu'Éliane, sa protectrice, sa mère adoptive et sa sœur, ferait ses adieux définitifs au couvent. Elle venait d'avoir dix-huit ans ; son aînée en aurait bientôt quarante-huit.

Arrivée dans la maison en qualité d'orpheline, Alice n'avait jamais vraiment senti l'appel de la vie religieuse. Si elle était restée parmi les sœurs, c'est tout bonnement parce qu'elle n'avait nulle part ailleurs une place dans la société. À l'égard de ces femmes qui l'avaient recueillie, logée, nourrie, vêtue et éduquée gratuitement, sa dette de reconnaissance lui pesait lourd. Mais elle pensait qu'elle pourrait à son tour donner à d'autres selon le principe de la réversibilité des mérites qu'on lui avait enseigné. Éveillée toute jeune aux problèmes de la délinquance juvénile, Alice couvait son projet de service social depuis déjà longtemps. La rondelette somme qui l'attendait à sa sortie lui permettrait de concrétiser rapidement son rêve d'une maison d'accueil. Épaulée à tous points de vue par sa demi-sœur, Alice entrevoyait l'avenir avec confiance et, au fond d'elle-même, osait déjà rêver, encore fugacement il est vrai, au prince charmant qui viendrait mettre la dernière touche au tableau de son bonheur.

Dévouée à ses élèves et à ses études, Gertrude s'investissait aussi à corps perdu dans l'effort de «rénovation» de sa communauté.

De 1955 à 1964, au Québec, les «sorties» de religieuses s'étaient chiffrées à environ quatre cent vingt. Du côté des prêtres, séculiers et réguliers, les défections ne se comptaient plus. Gertrude avait joint les rangs d'un groupe de religieuses de dix communautés différentes qui, toutes, prenaient conscience du fossé entre l'engagement professionnel et la vie religieuse. Ensemble, elles s'unirent pour préparer un projet susceptible de donner aux religieuses un regain de vie spirituel face aux activités du monde moderne. Informée du projet, la communauté de Gertrude décida d'aller de l'avant.

Devant ses consœurs, Gertrude exposa la nature du projet de la façon la plus concrète qui soit en posant,

par exemple, des questions crues : les sœurs devaient-
elles persister à faire leur méditation matinale dans
une minuscule chapelle mal aérée et trop petite pour
elles alors que la moitié d'entre elles s'endormaient en
priant ? Gertrude suggéra plutôt que chacune se livre
à sa méditation dans sa chambre, libre de pouvoir se
lever, ouvrir la fenêtre, marcher de long en large et
ainsi se présenter mieux disposée pour la messe. La
proposition fut bien accueillie – du moins dans sa
communauté. Ailleurs, des supérieures réagirent mal,
et même parfois fort mal.

Une amie de Gertrude lui relata l'effet provoqué
dans sa communauté par la même proposition :

— Une sœur instruite s'est levée et a dit posément
que cela ressemblait à de l'hérésie. La supérieure a
sentencieusement opiné du bonnet. Et les sœurs se
sont mises à applaudir à tout rompre. Sur ces entre-
faites, par un hasard providentiel, on m'a demandé au
téléphone. J'ai salué mes consœurs et je suis sortie –
sortie dans tous les sens du terme. Je ne suis jamais
revenue dans ma communauté.

À l'écoute de ce témoignage, Gertrude se trouva
privilégiée de vivre dans une congrégation qui ne craignait pas d'évoluer au rythme de la société. Heureusement, d'autres communautés partageaient ce désir
d'évolution ; toutes ne se repliaient pas frileusement
sur elles-mêmes en diabolisant le changement.

En même temps que ses études sur le cinéma, Gertrude poursuivait ses recherches en généalogie, secondée par le père Déziel, dans le but de retracer les parents de sa mère. Même si les dernières années ne lui avaient pas permis d'avancer d'un iota dans sa quête – le néant ! –, elle ne se décourageait jamais, en vraie généalogiste qu'elle était. Sa mère, Anne Michaud, orpheline adoptée, née de « parents inconnus », apprendrait un jour toute la vérité sur ses origines. Dès que Gertrude découvrait la présence d'archives sur des Michaud, elle se rendait sans perdre une seconde compulser des liasses de documents jaunis et craquants. Un jour, dans la boîte d'un dépôt d'archives dûment étiquetée « Michaud », elle mit la main sur une lettre où il était question d'un Marceau Gagné admis chez les clercs de Saint-Viateur en 1918.

Intriguée, elle s'interrogea sur la présence de ce Gagné parmi ces Michaud. Comme ce Gagné venait du village de Saint-Damase, près de Saint-Hyacinthe, elle profita d'un congé pour se rendre sur place, espérant rencontrer des personnes âgées qui pourraient lui en apprendre davantage. L'aînée du village, Clémence Therrien, l'accueillit dans sa petite maison de la rue Principale, heureuse de cette visite inopinée qui lui donnait l'occasion de parler de souvenirs qui n'intéressaient plus personne autour d'elle depuis longtemps. En fait, la digne et vieille dame lui révéla la clé du mystère qui titillait Gertrude :

— Marceau Gagné, ce n'est pas son vrai nom : il s'appelle Marceau Michaud. Je le sais, car je l'ai bien connu. À l'âge d'un an, il a été recueilli par les Sœurs Grises à leur orphelinat de Montréal, à la suite des décès rapprochés de ses parents. Son père, un bûcheron, est mort dans un camp, le dos brisé sous un arbre, et sa mère est morte de la rougeole peu après. On était alors en 1899 – j'avais vingt ans! Le petit a été adopté par des Gagné, qui lui ont donné leur nom. Voilà pourquoi cette lettre faisait allusion à un Marceau Gagné. Il n'était pas enfant unique: il avait plusieurs frères et sœurs. L'un d'eux a même épousé une Cantin d'ici. L'une de ses sœurs a été adoptée par un médecin de la région. Je peux même vous dire qu'elle est devenue infirmière et qu'elle a marié à son tour un médecin de la région de Trois-Rivières. Les autres, je ne sais pas, ils ont dû se disperser aux quatre vents. Ou bien j'ai oublié...

Le récit de Clémence Therrien stupéfia Gertrude. Après avoir surmonté son émoi, la religieuse apprit à son interlocutrice qu'elle était la fille unique d'Anne Michaud.

Dans le train qui la ramenait au couvent, Gertrude ne put se concentrer sur autre chose que les révélations de la vieille dame de Saint-Damase. Elle se rappelait trop bien les propos du père André, son ami de l'université, originaire de ce même village, et comprit que ses liens avec lui n'étaient plus seulement spirituels: tout semblait indiquer qu'il était son cousin, et le neveu de sa mère. Un peu puérilement, elle s'amusa à chercher des points de ressemblance entre eux et en trouva au moins un: leurs grandes oreilles!

Elle aurait donné cher pour que ce train la conduise directement à Sainte-Claudine, chez ses parents, pour qu'elle puisse annoncer la grande primeur à sa mère : elle avait une famille ! Mais elle se calma en se disant que mieux valait attendre le moment opportun pour lui apprendre la nouvelle.

Le lendemain, Gertrude se rendit en courant à l'université et attendit avec une impatience presque douloureuse le cours de littérature. Arrivée bien avant l'heure, elle bondit pour ainsi dire sur son confrère en s'exclamant :

— Bonjour, cousin !

Interloqué, le père André la regarda, bouche bée, sans comprendre.

— Oui, mon cousin ! Vous êtes le neveu de ma mère et, par conséquent, mon cousin.

Après lui avoir rapidement expliqué où leur nom se rejoignaient dans l'arbre de la famille, Gertrude prit plaisir à observer l'ahurissement de son « nouveau » cousin. Une étreinte désormais légitime suivit la démonstration de la preuve. Le plus beau resterait encore à venir : la reconstitution de la famille et l'organisation d'une grande fête pour les retrouvailles.

À la lumière de leurs liens familiaux, Gertrude et le père André Gagné se virent davantage. Les « mon père » et « ma sœur » firent place à « André » et « Gertrude », et bientôt les « tu » succédèrent aux « vous ». Tout était devenu plus simple pour eux quand venait le temps d'échanger sur leur sujet de prédilection : la crise des communautés religieuses.

Entre eux, pas la moindre équivoque possible : ils entretenaient une amitié cousin-cousine, et rien d'autre.

— Malgré l'évolution certaine de mon institut, ce n'est pas facile de « rénover » les communautés. Nous traversons une véritable tourmente spirituelle.

— Je suis d'accord. Il ne faut surtout pas abandonner, sinon les recrues manqueront à l'appel.

— Les jeunes recrues de notre couvent vivent ce décrochage du catholicisme autoritaire en harmonie avec la crise de foi qui sévit dans le monde. Je me demande parfois si je n'erre pas en tentant de convaincre les religieuses de se faire aux nouvelles valeurs du monde actuel. Avec mon groupe de sœurs, nous adoptons des attitudes qui choquent nos camarades conservatrices et exaspèrent les progressistes.

— Il faut être patient, dit André. Toi qui es proche des jeunes et des moins jeunes religieuses, que pensent les unes et les autres de ces temps troubles ?

— Les sœurs qui ont été formées dans l'ancien moule ne semblent pas comprendre qu'elles peuvent s'éloigner de la façon de vivre qu'elles ont toujours connue. Certaines récitent encore leurs prières comme des perroquets. Il leur faut des prières toutes faites, qu'elles lisent noir sur blanc dans les livres. À la chapelle, elles ont de vraies bibliothèques dans leurs bancs, et elles ont besoin d'un maximum d'éclairage pour bien lire. J'ai demandé à l'une d'elles si elle apportait un livre pour lire quand elle allait visiter quelqu'un ; elle n'a même pas compris le sens de ma question.

J'aimerais que notre spiritualité prenne une tournure un peu plus vivante, un peu plus spontanée...

— Tu as raison, Gertrude. La prière doit changer de forme. Tout comme la charité, entre autres choses.

— Tu touches un point sensible. Une sœur d'une autre communauté m'a raconté que sa petite-nièce, orpheline de mère, a souffert de scorbut. Un médecin a accepté de la soigner gratuitement et a demandé à la supérieure d'offrir à la petite une prothèse dentaire d'une valeur de cent dollars. La supérieure a refusé net. «Envoyez-la au service des pauvres!» a-t-elle répondu. Elle venait pourtant de verser cinq cents dollars aux œuvres du cardinal à l'occasion des fêtes.

Gertrude s'interrompit un moment et secoua la tête de dépit. Elle soupira:

— La charité... Dans certaines congrégations, il se consacre beaucoup de temps à médire des élèves ou des sœurs. La charité est une chose difficile à vivre dans une communauté. L'âge, le milieu, l'éducation, tout est tellement différent d'une sœur à l'autre. J'ai eu la chance de vivre presque tout le temps au collège, où les sœurs enseignantes partageaient beaucoup de choses en commun. Il existe aussi cette autre fausse conception de la charité: l'égoïsme. J'ai même connu une supérieure, que toutes tenaient pour une sainte, qui faisait tous les matins son chemin de croix sans se presser le moins de monde, pendant qu'une longue file de sœurs l'attendaient pour demander leurs permissions. Mais c'était avant 1960... Une autre époque! Les sœurs ne sont pas mal intentionnées. La nature du problème réside dans la conception religieuse. Un exemple parmi tant d'autres, qui te paraîtra peut-être anodin, mais qui illustre bien mon propos : l'été, la communauté ne veut pas prêter ses courts de tennis, qui sont clôturés et dûment cadenassés. Résultat : les jeunes sautent par-dessus la clôture et les sœurs envoient leur homme de confiance les chasser.

Gertrude et André se séparèrent en s'embrassant sur les joues, comme ils en avaient pris désormais l'habitude, mais pas sans que le religieux lui ait promis d'établir la liste des membres de la famille Michaud-Gagné en vue d'organiser les retrouvailles familiales.

Si les débats soulevés par le concile avaient infligé aux communautés l'effet d'un électrochoc, ils permirent à plusieurs religieuses de se laïciser avec un minimum de dégâts psychologiques. Les religieuses qui, comme Luce, avaient de moins en moins le sentiment d'être à leur place, se sentirent libérées – surtout celles que la communauté avait dotées d'un niveau de préparation professionnel supérieur. Mais sortir n'était pas pour autant un geste aisé à accomplir, ni pour Luce ni pour la majorité de ses consœurs.

Luce subit des pressions «d'en haut». Outre l'argument massue de la fidélité, constamment asséné aux religieuses en cours de réflexion, les autorités s'employèrent à convaincre Luce du caractère éphémère de sa tentation. On s'évertua à lui faire croire qu'elle était victime du « démon de la quarantaine », sorte de démon du midi s'attaquant aux religieuses, événement voulu par Dieu pour les soumettre à une épreuve d'amour – une ultime tentation censée rendre leur foi plus forte encore.

La supérieure de Luce défendait aux sœurs la moindre allusion à celles qui avaient fait défection, sinon pour en parler comme de « moutons noirs » qu'il valait mieux voir hors de la bergerie, livrés aux loups du monde. D'ailleurs, les sœurs sécularisées devaient entourer leur sortie d'une grande discrétion, sur ordre de la supérieure. Une amie de Luce lui décrivit ainsi son départ du monastère :

— Sur les directives de ma supérieure, j'avais tout organisé pour quitter le couvent à six heures et quart, pendant la méditation matinale des sœurs à la chapelle. Dans la communauté, personne n'était au courant de mon départ, sauf les membres du conseil. Je n'ai pu faire mes adieux à personne. Mes vêtements de laïque étaient dissimulés dans ma cellule. Mon itinéraire était planifié à la seconde près : corridor, ascenseur, corridor... On m'a laissée transporter tous mes effets, toutes mes boîtes, seule jusqu'au parloir. Mon frère, qui m'y attendait, était bien prévenu qu'il nous faudrait partir très vite. Qu'il me faudrait, en somme, m'enfuir comme une voleuse...

Comme Gertrude pouvait maintenant décider par elle-même d'une sortie lorsque le motif s'y prêtait, elle alla visiter Luce, le 26 septembre 1966, à la suite d'un appel téléphonique de celle-ci. Elle s'y rendit au volant d'une des quatre voitures de la communauté mises à la disposition des religieuses, commodité qui dénotait le degré d'évolution de son couvent.

En présence de sa cousine, Luce ne perdit pas de temps et alla au vif du sujet : les insatisfactions de son statut de religieuse. Évidemment, ce n'était pas une première ; Gertrude était même abonnée aux discours de Luce sur la question. Mais cette fois, pourtant, leur discussion alla beaucoup plus loin qu'à l'ordinaire.

— Luce, dis-moi franchement le fond de ta pensée : envisages-tu de sortir de communauté ?

— Je n'ai rien à te cacher. Tu me connais mieux que moi-même. L'idée de sortir me fait mal, parce que j'ai toujours été heureuse auprès des malades. Laisse-moi revenir sur quelques faits… J'ai fini mon baccalauréat en *nursing* en 1961, après six ans d'études, car j'étais en même temps responsable d'un groupe de quatre-vingts malades. Les autorités prétendaient que j'étais forte et capable ; comment aurais-je pu les détromper ? Eh bien, je n'étais pas si forte et si capable qu'elles le croyaient : je suis en train d'y laisser ma peau. J'adore mon travail, mais il est terriblement exigeant. Il m'a valu des ulcères d'estomac saignants et plusieurs transfusions. L'an dernier, comme tu sais, j'ai subi une chirurgie de l'estomac, dont on m'a enlevé la majeure partie. Récemment, un surcroît de fatigue m'a occasionné une rechute. J'ai maigri de sept livres en une semaine, ce qui n'a aucunement incité les autorités à me permettre un repos préventif. Je reconnais qu'on m'a très bien soignée pendant ma maladie ; à partir de ce moment, les sœurs ont commencé à prendre conscience que ma charge de travail était trop lourde. Mais il était trop tard... Il *est* d'ailleurs trop tard. Écoute bien ce que je vais te dire : la vie à côté de la vie, c'est fini !

— Ta décision est donc prise ?

— Oui. À l'origine de ma sortie, que j'espère pour le plus tôt possible, il y a un concours de circonstances... Je te raconterai, si tu as la patience de m'écouter.

— Avec plaisir, chère Luce. Je t'aime !

— Alors voici mes explications en vrac... D'abord, je ne me sens pas aimée dans cette vie. Le Seigneur est peut-être amour, mais c'est un amour loin et froid. L'amour des sœurs ne me suffit pas. J'ai besoin des bras d'un homme autour de moi. J'ai tenu le coup aussi longtemps que j'ai pu, mais maintenant, je suis en train de me dessécher. Tu sais, les relations charitables, en communauté... Je te fais grâce d'exemples. Ce serait te tenir un langage mesquin, infantile, comme c'est hélas ! trop souvent le cas entre sœurs. La directrice de l'hôpital a des œillères, et son esprit aussi. Moi, je ne veux plus porter le voile ; il aplatit mes cheveux à l'heure où je dois sortir. Tu vas comprendre un peu plus tard les motifs de cette coquetterie... Or, elle ne veut pas que je l'enlève sous prétexte que c'est un « signe ». Signe de quoi ?

— Moi qui suis habillée en laïque depuis deux ans déjà, je ne le vois pas, ce signe...

— Eh bien, moi non plus. Tous ces enfantillages me tuent; ma santé mentale s'en ressent. Mon voile, il vient de sauter! Je te le dis de but en blanc: je veux sortir d'ici et poursuivre une vie laïque. Mieux encore, tiens-toi bien, je rêve de me marier.

— Rien de tout ce que tu m'apprends ne me surprend. Quand une sœur sort, elle donne à sa supérieure générale – et par là même, à Rome – des raisons par écrit. Lesquelles comptes-tu invoquer?

— Premièrement, le manque d'importance accordé aux valeurs humaines. En deuxième lieu, la lenteur du renouveau de la vie religieuse de ma communauté. Troisièmement, l'abus des supérieures dans l'exercice de l'autorité. Et la dernière raison va l'emporter sur toutes les autres: je suis amoureuse.

À l'écoute de cet aveu, Gertrude ne put réprimer un mouvement de stupeur, un mouvement de recul involontaire: la révélation la prenait vraiment par surprise.

— Je suis… Je suis…

— Abasourdie?

— Abasourdie, oui, merci, c'est le mot. Puis-je savoir de qui tu es amoureuse?

— Je te l'ai dit: je n'ai rien à te cacher. Te souviens-tu de Benoît? Depuis quelques mois, nous nous revoyons, plus précisément depuis qu'il attend son indult.

— Je te le répète: je suis abasourdie.

— La communauté m'est devenue parfaitement étrangère. Je ne suis plus capable de respecter les obligations de la vie religieuse. Dans la lettre que j'ai adressée à la Sacrée Congrégation, il y a deux semaines, c'est ainsi que je l'ai mentionné. Tu es la première à qui j'en parle, après Benoît et la supérieure générale. J'ai écrit, entre autres choses : « Je ne crois pas à une vocation définitive ; je crois à la démarche que j'ai faite, à un certain moment de ma vie, et je crois aujourd'hui que je me sens inadéquate. » J'ai aussi écrit, en toutes lettres : « Je ne peux plus vivre mon vœu de chasteté. » Avec un pareil argument, tu penses bien que la réponse ne tardera pas à venir. J'aime follement Benoît et la vie religieuse n'a plus aucune raison d'être pour moi.

— Penses-tu depuis longtemps à sortir ?

— Dans la formule de demande à Rome figurent trois questions : « Depuis combien d'années êtes-vous en communauté ? » Vingt-huit ans. « Depuis quand songez-vous à sortir ? » Vingt ans. « Qu'arrivera-t-il si l'on vous dit non ? » Si on me dit non, je me soumettrai à la décision de Rome… Mais j'ignore la suite des événements.

— La vie au-dehors du monastère t'inquiète-t-elle ?

— Pas le moins du monde. Benoît m'attend. Je n'aurai aucun problème à me trouver un emploi dans le réseau de la santé : je suis une infirmière diplômée. En attendant, comment te dire ? Le vœu de chasteté me dérange.

— Si je te comprends bien, tu ne sors pas pour des raisons théologiques…

— Laisse-moi rire… Tu m'as bien comprise : je sors pour des raisons fondamentalement humaines. Je veux être libre d'aller là où je désire, à ma guise. Je veux être libre de penser comme je l'entends. Je veux aimer qui je veux.

— Peut-être es-tu entrée en religion trop jeune ?

— Je n'en sais rien. Tout ce que je sais, c'est qu'à l'âge auquel je suis entrée, j'étais pieuse, fervente même, mais peu docile. Et surtout, j'étais amoureuse de Benoît et je le suis demeurée. Avec le temps, mon travail a complètement pris le pas sur ma vie religieuse ; j'ai mené en fait une vie plus active que religieuse, voilà la vérité. Je veux faire la même chose dans le monde, et de façon combien plus agréable, aux côtés de Benoît. Je veux aussi mener une vie moins éreintante. Me lever aux aurores me tue. Ma charge de travail est disproportionnée. Le soir, je suis morte. Je prends rarement des vacances : mon seul jour de congé par semaine m'échappe trop souvent, car on ne trouve personne pour me remplacer, et je perds du même coup l'occasion de récupérer. Parmi les autres griefs, il reste bien sûr l'impossibilité de s'exprimer librement. On se fait mal à toujours ravaler ses opinions, ses sentiments. Et à côté de cette censure, on essaie trop souvent de contrôler votre pensée et de vous faire dire des choses que vous ne pensez pas, ce qui est aussi dommageable. Je me souviens, au noviciat, la situation était courante. Un jour, la maîtresse des novices a voulu me faire dire que j'avais bâclé mon travail de couture. Je lui ai dit que je ne l'avais pas réussi, mais que je ne l'avais en aucun cas bâclé. Et je n'ai pas baisé la terre, comme elle m'avait demandé de le faire. Le drame, en communauté, c'est que la majorité plie devant l'autorité, mais la dénigre dans son dos.

— Je constate que tu n'as jamais perdu ton esprit critique… Dis-moi, quelle est, de toutes les raisons qui te font sortir, celle qui fait pencher la balance ? Benoît ?

— Je pense bien que c'est Benoît. À dix-huit ans, déjà, je l'aimais pour la vie, et mes sens étaient à peine éveillés. Imagine plus tard, à trente-cinq ans… et aujourd'hui ! Je vais te raconter un petit fait banal qui m'a aidée à voir clair en moi. Avec une provinciale rencontrée à l'hôpital – une femme sortie de communauté depuis quelques années –, j'ai discuté récemment du vœu de chasteté. Pour elle, la chasteté équivalait à se sentir bien dans une relation d'amitié ou d'amour avec un homme, dans une relation épanouissante. J'ai alors enfin compris que la chasteté n'avait plus aucun sens pour moi… tout comme les vœux d'obéissance et de pauvreté.

— Comme je te reconnais, chère Puce : toujours aussi franche, honnête et entière. À l'évidence, tu étouffes entre ces murs. Va ! Ta vie est au-dehors, dans le monde, là où tu pourras rester toi-même. Si la supérieure sait que tu es sur le point de sortir, j'en déduis que la provinciale le sait également. A-t-elle fait quelque chose pour te retenir ?

— Oui, bien sûr. Elle a eu recours à l'argument du scandale, en me mettant en garde contre ce que penseraient mes consœurs et ma famille de ma trahison. Elle a aussi invoqué les études que la communauté m'a payées. Quand ma résolution a été prise, il y a un mois, j'ai fait, presque au même moment, une atteinte rénale qui m'a valu une hospitalisation. Crois-le ou non, des sœurs se sont succédé à mon chevet en me disant: «Vous voyez bien que le bon Dieu vous parle...»

— J'espère que tu ne te sens pas coupable, au moins...

— Quand j'ai commencé à préparer ma sortie, j'avais l'impression de renier Dieu. Mais depuis que je suis décidée, je ne ressens plus la moindre culpabilité. Quant à ma famille, du premier au dernier, chacun attend seulement le moment de fêter ma sortie et de me serrer dans ses bras.

— Ma Puce, à moi d'ouvrir le bal et de te serrer dans mes bras. Nous n'en serons que plus près l'une de l'autre. Et fais-moi plaisir de transmettre mes salutations à Benoît, que j'ai hâte de connaître...

Chapitre 11

Après l'étale

Son père l'attendait. Soulevée par un grand bonheur, Luce dévala l'escalier du monastère, un sac à la main. La veille, sa sœur Isabelle lui avait apporté une robe, un manteau d'hiver, un béret, des gants et des souliers. Ceux-ci étaient malheureusement trop grands pour les petits pieds de Luce. La supérieure, de faction près de la porte, voyant à ce que la sortie se fasse discrètement, lui permit de garder ses souliers de sœur, à la condition qu'elle les rapporte sous peu au couvent.

On était le 4 mars 1967. Luce sourit au soleil qui brillait sur les toits et sur les branches verglacées des arbres. Arrivée à la maison familiale, elle eut peine à marcher sur la glace vive du petit trottoir menant jusqu'au perron. Cramponnée au bras de son père, elle traînait ses pieds en riant à gorge déployée, rajeunie de quarante ans. Si ses pieds ne quittaient pas le sol, son esprit s'envolait par-dessus les maisons et les arbres. Elle emplissait ses poumons d'air frais et de parfums d'hiver, sans penser à rien d'autre qu'à vivre, enfin libre.

Avant de se prendre en main, elle accepta d'être hébergée par ses parents, pour qui la présence de leur fille était une fête. Chacun à sa façon, ses frères et sœurs voulurent lui faire plaisir : l'un l'emmena voir les troupeaux d'animaux, un autre lui rappela de beaux souvenirs de famille, une autre encore lui fit cadeau de deux chemisiers. Le cadet des neveux, sans méchanceté, s'amusa des souliers de sa tante : il lui demanda si elle comptait léguer à un musée ses fins escarpins, tant ils lui faisaient l'impression d'antiquités. Luce, qui n'avait rien perdu de son sens de l'humour avec les années, se mit alors à esquisser des pas de danse en fredonnant *Le Lac des cygnes*.

C'est à Montréal que Luce entendait commencer sa nouvelle vie, et c'est là qu'elle chercha un appartement. Après vingt-huit ans de service ininterrompu à l'hôpital, la communauté lui avait remis sa dot – deux mille dollars – et ajouté à cette somme cinq cents dollars pour l'aider à payer ses premiers mois de loyer. En tant que directrice d'un département, son salaire des dernières années auraient dû s'élever à douze mille dollars – mais elle n'en avait pas touché, bien entendu, le moindre sou. Elle ne reçut pas davantage d'argent pour toutes les journées supplémentaires durant lesquelles elle avait dû travailler plutôt que de prendre ses congés, lors des trois dernières années. Plus tard, elle apprendrait que l'hôpital avait versé à la communauté une somme de cinq mille dollars pour ses vacances non prises.

Quand elle quitta le monastère, les sœurs lui refusèrent même le droit d'emporter une chaudière de plastique qu'elle avait dans sa chambre. Elles surveillaient de très près celles qui osaient partir. Durant les jours précédant leur départ, leurs moindres gestes étaient épiés et les armoires, fermées à clé.

Après vingt-huit ans au service des malades et de sa communauté, Luce, à l'heure de refaire sa vie, sortait avec deux mille cinq cents dollars et ses souliers de sœur. Elle ne rumina pas longtemps la mesquinerie de ses anciennes consœurs. Le sentiment de liberté qui l'animait valait tout l'or du monde.

Grâce à l'expérience acquise dans sa profession, Luce se trouva aisément un poste intéressant à l'Hôpital du Sacré-Cœur : trois petites semaines lui avaient suffi pour être embauchée par les sœurs de la Providence. La sécurité matérielle que lui conférait ce poste à temps plein lui permit de louer un petit logement à proximité de son ancien couvent.

Lorsqu'elle prit possession de sa chambrette, elle dut d'abord disputer l'exclusivité des lieux à un bataillon d'araignées. La pièce ne tarda pas à reluire de propreté, mais son installation s'apparentait encore à du camping urbain. Pendant les premiers temps de son emménagement, la cuisinière de son ancienne communauté lui préparait, tous les deux jours, dans le plus grand secret, une petite boîte de nourriture. Quand la supérieure découvrit la manigance, Luce reçut une jolie facture ! Deux mois plus tard, elle déménagea dans un appartement de deux pièces qu'elle équipa de meubles marchandés chez un brocanteur : un grand lit, une commode, une table, deux chaises et un peu de vaisselle.

Elle retrouva Benoît aussitôt qu'elle le put et ils se rencontrèrent le plus souvent possible, libres, heureux de se toucher, de s'aimer, d'échafauder des projets, certains immédiats, d'autres plus lointains. De son côté, Benoît s'était trouvé un poste de professeur à la faculté de théologie de l'Université de Montréal où il enseignait deux cours, l'histoire du christianisme et celle des religions. Durant les mois qui suivraient, chacun de son côté, Benoît et Luce allaient s'épanouir sur le plan professionnel.

Benoît proposa vite le mariage à Luce, dont la réponse ne se fit pas attendre :

— Demain, si tu veux ! Je suis prête. Je t'attends depuis trente ans et je t'attendrai encore plusieurs années s'il le faut...

Un ami de Benoît les marierait bientôt à la chapelle du Sacré-Cœur de la basilique Notre-Dame de Montréal.

Luce demanda à Gertrude de magasiner avec elle et de la conseiller pour l'achat d'une robe et d'une paire de souliers. Ni l'une ni l'autre n'ayant suivi les tendances de la mode, elles s'aventurèrent avec appréhension à l'étage des dames, chez Dupuis et Frères. Si Luce ne savait trop ce qu'elle voulait, elle savait, en revanche, ce qu'elle ne voulait pas : une robe grise ou brune, couleurs qui lui donnaient la nausée. Les deux cousines tombèrent d'accord sur le choix d'une robe bleu pâle à fines rayures bleu marine avec des manches longues et un col chinois auquel Luce, coquette, épingla une fleur de velours jaune imitant celle qui poussait dans l'Île-aux-fleurs-de-mai. La supérieure de Gertrude ayant fait don d'une certaine somme d'argent pour l'achat d'un accessoire, la religieuse jeta son dévolu sur trois œillets miniatures en soie blanche que Luce fixerait dans sa chevelure noire. Les deux femmes s'amusèrent à les placer à divers endroits, à la recherche de l'agencement le plus joli ; d'une façon ou d'une autre, Luce était toujours aussi rayonnante, toujours aussi ravissante.

Le jour du mariage, la famille immédiate de Benoît et quatre vieux amis des oblats assistèrent à la cérémonie ; du côté de Luce, père et mère, frères et sœurs accompagnés de leur conjoint ainsi qu'une vingtaine de neveux et de nièces, d'oncles et de tantes Varin et Savard, furent présents.

En voyant cette réunion de famille, Gertrude eut le cœur gros en songeant à la seule absente de marque : Éliane.

Une vieille connaissance de Benoît, devenu supérieur d'une maison de jésuites, prêta la salle commune dans laquelle se déroula la réception de la noce. Un comité, présidé par la mère de Luce et une sœur de Benoît, avait préparé la fête dans ses moindres détails : une telle s'était occupée du potage, un autre du gâteau, un autre encore des boissons. Un ami oblat faisait tourner des disques sur un *pick-up*, tout en entrecoupant ces musiques d'autres morceaux qu'il jouait lui-même au piano. Gertrude n'avait pas été en reste : avec deux de ses compagnes du couvent, elle s'était chargée de la décoration de la salle. *Ite missa est :* la fête pouvait commencer !

Benoît et Luce se désiraient si fort, depuis si longtemps, qu'ils avaient le sentiment de se posséder sans même avoir consommé leur désir. L'intensité presque électrique de leur amour remplissait la salle et frappait les invités, tous conscients, du premier au dernier, qu'ils assistaient à un événement hors de l'ordinaire.

Dans le train qui les conduisit au *Château Laurier*, à Ottawa, Benoît et Luce ne pensèrent qu'à se blottir l'un contre l'autre. Dieu merci ! il y avait autour d'eux des gens qui les empêchaient de donner libre cours à leur désir, car celui-ci avait désormais atteint son paroxysme. Eussent-ils été seuls dans leur wagon qu'ils n'eurent plus répondu d'eux. Pour l'heure, ils se contentaient d'écouter battre leur cœur en anticipant leurs futures étreintes.

À la gare d'Ottawa, les deux amoureux hélèrent le premier taxi.

— Au *Château Laurier*, s'il vous plaît, dit Benoît, avec un rien de fébrilité dans la voix.

— Mais… vous y êtes, répondit le chauffeur, mi-figue, mi-raisin. Vous n'avez qu'à traverser la rue.

Benoît et Luce levèrent la tête, interloqués, et éclatèrent en chœur d'un grand rire : en effet, l'établissement se dressait fièrement de l'autre côté de la rue, face à la gare. À se déguster – plutôt dévorer ! – sans cesse des yeux, ni l'un ni l'autre n'avait remarqué le célèbre hôtel.

Quelques minutes plus tard, ils déposaient leurs valises sur la moquette de la chambre et s'étendaient en travers du lit, où chacun put s'offrir enfin à l'autre. Ils s'embrassaient, se touchaient, se découvraient, tout en se débarrassant de leurs vêtements dans un égal mélange de frénésie et de maladresse. Lorsqu'ils furent nus, ils s'abandonnèrent dans les bras l'un de l'autre. Une vague de chaleur électrisante, jamais ressentie auparavant, monta en Luce. Leurs lèvres s'effleuraient, puis s'éloignaient avant de se frôler à nouveau – un ballet sensuel qui plongea les deux amants euphoriques dans les vapeurs de l'ivresse amoureuse.

Ils conquirent lentement leur corps, se caressèrent doucement en prenant le temps, tout le temps d'apprivoiser cette chair si longtemps, si mutuellement appelée, espérée, rêvée. Et si les lèvres de Benoît n'avaient pas été prises par une tâche plus impérieuse, elles auraient pu articuler au creux de l'oreille de Luce les vers de Musset : «Comme le lit joyeux de deux jeunes époux. Ils feuilletaient ensemble et se récitaient l'un à l'autre le bréviaire des amours. »

Le retour à la vie normale, une fois consommé le voyage de noces, réclamait sa part de projets. Avec deux salaires réguliers, Benoît et Luce purent se permettre d'imaginer la maison de leurs rêves. Le luxe et le dernier cri ne les intéressaient pas ; ils désiraient un havre de paix gai, coloré, odorant, qui leur rappellerait une nature dont ils avaient toujours été friands : une petite maison s'ouvrant sur une grande serre où s'aligneraient fleurs, épices, tomates, asperges. Au beau milieu des fleurs, ils installeraient la salle à manger.

La première étape consista en l'achat d'un terrain à Roxboro, un endroit à mi-chemin entre ville et campagne, qui convenait à leur appétit de calme, sans être trop loin de leur lieu de travail. Un an plus tard, ils furent en mesure d'emprunter à la banque et démarrèrent le chantier de leur future maison, avec l'aide de deux ouvriers. Trop heureuse de pouvoir mettre la main à la pâte, Luce apprit à manier marteau, scie et autres outils avec l'enthousiasme d'une jeune apprentie.

La serre représentait le plus délicat de leurs travaux d'Hercule : ils en confièrent l'exécution à un artisan spécialisé. Il importait d'exposer la pièce le plus possible au midi ; pour s'épanouir, plantes et fleurs requerraient de la lumière. Le toit devait être incliné selon un certain angle afin d'obtenir une concentration idéale des rayons du soleil. Luce s'était bien documentée sur l'aménagement d'une serre. Minutieuse, elle avait tiré des plans et dessiné les gradins sur lesquels reposeraient les cultures en pots, les fleurs, les plants d'épices. En bonne planificatrice, elle avait établi la liste des végétaux qu'ils envisageaient de cultiver afin d'adapter l'aménagement de la serre en conséquence. Chaque végétal ayant ses caprices, la ventilation, l'aération et le chauffage firent l'objet d'études approfondies par l'artisan et Benoît.

Au terme de trois mois d'efforts, la serre fut prête à être inaugurée. Lorsque le tout dernier clou fut planté, Luce prit une chaise, la plaça au milieu de la pièce de verre et se mit à imaginer des fleurs de toutes les couleurs, de toutes les textures, de toutes les grosseurs. Bientôt, il lui vint l'idée d'installer une salle à manger de fortune – une boîte recouverte d'une nappe et deux chaises maculées de peinture firent très bien l'affaire – et de préparer une intime pendaison de crémaillère. En attendant que Benoît revienne de l'université, elle cuisina un potage aux carottes. Elle disposa deux assiettes sur la table en improvisant une chanson : « L'amour s'est présenté dans ma vie, s'est fait oublier, puis il est revenu. L'amour vient, l'amour va, l'amour s'appelle Benoît. Il est l'homme de ma vie. Bon appétit ! »

Au milieu de la pièce meublée de façon rudimentaire, qui attendait encore ses fleurs et ses plantes, futures pensionnaires, Luce et Benoît mangèrent peu, distraits par la rencontre de leurs regards, qui mettaient leur âme à nu. Dans cette serre, les plantes pousseraient et les fleurs s'épanouiraient à l'image de leur amour.

Le 24 mars de la même année, Éliane sortit à son tour de communauté. Elle n'était pas seule : elle partait en compagnie d'Alice, qui dépassait maintenant sa demi-sœur de quatre pouces. Éliane faisait bonne figure dans son tailleur rouge vin de chez Holt Renfrew ; il lui plaisait bien, car il lui rappelait celui qu'elle avait porté à l'hôtel *Windsor*, la veille de son entrée dans la congrégation. Même si elle avait trimé dur jusqu'au dernier jour précédant son départ, elle donnait plutôt l'image d'une femme fraîche et dispose qui revenait de vacances au soleil. De son côté, Alice n'était pas en reste, avec sa robe vert pomme, légèrement moulante. Son fier port de tête rappelait celui de son père.

La mère d'Éliane et l'aîné des frères, Jean-Paul, les attendaient devant la porte du couvent. Les étreintes furent longues et silencieuses, les larmes de joie, éloquentes. Au bout d'une éternité, la mère parvint à parler la première :

— Bonne nouvelle vie, mes chéries !

Alice venait d'être adoptée par maman Savard.

La sortie d'Éliane fit l'objet d'une grande fête à Sainte-Claudine. Frères, sœurs et petits-neveux, tous tenaient à souligner le retour à la vie séculière d'Éliane et à faire la connaissance de sa petite protégée. Dans le jardin, deux tablées de seize places suffirent tout juste à accommoder la famille en liesse. Lorsque le ragoût de boulettes appartint à l'histoire, l'assemblée s'engouffra dans la maison et s'entassa dans le salon pour visionner des films tournés pendant l'enfance et l'adolescence des neveux et nièces d'Éliane. Rires et commentaires fusaient de toutes parts ; Alice, un peu dépassée, goûtait une expérience inédite : celle d'une grande réunion familiale.

Toutes ces émotions vidèrent littéralement de leurs énergies Éliane et Alice qui, couchées vers minuit, dormirent jusqu'à neuf heures du matin, grasse matinée appréciable pour des ex-religieuses habituées à se lever à cinq heures et demie.

Au petit-déjeuner, en compagnie de sa mère, Éliane aborda enfin le sujet qu'elle avait tant remué dans sa tête depuis des mois : la question de l'héritage. Elle fut alors stupéfaite d'apprendre que la somme léguée par son père dépassait le montant annoncé lors de la lecture du testament. Alice vint bientôt les rejoindre et apprit à son tour le montant de sa part d'héritage ; sa surprise égala celle de sa demi-sœur. Toutes deux se rendirent le jour même chez le notaire pour parapher les documents légaux permettant à chacune de toucher la somme déposée en fidéicommis. La restitution finale des biens eut lieu trois jours plus tard chez un autre notaire, à Montréal. Après quoi, Éliane et Alice s'empressèrent d'aller s'ouvrir des comptes à la banque.

Obéissant à la lettre aux consignes de leur défunt bienfaiteur, elles prirent contact avec Michel Massé, le gestionnaire de portefeuille d'Alphonse Savard, dont il était aussi l'exécuteur testamentaire. La vue de cet homme fit une forte impression sur Éliane : son allure, sa grande taille, sa démarche, son assurance, son costume trois pièces de fine confection, sa montre de gousset en or, tout en lui évoquait la figure bien-aimée de son père. Elle fut complètement prise au dépourvu par l'émotion qui l'étreignait : c'était la première fois qu'un homme l'attirait – et son trouble ne put échapper au gestionnaire. Éliane en eut la preuve à la fin de l'entrevue, lorsqu'il lui serra la main plus longtemps et plus fermement que l'exigeaient les convenances. Bien que totalement démunie d'expérience en matière de coup de foudre, elle comprit très bien la signification de cette discrète marque d'appréciation.

Désireuse de se donner un certain temps pour réfléchir à ses projets, Éliane préféra placer elle-même l'intégralité de sa fortune en obligations à terme. Mais elle imaginait déjà, avec un vertige inédit, sa prochaine rencontre avec Michel Massé. En attendant, il lui fallait vivre sa nouvelle vie, et celle-ci passait par la consommation. Avec sa minutie caractéristique, elle dressa, par ordre de besoins, la liste des effets à acheter, songeant à utiliser d'abord la somme que sa supérieure lui avait remise. De son côté, Alice avait reçu de la dépositaire du couvent assez de draps, de serviettes, de vaisselle et d'ustensiles pour se constituer une ébauche de trousseau. Avec les cinq cents dollars que lui avait donnés la communauté, elle aspirait à se constituer une garde-robe. Ce fut donc par la rubrique vêtements que les deux «magasineuses» en herbe prirent du galon en tant que consommatrice.

Éliane n'avait pas mis les pieds dans un grand magasin depuis un quart de siècle, au bas mot. Elle n'y fut pas moins perdue que Gertrude lorsque cette dernière était allée acheter la robe de Luce. L'infinité de produits offerts à sa convoitise l'émerveillait autant qu'elle l'accablait. Au rayon des robes, elle découvrit un mur entier couvert de perruques : blondes, rousses, brunes, noires, longues, tressées... Alice lui demanda à quoi rimait cette avalanche de scalps ; une vendeuse leur expliqua qu'il s'agissait de la dernière mode. Les deux ex-religieuses ne purent que penser à tous ces crânes rasés des communautés qui auraient pu faire vivre à eux seuls l'industrie de la perruque.

À la vue des robes, Éliane s'enquit d'abord de sa taille auprès d'une vendeuse qui reconnut en elle, sans peine et sans le lui cacher, une ancienne religieuse. Éliane s'en trouva humiliée, mais Alice s'employa à la raisonner :

— C'est ta posture assise qui t'a trahie. Elle t'a vue sur le bord de la chaise, les deux jambes collées et les mains posées l'une sur l'autre.

— Ah bon... Que dirais-tu de changer d'étage, maintenant que nous connaissons nos tailles ?

— Je te suis...

Alice et Éliane empruntèrent un escalier roulant, une expérience toute simple qui les enchanta. Le monde était plein de ces petites choses qu'il leur restait à découvrir et à apprivoiser ; ce qui était banal et entendu pour le commun des mortels revêtait pour elles un cachet extraordinaire.

— Dans quelles couleurs me vois-tu ? questionna Éliane.

— Toutes… sauf le noir ! Comme tu es petite, tu as l'embarras du choix. Je te laisse, je vais fouiner un peu plus loin. Je sais ce que je cherche : une robe rouge avec un décolleté en V.

Elles ressortirent du magasin chargées comme des mulets, ramenant robes, chandails, souliers et sacs à main assortis, sous-vêtements – plutôt affriolants pour Alice – et bijoux. Leur boulimie d'achats semblait rassasiée pour un temps, jusqu'à la prochaine crise. Elles ne tarderaient pas à piller de nouveau les magasins, quand elles se rendraient compte qu'elles avaient complètement oublié de faire une halte au rayon des cosmétiques. À la gare Bonaventure, elles reprirent le train à destination de Sainte-Claudine ; maman Savard les hébergerait durant tout le temps qu'elles voudraient à la maison familiale, beaucoup trop grande pour elle depuis le départ des cadets. Seul Jean-Claude, toujours célibataire, habitait encore avec sa mère.

Quand on dispose d'un bon compte en banque et qu'on n'a jamais pu succomber à la tentation de posséder, on tâche d'assouvir ses désirs au plus vite. Jean-Paul accompagna sa sœur chez un concessionnaire automobile Ford. Il lui montra quelques modèles en l'entretenant de chevaux-vapeur, de cylindres, de freins, de pneus, de consommation d'essence. Éliane porta un intérêt limité à ces aspects bien accessoires, mais tomba en pâmoison devant un modèle aigue-marine et beige :

— C'est celle-ci que je veux! décréta-t-elle en appliquant une main sur le capot de l'élue, comme si la voiture aurait pu lui être brusquement arrachée.

Une fois l'engin triomphalement stationné devant la maison, les voisins firent procession pour venir l'admirer – une scène courante, quelques décennies plus tôt, quand Alphonse Savard étrennait tous les douze mois un nouveau modèle de l'année. Éliane se sentit comblée, satisfaite, repue. Il ne lui restait plus qu'à apprendre à conduire, ce qui ne tarderait pas. Plus sûre d'elle, moins nerveuse, Alice put prendre le volant sans problème au bout de deux leçons. Elle servirait – du moins pour un temps – de chauffeur à Éliane, qui s'en réjouissait.

Bientôt, les deux sœurs éprouvèrent le besoin de remplir leur vie d'une manière moins superficielle. Elles n'avaient pas oublié leur grand projet, et c'est par lui qu'elles allaient donner un sens à leur nouvelle vie.

Elles se jetèrent alors à corps perdu dans l'organisation de leur maison d'accueil pour jeunes filles et – concession aux mœurs de l'époque – pour jeunes gens seuls. Alice avait été touchée, tout comme Éliane, par la condition des jeunes filles à leur sortie de l'École de réforme, réintégrant la société à l'âge de seize, dix-sept ou dix-huit ans. Où pouvaient-elles aller ? Que pouvaient-elles faire ?

En quête d'un lieu où installer leur maison, Éliane et Alice arpentèrent dans tous les sens les rues du Plateau-Mont-Royal. Remontant la rue Saint-Hubert, elles aperçurent une affichette «Maison à vendre». Il s'agissait d'une jolie demeure en pierre de la fin du XIXᵉ siècle; un escalier extérieur montait à l'étage, divisé en deux logements. Éliane et Alice se jetèrent un regard entendu, conquises.

— Voilà ce que nous cherchons! s'exclama Éliane.

— Nous pourrions emménager à l'étage, dit Alice, chacune dans un logement, et le rez-de-chaussée pourrait être destiné à l'accueil de nos pensionnaires.

Une visite de la maison suffit à les convaincre qu'elle leur conviendrait en tout point. Alice passait d'une pièce à l'autre, aussi excitée que volubile, s'exprimant comme un chef de chantier; si elle avait été coiffée d'un casque protecteur, l'illusion aurait été parfaite.

— Que dirais-tu de réaménager le rez-de-chaussée en trois grandes pièces? Une cuisine, un petit salon et une salle de séjour?

La transaction fut rapidement conclue, dans le plus grand enthousiasme; les deux sœurs investirent leur argent à part égale dans l'immeuble de leurs rêves. Bientôt, elles dictèrent aux menuisiers la manière dont elles entendaient diviser les six pièces existantes du rez-de-chaussée. Alice était animée d'une extraordinaire vitalité, qui reflétait tout à la fois son dévouement pour les jeunes qu'elles accueilleraient sous peu dans la maison et son besoin de dépenser une énergie débordante. Elle fit l'achat de pinceaux et de peinture, et se lança dans la décoration de la porte d'entrée, qu'elle peignit en bleu avant de la garnir d'un grand cœur découpé dans une planche de bois peinte en rose. Elle compléta son œuvre avec un écriteau sur lequel se détachait, en grandes lettres bleu foncé, le mot «accueil». L'ensemble ne manqua pas d'attirer l'attention des passants et de piquer leur curiosité, à la grande joie d'Alice.

L'ouverture de la maison d'accueil fut fixée au 3 juin 1967. Pour en souligner l'inauguration, Alice invita d'anciennes camarades d'école tandis qu'Éliane adressa des invitations aux membres de sa famille ainsi qu'à celles de Luce et de Gertrude. Des invitations spéciales furent aussi envoyées aux religieuses de son ancienne communauté; les deux cousines firent de même pour les sœurs qu'elles connaissaient. Enfin, Éliane eut la bonne idée d'intéresser à l'événement le curé de la paroisse, le maire de la ville de même que les députés provincial et fédéral de la circonscription, afin de bien faire connaître l'œuvre.

Quand Alice saisit l'ampleur de la fête d'ouverture de la maison d'accueil, elle s'enhardit à demander aux pompiers de la caserne 32 la participation de leur fanfare. On lui présenta le chef de la formation musicale, à qui elle expliqua la nature et la mission de la maison. Dès leur premier contact, ils se plurent spontanément, intensément.

— Je m'appelle Hugues. Et vous, mademoiselle?

— Alice, souffla-t-elle.

Le timbre de la belle voix grave du musicien fit bondir et rebondir dans sa cage le cœur d'Alice. «Il a la voix d'un chanteur du Chœur de l'Armée Rouge», songea-t-elle.

— Puis-je vous offrir quelque chose à boire, Alice ? Un Coke, par exemple ? Il y a un restaurant, juste de l'autre côté de la rue.

— Avec plaisir, s'entendit-elle répondre.

Elle traversa la rue à ses côtés en lévitant comme un petit nuage heureux au-dessus de la terre. Dès qu'ils eurent pris place à une table, Hugues mit cinq sous dans le juke-box et fit tourner une vieille chanson d'amour d'Elvis.

— Je me sens toute drôle, avoua Alice. C'est la première fois que je suis invitée par un garçon.

— Vous êtes si jolie… Qui êtes-vous ? D'où venez-vous ? Parlez-moi un peu de vous…

— Pas aujourd'hui, de grâce… Pas à la première rencontre. Je vous ferais peur et il n'y en aurait jamais de deuxième.

Hugues rangea sa curiosité au vestiaire, en se promettant bien de l'assouvir dans les plus brefs délais, et se concentra sur le motif qui lui avait permis de faire la connaissance de cette merveilleuse apparition.

— La fanfare, vous l'aurez – gratuitement, bien sûr – pendant une heure. Je vais prévenir mes musiciens. J'espère que vous avez une prédilection pour les cuivres et les percussions…

Voyant l'embarras d'Alice à témoigner sa reconnaissance, Hugues lui demanda, en retour, d'accepter de partager en sa compagnie une promenade au lac aux Castors, le samedi suivant, jour de congé.

Comme la montagne était belle, ce jour-là…

Ils se rejoignirent devant le monument de Georges-Étienne Cartier, empruntèrent un sentier en lacets qui les conduisit jusqu'à la route du belvédère, qui encerclait le mont Royal. Hugues lui proposa de gravir l'escalier de bois qui menait au chalet, d'où la vue sur le centre-ville était, l'assurait-il, magnifique.

La volée finale de marches parut interminable à Alice, qui sentait ses jambes faiblir. Hugues lui prit la main pour l'aider. Ses jambes mollirent alors tout à fait, mais son cœur, étrangement, trouva dans ce contact la force de faire voler son corps au-dessus des dernières planches de bois.

Dès lors, plus rien n'exista au monde que leur amour.

La jeune fille courut, comme la petite Alice d'autrefois, vers sa confidente de toujours pour tout lui dire du beau jeune homme de vingt-deux ans et de leur balade à la montagne.

— Je suis heureuse pour toi, dit Éliane. Je savais que je te perdrais bientôt.

— Ne va pas plus vite que moi en affaires… Je ne l'ai vu que deux fois, je le connais à peine.

— Je vais prier pour que tu sois tombée sur un bon numéro. Quand me le présenteras-tu ?

Au bout de huit mois de fréquentations assidues, Hugues et Alice se fianceraient, puis se marieraient. Le couple s'installerait dans le logement d'Alice, déjà meublé, au-dessus de la maison d'accueil. Leur union n'empêcherait pas les deux demi-sœurs de continuer à vivre sous le même toit.

Le jour de l'inauguration, les invités arrivèrent en grand nombre. À vue de nez, un pourcentage appréciable de gens avaient répondu à l'invitation : plus de quatre-vingt pour cent !

Gertrude pensa que l'occasion était idéale pour présenter à sa mère celui qui avait permis de percer le mystère de son arbre généalogique, le père André Gagné. Le nom de celui-ci n'était pas étranger à madame Varin – de son nom de jeune fille, Anne Michaud. Elle le savait un confrère d'université de sa fille. Enchantée de lui être présentée, elle sursauta en entendant le père Gagné la saluer d'un « Bonjour, tante Anne ! » bien senti. Gertrude savoura la surprise de sa mère, qui dévisageait le religieux avec un air éberlué, sans trop savoir de quelle manière réagir à ce trait d'humour quelque peu déplacé.

— Eh oui, maman. Le père Gagné ne plaisante pas. Son père est votre frère. André est votre neveu, et mon cousin germain.

— Vous êtes du même sang que moi ? demanda Anne, sans chercher à maîtriser sa stupéfaction.

Devant l'embarras de sa mère, Gertrude la serra dans ses bras. Le récit de l'équivoque Michaud Gagné et des recherches de la généalogiste en herbe passionna madame Varin. Neveu et tante allèrent ensuite s'asseoir à l'écart pour faire plus ample connaissance. Quelques histoires et souvenirs de famille échangés leur suffirent à vérifier leur lien de parenté. Le père d'André était bien le frère de madame Varin, et ce dernier avait des frères et des sœurs qu'il lui serait possible de rencontrer bientôt. Madame Varin n'en finissait pas de sourire, éperdue de bonheur. Elle avait désormais des racines, elle était enfin rattachée à une chaîne humaine dont elle s'était crue depuis toujours, et à jamais, un maillon perdu.

Gertrude offrit à sa mère et au père André une copie de leur arbre généalogique. Pour André, la page était tournée : le formidable hasard qui le liait par les liens du sang à Gertrude lui interdisait de l'aimer. Elle demeurerait donc son amie fidèle.

Pendant que se déroulaient les retrouvailles, la fête d'ouverture de la maison se poursuivait. Tout à son Benoît, Luce aperçut à peine le « nouveau » cousin. Mais celui-ci, en revanche, n'avait pas échappé à l'attention d'Éliane, qui lisait dans son regard la profondeur humaine que lui avait sans doute insufflée ses années de sacerdoce. Malgré toutes ses obligations d'hôtesse et de codirectrice de la nouvelle maison d'accueil, elle remarqua aussi bien d'autres choses chez André Gagné, dont sa distinction et son élégance naturelle. « Hélas ! » se permit-elle de noter dans une imaginaire colonne des « moins », sa tenue vestimentaire laissait à désirer. Mais peut-être n'avait-il pas, comme elle l'avait désormais, le temps de fréquenter assidûment les grands magasins…

Puisque c'était l'année de l'Expo 67, les trois cousines, accompagnée d'Alice, se procurèrent un passeport pour profiter pleinement de la grande fête universelle, de juillet jusqu'à la fermeture. Parfois, Benoît, Hugues ou Jean-Paul se joignait à elles. Alice et Éliane devaient assumer, à tour de rôle, la garde de la maison d'accueil.

À chacune de leurs visites dans les îles, c'était pour elles un émerveillement que d'émerger à la lumière du jour hors de la station de métro Sainte-Hélène – que l'histoire rebaptiserait plus tard Jean-Drapeau – et de se lancer à la découverte de nouvelles cultures. Elles assistèrent au plus grand nombre de spectacles quotidiens, visitèrent tous les pavillons, se gavèrent et se soûlèrent d'horizons inédits. Que le monde leur apparaissait beau et grand, en cet été de 1967 ! Jusqu'au 27 octobre, ultime journée de l'événement, elles parcoururent le monde entier, concentré entre les rives du fleuve Saint-Laurent, avec le sentiment enivrant de rattraper le temps perdu.

Terre des Hommes avait multiplié par mille leur univers en faisant voler en éclats les frontières du couvent.

Luce et Benoît vivaient dans un état d'euphorie permanent, pleinement conscients d'un bonheur dont l'interminable attente avait décuplé l'intensité. La moindre chose accomplie ensemble les comblait de félicité : cuire du pain, arroser les plantes, faire les courses à l'épicerie. Les moments d'ivresse ne se comptaient plus dans une seule journée.

Lorsque Benoît lui téléphonait de son travail pour lui dire simplement qu'il pensait à elle, Luce devait s'asseoir pour ne pas être chavirée par l'émotion. Elle avait alors instantanément envie de sa peau, de son odeur. Entre eux, aucun secret n'était possible : ils étaient l'un pour l'autre des livres ouverts dont pas un mot n'était censuré – des livres ouverts qui n'employaient toutefois pas de grands mots pour exprimer leurs sentiments. Aux longues tirades, ils préféraient les petits mots simples et tendres, comme ceux des collégiens romantiques.

Ils s'aimaient parfois jusqu'à l'extase, avouant atteindre l'Être infini comme la vie religieuse ne le leur avait pas permis.

Son œil d'infirmière fit détecter à Luce les premiers signes de la maladie de Benoît, toujours plus maigre d'une semaine à l'autre. Perpétuellement fatigué, il toussait sans avoir le rhume. Elle le convainquit sans peine de passer des examens à l'Hôpital du Sacré-Cœur. Le diagnostic les percuta de plein fouet : Benoît souffrait d'un cancer du poumon, dont les métastases pouvaient aussi circuler ailleurs. L'opération s'imposait, de toute urgence. Luce comprit toute la portée du diagnostic : Benoît pouvait mourir. Elle eut le pressentiment que les jours de son amoureux étaient comptés et, désespérée, pleura sans retenue dans ses bras. Elle aurait voulu pouvoir crier, maudire la maladie et, surtout – surtout – prendre la place de Benoît... On l'aurait assommée à coup de masse que la douleur n'aurait pas été moins grande.

Après la délicate chirurgie, on transporta Benoît aux soins intensifs. Luce obtint d'être assignée à cette section du service d'oncologie pour prendre soin de son mari. Elle put ainsi veiller sur lui jour et nuit ; un lit pliant avait été disposé à côté du sien. L'approche de la mort donnait à chaque instant passé près de Benoît une valeur inestimable.

Après trois mois de convalescence, des maux de têtes de plus en plus fréquents se mirent à marteler les tempes, puis le front de Benoît. Lors d'un second séjour à l'hôpital, on lui fit pénétrer une canule dans le crâne ; l'examen y révéla la présence de substances malignes. Une seconde opération s'imposa, cette fois au cerveau. L'intervention terminée, Benoît ne se réveilla pas. Le cancer avait gagné.

Après deux ans du plus grand bonheur possible, la mort de Benoît fut cruelle pour Luce. À tout le moins, il ne souffrait plus : là était sa seule consolation. Luce crut que cette déchirure ne se refermerait jamais. À peine entamée, sa vie de femme lui semblait déjà terminée.

Éliane persistait à voir, dans l'allure et dans les traits de son gestionnaire, l'image de son regretté père et se réjouissait que cet idéal fût à sa portée. Cet homme représentait pour elle la possibilité de n'être plus perçue comme une ex-religieuse. Pour la conquérir, il multipliait les attentions et la comblait de présents. Le plus significatif fut un superbe manteau de vison. À la suggestion d'Éliane, il le compléta d'un manchon et d'un chapeau, aussi en vison.

Après avoir si peu abusé des plaisirs de la bonne chère, elle adorait se faire inviter par lui dans les plus grands restaurants et hôtels de Montréal. Un soir, chez *Bardet*, au terme d'un succulent repas et d'un délicieux tête-à-tête, il lui proposa un grand voyage en France et en Italie. N'ayant jamais cru prendre un jour l'avion, et encore moins traverser l'Atlantique pour visiter les « vieux pays », elle en fut tout excitée. Bientôt, elle eut le souffle coupé quand son prétendant ajouta, sur un ton plus pénétrant encore :

— Ce serait notre voyage de noces...

Sa vie de religieuse s'était passée sur une mer étale où chaque journée chassait la précédente sans qu'elle pût les distinguer l'une de l'autre. Cette nouvelle vie que lui offrait Michel, si différente de son ancienne, si loin de la pauvreté et de la monotonie du couvent, l'étourdissait. Ce passage sans transition d'un extrême à l'autre lui parut semblable à une trop grande accélération que son corps avait peine à encaisser. Elle demanda à Michel une période de réflexion : deux mois – un laps de temps suffisamment long pour réfléchir à ce qu'elle désirait dorénavant faire de sa vie.

Quelques semaines plus tard, Éliane eut la surprise de lire une manchette dans le journal : «Michel Massé reconnu coupable de fraude». L'article qui suivait la renseigna sur le compte de son courtisan :

«L'homme d'affaires de cinquante-six ans est accusé d'avoir fait investir cinq cent quarante-cinq mille dollars à vingt-deux personnes dans des entreprises bidons. Le rendement promis par le gestionnaire frôlait les vingt pour cent d'intérêts. Les épargnants floués n'ont jamais récupéré un seul sou de leurs placements.»

Elle n'alla pas plus loin : elle relut ces quelques lignes avant de courir braquer l'article sous le nez d'Alice et d'Hugues pour s'assurer qu'elle ne rêvait pas. L'étonnement fit place au soulagement. Fine femme d'affaires, Éliane n'avait heureusement pas encore décidé où placer son argent et avait refusé de le confier au gestionnaire, plutôt pressant sur cette question. Prudente, elle avait préféré attendre de voir plus clair dans l'évolution de sa maison d'accueil.

Éliane alla relater sa mésaventure à Gertrude, sa confidente de toujours, qui la ramassa à la petite cuillère. Elle avait l'impression d'émerger d'un mauvais rêve, découvrant avec horreur à quel point la richesse peut faire écran au bonheur. Dans un coin de son logis où elle s'était aménagé une solitude, elle médita sur les déceptions que lui causaient l'amour humain et les biens de la terre, auxquelles ne l'avait nullement préparée sa vie consacrée. Il n'y avait qu'une chose à faire : tourner la page et se consacrer tout entière à sa maison d'accueil.

C'est auprès de ses malades que Luce trouva désormais sa raison d'exister. Elle aidait les uns à surmonter leur déprime, accompagnait les autres dans leurs progrès vers la guérison. Lumineuse, vive et dévouée, Luce était le soleil de l'hôpital.

Vers le dixième mois de son veuvage, elle eut à prendre soin d'un patient qui récupérait des suites d'une chirurgie. Guy Brown, cinquante-trois ans, anglophone, riche et cultivé, s'exprimait dans un français parfait. Il était moins grand et moins mince que Benoît avec son petit bedon. Il avait hérité de ses parents et était devenu lui-même millionnaire grâce à la vente de verres de mousse de polystyrène aux compagnies d'aviation. Monsieur Brown ne put résister au charme de Luce, fraîche, généreuse, spontanée et, de surcroît, jolie. Risquant le tout pour le tout, il la demanda en mariage.

Luce accepta de se laisser aimer, mais le souvenir de son Benoît ne lui permettait pas de vouer à son nouvel époux un amour aussi intense. Guy Brown était bon comme du bon pain, et cela suffisait à Luce. Il était drôle et aussi bon public. La moindre plaisanterie le faisait exploser d'un rire énorme qui, à son tour, déclenchait un éclat de rire chez Luce, qui s'amusait autant du comique de ses farces que de son hilarité. Lorsque son vaste rire se résorbait enfin, Guy finissait toujours par dire :

— Il faut bien s'am*ou*ser !

Et Luce de pouffer de plus belle...

Sa confession protestante ne constituait pas un obstacle pour Luce qui, depuis sa sortie, ne pratiquait plus qu'à moitié. Elle adorait la grande fille de Guy, âgée de vingt-cinq ans, et ses deux petits-enfants. Optimiste malgré l'épreuve de la mort de Benoît, Luce avait décidé de se laisser porter par la vie.

Guy admirait l'œuvre de la maison d'accueil d'Éliane et d'Alice, au point d'offrir six cents mille dollars pour la construction d'un immeuble moderne, doté d'un ascenseur, sur un grand terrain vacant, non loin de l'actuelle résidence. Le rez-de-chaussée fut réservé aux jeunes solitaires et aux délinquants légers ; le premier étage logerait Guy et Luce ; le deuxième, Alice, Hugues et leur bébé ; le troisième, Éliane. Le chantier dura toute une année et, au terme de la construction, une autre pendaison de crémaillère fut organisée dans les jardins de la nouvelle maison d'accueil, qu'Éliane demanda à un ami de Benoît de bénir. Et, bien sûr, la fanfare de la caserne 32, toujours dirigée par Hugues, vint gracieusement régaler l'assistance de ses harmonies.

Lors de cette occasion, Gertrude et son cousin André firent en sorte qu'Anne Michaud-Varin puisse faire la connaissance de quatre de ses frères et sœurs – à la différence, cette fois, qu'elle fut prévenue de la rencontre. Les retrouvailles ne se déroulèrent peut-être pas avec la chaleur escomptée par Gertrude et André – les uns étant plus ou moins étrangers aux autres –, mais madame Varin ressentit la satisfaction de n'être plus sans famille. Un programme de rencontres futures fut mis au point. La première eut lieu à Sainte-Claudine, chez le docteur Varin et sa femme. Il y en eut d'autres à Montréal, Québec, La Malbaie, Gaspésie et Boston.

Gertrude savourait son accomplissement en tant que généalogiste : elle avait fait en sorte que des gens liés par le sang mais séparés par le destin puissent se retrouver et découvrir leurs racines communes. Elle était fière d'avoir réinsuffler à sa mère une énergie nouvelle et de lui avoir offert un regard nouveau sur la vie en l'aidant à réaliser un rêve. Mais cette réussite ne lui ferait jamais oublier la grande épreuve de sa vie de religieuse : vivre éloignée de ses parents, et plus particulièrement de sa mère. Et elle savait qu'elle souffrirait de cette séparation jusqu'à sa mort.

L'ouverture officielle de la nouvelle maison d'accueil demanda cette fois une somme plus considérable de travail, partagée entre Éliane, Alice, Gertrude et le cousin André. Durant ses journées de congé, Luce se joignait à l'équipe. D'autres apportèrent leur contribution en tenant des rôles bien définis : Hugues s'occupa de l'éclairage et Guy Brown, le grand mécène de toute l'entreprise, du support moral, en égayant la troupe de ses cascades de rires sonores.

Éliane avait rencontré André lors de l'inauguration de la première maison d'accueil et apprenait maintenant à le connaître davantage en collaborant avec lui à la préparation de la fête. Peu à peu, l'importance qu'elle avait accordée à ses habits négligés s'estompa, et elle ne vit bientôt plus que sa grande culture et la délicatesse de ses sentiments. Elle se sentait en accord avec ses valeurs, même si elle éprouvait parfois une certaine difficulté à définir cette personne complexe.

De son côté, André observait discrètement Éliane, appréciant son esprit méthodique et réfléchi, sa vivacité, son approche réaliste des problèmes, la volonté qu'elle déployait pour les résoudre ainsi que son goût des belles choses. À tous les attraits qu'offrait sa personnalité s'ajoutait un charme certain : Éliane avait gardé sa taille de jeune fille, sinon de jeune femme, et la fraîcheur de sa peau fascinait André. Il en avait secrètement conclu que seules les religieuses pouvaient conserver une peau aussi saine, à l'abri de la fumée de cigarette et des cosmétiques dont les femmes aimaient s'enduire à outrance.

Chaque fois qu'Éliane posait son regard sur André, elle ne pouvait s'empêcher de repenser à son dernier prétendant et remerciait le ciel de ne pas s'être compromise avec cet escroc. André, lui, malgré sa modestie, représentait des valeurs sûres. Cette évidence lui révélait à quel point les valeurs spirituelles, celles de l'intelligence et de la foi, surclassaient les valeurs matérielles. Maintenant qu'elle était indépendante de fortune, l'argent n'avait plus pour elle la même signification. Elle se demanda même, en savourant toute l'ironie de sa réflexion, si elle n'était pas davantage prête à prononcer son vœu de pauvreté aujourd'hui plutôt qu'à l'âge de vingt-cinq ans...

Attirés l'un vers l'autre par leur façon de voir la vie, les deux ex-religieux devinrent vite des amis proches, capables de partager loisirs, réflexions et foi. Leurs contacts quotidiens, moulés dans la bonne humeur et la sérénité, les convainquirent lentement mais sûrement qu'ils étaient faits l'un pour l'autre. Comme ils n'étaient pas reliés par les liens du sang, rien ne les empêchait de s'unir et de se dévouer à la maison d'accueil.

Des trois cousines, Gertrude demeura donc l'unique religieuse. Son bonheur d'être sœur ne se démentit jamais. En 1971, elle enseignait le cinéma quatre heures par semaine dans un cégep. Elle put aussi offrir de son temps au service de la maison d'accueil, où elle initia de jeunes adultes désorientés aux techniques du cinéma et de la télévision, suscitant même quelques vocations remarquables. Elle entraîna certaines camarades religieuses à l'imiter et à faire du bénévolat à la maison qui, à partir de 1972, accrut son mandat en se dotant d'une salle pour les personnes âgées et seules. Une sœur faisait de la lecture aux vieillards qui ne voyaient plus assez bien pour lire ; une autre organisait des jeux ; une autre encore donnait des conférences sur l'art, l'histoire ou la littérature. Peu à peu, des jeunes se mêlèrent aux aînés et, de leur propre chef, se firent bénévoles. Entrés à la maison d'accueil afin d'être aidés, ils y revenaient pour aider à leur tour.

Un jour de 1994, vieillie et souffrante, Gertrude ne fut plus en mesure de se déplacer du couvent à la maison d'accueil. Pour célébrer dignement ses soixante-quinze ans et la remercier de tout ce que Gertrude avait fait pour elles, Éliane et Luce, toujours bien portantes, organisèrent un dernier pique-nique à Sainte-Claudine, dans l'Île-aux-fleurs-de-mai. Conductrice aguerrie, Alice y mena, dans un véhicule tout-terrain, une Gertrude incrédule de retrouver intact le paysage de sa jeunesse. Hugues, Guy et André accompagnèrent le trio jusqu'à l'île, les bras chargés de tout ce qu'une fête champêtre requiert de commodités et de douceurs : table et chaises pliantes, vaisselle et ustensiles, salades et viandes froides, pains et fromages, breuvages et gâteaux.

Guy fit s'envoler quelques oiseaux cachés dans les herbes hautes en débouchant triomphalement une bouteille de champagne. Dans la forêt se répercuta l'écho d'un toast joyeux : « À Gertrude ! » Après le goûter, Alice et les trois conjoints se retirèrent un moment pour laisser les inséparables cousines seules dans cette île où elles avaient échangés tant de secrets, évoqués tant de rêves et partagés tant de souvenirs.

Luce survécut à Guy, dont elle adorait les petits-enfants, qui le lui rendaient bien. Son second époux ne la laissa pas dans la misère. Pourtant, l'argent n'avait jamais eu d'importance pour elle. Jusqu'à son dernier souffle, Guy avait adoré sa Luce, qu'il avait pris l'habitude d'appeler sa « Puce », tout comme l'avait fait naguère son père.

Elle ne se départit pas de sa bonne humeur contagieuse, de sa spontanéité désarmante et de ses manières un peu frustes ; elle demeurait l'âme de la maison d'accueil et était aussi remuante à près de quatre-vingts ans qu'elle l'avait été gamine.

En toute chose, Éliane avait conservé le goût de l'ordre et de la discipline. Elle continua d'aller à la messe trois fois par semaine et pratiquait tous les jours sa méditation, priant à sa façon, dédaigneuse des formules mécaniques du couvent. Curieuse et gourmande, elle dévorait les œuvres des grands auteurs qui lui avaient échappé pendant ses vingt-huit ans de vie cloîtrée et chérissaient toujours les compositeurs qui avaient bercé son enfance. André et Éliane partagèrent paisiblement leur vie et veillèrent à la bonne marche de la maison d'accueil jusqu'à sa fermeture en l'an 2000.

Cette année-là, le couple fêta ses quatre-vingt-un ans, et l'esprit avait intimé au corps de goûter un repos bien mérité.

Alice, toujours amoureuse de son chef de fanfare, resta près des jeunes délaissés tout en élevant ses trois enfants. Un de ses fils complétait une maîtrise en psychologie, un autre entreprenait la sienne en criminologie et sa cadette se préparait pour l'École des hautes études commerciales. En la voyant, superbe et épanouie à l'orée de la cinquantaine, personne n'aurait pu se douter qu'elle avait un jour échoué, à l'âge de trois ans, dans une École de réforme avec des vêtements si sales qu'on avait dû les jeter.

Atteinte d'un cancer des os, Gertrude vit son état dégénérer au point où elle ne put circuler qu'en fauteuil roulant à l'infirmerie de sa communauté. Elle appréciait que sa chambre fût seulement à quelques mètres de la chapelle. Éliane et Luce venaient la voir aussi souvent qu'elles le pouvaient, heureuses de revaloir à Gertrude toutes les visites qu'elle leur avait rendues du temps de leur vie cloîtrée.

Gertrude était reconnaissante de tout ce que sa communauté mettait à sa disposition pour alléger ses souffrances et rendre sa vie plus douce. Elle se réjouissait d'avoir pour elle seule une chambre aussi spacieuse et confortable, qu'elle avait divisée, dans son imagination, en plusieurs pièces. D'un côté de son lit, il y avait sa bibliothèque : un fauteuil et une tablette roulante sur laquelle se trouvaient un choix de livres de prières, *La Presse* et *Le Devoir* ainsi qu'une petite radio. De l'autre côté se trouvait la salle à manger : une seconde tablette roulante sur laquelle elle prenait ses repas. Au pied du lit se situait son salon : deux chaises où s'assoyaient ses visiteurs, de préférence ses chères cousines. Enfin, du côté de la fenêtre, son garage, où elle rangeait son fauteuil roulant.

Gertrude était une religieuse heureuse et, pour lui faire garder cette perpétuelle expression de bonheur, il suffisait tout simplement de ne jamais évoquer le souvenir de sa mère, dont la mémoire lui faisait encore, des années et des années après sa mort, monter les larmes aux yeux.

Annexe

Une journée dans la vie de sœur Saint-Paul[6]

Au plaisir de me parler à moi-même dans mon journal s'ajoute maintenant le défi de décrire ce qui ordonne ma vie quotidienne depuis un quart de siècle. Je le ferai avec force détails ; ce sera une façon de rappeler à mon attention des instants, des gestes, des choses qui font tellement partie intégrante de ma vie de tous les jours que je n'en ai pas toujours conscience ; je finis par ne plus voir de quoi est remplie la vie d'une religieuse semi-cloîtrée. Pour ne rien perdre de vue, je suivrai de près le *Coutumier* de ma communauté. J'ouvrirai parfois notre livre des *Constitutions*, de même que notre *Directoire*.

Habituée que je suis de porter le *Coutumier* sur moi dans ma besace, j'ai tendance à oublier ce qu'est pour chacune de nous ce petit livre qui règle tout notre temps et tous nos gestes. Il fixe les détails de la vie courante et dirige avec précision les officières dans

---

6. Sœur Saint-Paul vit dans une communauté active (par opposition à une communauté contemplative) semi-cloîtrée.

leurs charges respectives. Par les mesures précises des faits et gestes qu'il apporte à la règle, il sert ainsi «de rempart aux vœux» et favorise «l'esprit de régularité». Par-dessus tout, il vise à maintenir l'uniformité des manières dans toutes les maisons de ma congrégation. En réalité, le *Coutumier* a force de loi en obligeant les sœurs à le respecter, même s'il date de trois siècles.

De mon côté, je dois m'ancrer au *Coutumier*, m'y attacher comme à une bouée et en refaire constamment l'inventaire, au long de ma vie, pour bien m'assurer qu'aucun lien entre lui et moi ne se relâche. Ainsi, notre communauté en donne lecture de la première partie au réfectoire au début de février, mai, septembre et novembre; et de la deuxième partie en mars, juin, octobre et décembre, ainsi de suite, année après année.

Le rituel quotidien de notre institut, je l'ai vérifié, est à peu de choses près celui de bien d'autres fondés aux XVIIe et XVIIIe siècles, en France et au Canada. Bien entendu, chaque institut l'adapte à ses propres activités caritatives. Comme notre *Coutumier*, ceux des autres congrégations n'ont subi aucune transformation majeure jusqu'à tout récemment.

Pour rétablir exactement à mon attention le rituel auquel je dois me conformer, je vais pour ainsi dire tenter de le faire revivre au fil d'une journée chez une religieuse en particulier. Disons qu'elle s'appelle sœur Saint-Paul. Telle que je la vois, elle incarne un code de prescriptions et donne une idée de la façon dont elle a vécu jusqu'à ce jour. Je dis bien jusqu'à ce jour, car nous percevons depuis quelque temps de curieuses petites secousses, nous entendons parler de mystérieuses réunions où il est fait mention de changements. Je n'en crois rien : une règle qu'on suit depuis trois siècles n'est pas faite pour changer. Je puis en toute tranquillité d'esprit refaire l'inventaire de mon *Coutumier*.

Quatre heures et demie du matin : des sons de cloche s'abattent sur les cellules endormies du couvent. Sœur Saint-Paul émerge brusquement de son rêve. Aussitôt, une voix lance : « Vive dans nos cœurs l'amour de Jésus, Marie, Joseph ! » À l'unisson, les sœurs répondent : « À jamais ! »

Sœur Saint-Paul plonge ses doigts dans l'eau bénite, se signe, donne son cœur à Dieu et sort vite du lit pour se prosterner et baiser humblement le plancher. Autour d'elle, une couchette de fer supportant un matelas en laine et en crin, un bénitier, une image de l'Immaculée Conception, une autre de saint Joseph, un crucifix, une petite armoire servant de lavabo, une chaise, un pot à dents, un bassin avec pot et une descente de lit meublent l'espace. Dans un coin de sa cellule se trouvent une époussette, un chandelier et un balai. Pas de tiroir qui ferme à clé. Qu'est-ce que sœur Saint-Paul pourrait cacher de si précieux, d'ailleurs ? En propre, elle n'a que quelques vêtements et les livres à son usage personnel : les *Constitutions*, le *Coutumier*, le *Directoire*, un manuel de piété, un missel, un *Manuel du chrétien* ainsi que *L'Imitation de Jésus-Christ*. Sœur

Saint-Paul s'active car, en tout, elle ne dispose que de quarante-cinq minutes pour se laver, s'habiller, mettre de l'ordre dans sa cellule, faire son examen particulier et se rendre à la chapelle.

Elle n'en est encore qu'au sortir du lit. Tout en s'entretenant du sujet d'oraison du jour, elle commence par enlever ses vêtements de nuit. Car elle est « honnê-tement vêtue », portant une robe de nuit par-dessus sa camisole de jour, un bonnet et un mouchoir au cou. Saisissant son saint habit, elle « le baise avec respect et amour » avant de l'endosser, pour bien marquer son mépris du monde, car une bonne religieuse doit tout le temps considérer son saint habit comme le suaire qui l'ensevelit.

Quand on connaît le costume que porte sœur Saint-Paul, on comprend qu'elle ne peut s'habiller en un clin d'œil. Je tiens à en énumérer les pièces, non seulement pour montrer sa préoccupation à endosser autant de vêtements en si peu de temps, mais pour illustrer aussi l'esprit minutieux dans nos communautés de femmes.

Alors que je discutais avec une sœur de la minutie de certaines règles, elle m'a conseillé de relire le pas-sage du *Coutumier* portant sur le costume. J'y ai trouvé un amas de détails ahurissants ; ces pages ne m'avaient pourtant pas étonnée lorsque je les avais lues à l'époque du noviciat. Par la suite, je n'y ai plus repensé – comme notre sœur Saint-Paul.

Outre les sous-vêtements (plusieurs jupons – mais pas de petit caleçon – et un corset long à attacher) et la guimpe qui recouvre le cou et la gorge, il est d'abord constitué du saint habit proprement dit, qui «descend jusque sur le pied en avant et touche le plancher en arrière». L'ouverture du haut a seize pouces de long et le renfort qui le borde est de trois pouces de large (attention: coutures comprises). L'assemblage des deux laizes de derrière est d'un pouce et demi de chaque côté, près du col, et va en diminuant vers la taille, sur une longueur de dix-sept pouces. L'ouverture de la poche a huit pouces et demi et le renfort qui la borde, quatorze pouces de long et trois pouces de large (coutures comprises). La bordure de la robe, sur le biais, a cinq pouces et demi (toujours coutures comprises); le bas peut être cousu à la machine avec de la soie spéciale, mais le haut se coud à la main. Les grandes manches ont vingt-cinq pouces et demi de large, au bas, et descendent jusqu'aux extrémités des doigts. La couture de un pouce et demi de chaque côté, en haut, se rabat sur l'envers avec un gousset en drap de deux pouces carrés. Les petites manches de serge ont douze pouces de long et la bordure du bas de la petite manche, trois pouces et demi.

En semaine, «les sœurs portent leur robe relevée et attachée de façon à former une pointe par-devant et par-derrière; la pointe de devant est retenue par une épingle au milieu de la robe». En plus du saint habit, il y a la pèlerine à revêtir. Elle descend quatre pouces au-dessous de la ceinture; «le collet a un pouce et trois quarts de hauteur (coutures comprises) avec un seul bouton extérieur», les cinq autres étant cachés;

«les renforts de devant ont trois pouces et un quart avec les coutures; ceux du bas, trois pouces et un quart, et le biais qui borde la pèlerine, deux pouces et trois quarts».

Puis, vient la ceinture de laine de «deux pouces et un quart de largeur avec une frange de trois pouces, qui descend à un pied de terre; elle porte à gauche – pour y accrocher le chapelet – une agrafe et un porte-agrafe disposés de manière à ce que la médaille soit sur le deuxième pli de la robe et que l'autre en soit éloigné de trois pouces; la ceinture s'agrafe en arrière, sur le troisième pli de la robe, à gauche».

Sœur Saint-Paul doit ensuite coiffer le bonnet noir, minutieusement conçu lui aussi, tant dans les plis que dans les dimensions et le port. Sur le bonnet, elle pose le voile, large d'une verge; «les deux côtés sont reliés à la hauteur des tempes à l'aide d'une lisière posée en dedans, à neuf pouces et demi du bord».

Par-dessus le tout, sœur Saint-Paul suspend à son cou une croix pectorale, au moyen d'une corde en laine noire. Enfin, elle n'oublie pas le chapelet de costume, porté à la ceinture et qui descend à quatorze pouces et demi de terre.

De ce costume dont elle est fière, elle apprécie, en particulier, la longueur: il ne traîne pas, comme dans d'autres communautés, de deux pouces et quart sur le sol.

Sœur Saint-Paul chausse ensuite ses souliers de cuir noir, au talon d'un pouce de haut, auquel elle a appliqué «du liège pour atténuer le bruit des pas». Un dernier coup d'œil : elle a soin que ses manches soient bien fermées de façon à ce qu'on ne voie pas ses bras. Elle se hâte alors de tourner la face du petit miroir contre le mur ou de le recouvrir d'un voile, son usage n'étant permis que le temps d'ajuster sa coiffe.

Sa chambre mise en ordre et son examen de prévoyance fait, sœur Saint-Paul, vers cinq heures treize ou quatorze minutes, ramène « le pli du voile sur le bord de la passe en toile de façon à ce qu'il dépasse de quelques lignes » et se tient prête à partir pour la chapelle.

À la cloche de cinq heures et quart, l'« extérieur plein de piété et de religion », elle se met aussitôt en marche, les mains rassemblées dans ses grandes manches. Avant d'entrer, elle règle son regard, sa contenance et sa posture de façon à « s'humilier profondément » à la pensée de son indignité. À cinq heures vingt-cinq minutes, une religieuse commence la prière vocale qui est suivie d'une demi-heure d'oraison. La sœur supérieure récite ensuite le *Veni Sancte Spiritus* et l'*Ave Maria*, après quoi une religieuse lit à haute voix le sujet de méditation. Les thèmes fondamentaux doivent tourner autour de l'abnégation, du renoncement à soi, de la résignation, poursuivant ainsi le travail de perfectionnement spirituel commencé dès le postulat : faire mourir la nature. On médite sur la façon de se dépouiller de l'esprit du monde, de mortifier son jugement et sa volonté, mais aussi sur la pratique de la pauvreté, de l'humilité et de l'obéissance.

Bref, on se concentre sur la voie de la perfection, qui consiste à se mépriser soi-même et à aimer être méprisée. Vertu et perfection religieuses, doit-on se convaincre, résident dans la recherche des mortifications.

À six heures et demie, sœur Saint-Paul assiste à la messe, à genoux, «les yeux modestement baissés ou arrêtés sur l'autel», les mains croisées sur sa poitrine. Elle peut toutefois s'asseoir pendant le sermon. Après la messe, sœur Saint-Paul fait son action de grâce comme toutes les autres religieuses. Puis, en chœur, on récite un *Notre Père* et un *Je vous salue, Marie*, suivis de cinq invocations répétées trois fois chacune.

Un peu honteuse d'être tombée de sommeil à deux reprises contre une colonne, sœur Saint-Paul anticipe maintenant le réconfort physique du petit-déjeuner, dans trois minutes. Au réfectoire, à sept heures et demie, elle commence par relever ses grandes manches, repousse le pli de son voile et revêt le tablier noir. Une fois le bénédicité récité par la supérieure, sœur Saint-Paul est contente de mettre un terme à son jeûne, après trois heures d'activités. Comme elle trouve le pain bon! Mais elle fait des efforts pour «surnaturaliser» une action où la sensualité se glisse si facilement.

Une fois terminé le petit-déjeuner pris en silence, les grâces dites et la vaisselle lavée, sœur Saint-Paul, en vertu de la sainte obéissance, se rend chez la sœur supérieure pour lui demander, à genoux et avec humilité, la permission pour ses actions de la journée. Au nom de la perfection, elle demande jusqu'à la permission (ni prescrite ni défendue par les *Constitutions*) de l'emploi de quelques moments libres et de certaines pratiques de piété. Le cœur léger, elle change son tablier noir pour le rayé bleu et blanc à manches et vaque au ménage des corridors dont elle est responsable. Quelques minutes avant huit heures, elle change le tablier rayé pour le noir.

À la cloche de huit heures, sœur Saint-Paul va rencontrer ses élèves de l'École d'industrie. Dans l'exercice de ses fonctions, elle sait qu'elle doit toujours veiller à garder un comportement modeste. Modestie dans le maintien du corps d'abord. Qu'elle soit debout, assise ou à genoux, elle s'applique à garder «la taille droite sans raideur» et à ne pas tourner «la tête de côté et d'autre avec légèreté». Dotée d'un tempérament latin, sœur Saint-Paul sait qu'elle pèche souvent contre les bonnes manières en faisant des mouvements exagérés des bras, en marchant ou en causant. Pourtant, elle connaît à peu près par cœur le passage du *Coutumier*:

> Si leurs mains ne sont pas occupées, elles doivent les tenir en repos devant elles ou dans leurs manches et ne point les frotter ou les agiter sans nécessité, non plus que les épaules, les bras, les jambes. Étant assises, elles tiendront leurs pieds également posés par terre, sans les écarter ni les étendre loin de leurs sièges ni croiser les jambes. Elles pourront mettre les pieds sur les barreaux des chaises pour travailler, mais non pour attacher leurs jarretières et les cordons de leurs souliers.

Lorsqu'elles sont debout sans marcher, elles ne doivent pas avancer un pied devant l'autre.

Mais c'est surtout en se déplaçant que sœur Saint-Paul doit toujours se maîtriser, car la modestie exige qu'en marchant, on n'aille ni trop vite ni trop lentement, qu'on ne traîne pas les pieds, qu'on ne frappe pas la terre lourdement, qu'on ne se balance pas avec affectation, qu'on ne laisse pas pendre les bras, mais qu'on les tienne arrêtés dans les manches. Lorsqu'on se croise, la règle générale veut que chacune prenne sa droite et le savoir-vivre proscrit de doubler les personnes qui nous précèdent. De nature expressive, sœur Saint-Paul craint toujours qu'on lise quelque sentiment sur son visage, qu'elle aimerait tant garder placide. Elle sait que les religieuses doivent tenir les yeux baissés, «ni trop ouverts ni trop fermés», regardant toujours les personnes à qui elles parlent avec un regard «doux et serein, n'arrêtant pas la vue sur leur visage, surtout si ce sont des personnes de respect ou d'un sexe différent». Le mouvement des yeux ne doit être «ni trop fréquent ni trop précipité». Une bonne religieuse ne doit pas non plus rider le front ni le nez, tenir la bouche ouverte ni les lèvres trop serrées. Elle évite aussi de «froncer les sourcils, de se ronger les ongles, de se nettoyer le nez ou les oreilles avec les doigts». Elle ne doit pas éclater de rire ni rire trop souvent, mais sans se donner un air morne, trop grave ou trop sérieux. Elle doit tout simplement s'efforcer d'avoir «un air de bonté, de douceur, de piété» – une

« expression de continuelle sérénité ». Autant de points de règle et de savoir-vivre qui feront réfléchir lors de l'examen qui précède le dîner.

À onze heures huit minutes, l'excitatrice, c'est-à-dire celle qui est chargée de sonner, avec une exactitude irréprochable, tous les exercices de la communauté aux heures fixées par le *Coutumier*, appelle les religieuses au chœur pour l'examen particulier. (Sœur Saint-Paul, qui fait la classe, s'y rendra, elle, à onze heures dix-huit minutes.) On commence par les litanies des saints, puis on récite le *Veni Sancte Spiritus*, l'*Ave Maria* et des invocations à une demi-douzaine de saints. Suit la lecture du point d'examen. L'exercice spirituel se termine par une prière à la Sainte Vierge et le *De profundis*, que les religieuses prononcent en chœur en se dirigeant vers le réfectoire.

Manches relevées et portant un tablier noir, les religieuses, deux par deux, entrent au réfectoire en silence. La sœur en tête de ligne s'incline et donne de l'eau bénite à la deuxième et ainsi de suite. Chacune salue le crucifix et réfléchit sur le fait qu'on va au réfectoire avant tout pour obéir à Dieu et à la règle. D'un pas feutré, chacune se dirige vers sa place. Il est onze heures vingt minutes.

La salle à manger est très dépouillée. Au centre, près du mur, sont placés une chaise et une armoire pour déposer les livres de lecture. Autour du réfectoire court une « estrade de quatre pieds de large et de quatre pouces de haut ». Les sièges mesurent obligatoirement vingt pouces de haut et douze pieds de large ;

les tables comptent, au plus, «douze pieds de long, suivant l'espace, un pied et dix pouces de large et deux pieds et deux pouces de haut». À droite du réfectoire se trouve un cabinet pour ranger les pots, les soucoupes et les serviettes. Il est divisé en petits compartiments marqués par différents chiffres correspondant au nombre de sœurs.

On ne se place pas au hasard : il y a un ordre rigoureux à respecter. Au fond du réfectoire se situent deux tables : une à droite, une à gauche.

La première place de celle qui est à droite sera tellement réservée à la supérieure qu'aucune sœur ne s'y mettra jamais, même en son absence, et l'on n'y passera pas non plus pour entrer ou sortir. N'a droit à la première place de la table de gauche que l'assistante. Viennent ensuite les conseillères et la dépositaire. Toutes les autres places seront occupées par la masse des sœurs, selon leur rang de profession. Toutefois, les converses se placent au-dessous des religieuses de chœur. Suivent les novices et, enfin, les postulantes.

La préséance se fait d'ailleurs sentir en tout temps et en tout lieu. Les converses doivent toujours se placer derrière les religieuses de chœur. Quant à celles-ci, elles s'inclinent avec un profond respect et font un grand salut à leur supérieure quand elles l'abordent, s'en séparent ou passent près d'elle ; et lorsque la supérieure apparaît quelque part, les sujets doivent s'arrêter net pendant un moment et s'incliner ardemment. Il va sans dire que ce serait manquer gravement à la politesse, en parlant de la supérieure, de l'appeler autrement que par «notre révérende mère»; de même faut-il l'interpeller «ma révérende mère» en lui adressant la parole.

Sœur Saint-Paul se rend donc à sa place, parmi la foule des sans-titre. Elle sort de son tiroir son couvert. Après avoir tiré l'anneau de fer-blanc marqué à son numéro, elle déroule posément sa serviette de table qui enveloppe ses ustensiles.

Le repas et la lecture spirituelle commencent et finissent en même temps. Plus précisément, la lecture se fait entendre «au second signal de la supérieure et elle finit au troisième», de sorte que les religieuses observent rigoureusement le silence, au point de demander par signe ou mouvements des lèvres ce qui leur manque. Mais c'est un choix qu'elles ont fait, sachant qu' «on n'avance dans les voies intérieures qu'à proportion de son amour pour le silence». Le silence règne toute la journée, excepté pendant la récréation. La règle du silence veut aussi qu'on évite en tout temps de faire du bruit en marchant, en toussant ou en remuant une chaise. Toutefois, pendant les vacances, il est permis de parler une heure dans la matinée et une heure dans l'après-midi.

Comme c'est mercredi, sœur Saint-Paul sait qu'on lui servira du bouilli; de même en est-il les lundis et samedis midi. Elle sait d'ailleurs à peu près toujours ce qu'elle va manger, sauf à l'occasion de vingt-quatre fêtes au cours de l'année. Ces jours-là, elle aura un repas copieux avec un bon dessert. Mais, jour de fête ou non, une religieuse n'a jamais le droit de manger, même légèrement, en présence de laïcs, « quelque proches parents ou amis qu'ils puissent être ». Il reste qu'à la belle saison, les supérieures permettent quelquefois une collation dans le jardin avec les mères.

Revenons à sœur Saint-Paul. Elle pose son couvert sur le bord de la table, enfouit ses mains dans ses manches et récite le bénédicité. Tout bas, elle élève son cœur vers Dieu. Au signal donné, elle déplie sa serviette dont elle met un bout sur la table, sous son plat. Puis, elle mange son bouilli, même si elle n'aime pas ça. Mais elle mord à belles dents dans un des trois morceaux d'un épi de blé d'Inde – car on doit diviser l'épi en trois parties avant de le porter à sa bouche. Soudain, les sœurs cessent de manger : la sœur supérieure, en retard, vient d'entrer. Toutes s'inclinent jusqu'à ce qu'elle ait gagné sa place.

Le repas achevé, sœur Saint-Paul essuie ses ustensiles avec sa serviette et place son couvert sur le bord de la table. Un signal fait immédiatement cesser la lecture. Les sœurs se lèvent après le *Tu Autem* pour dire les grâces. À la fin des grâces ou au début du *miserere*, chacune reprend son couvert. Groupe par groupe, elles s'inclinent vers la supérieure, en commençant par les postulantes jusqu'aux professes de chœur. Tout en poursuivant le *miserere*, les sœurs vont, en cadence, replacer leur couvert dans l'armoire. Puis, mains dans les manches, et deux à deux, elles se rendent au chœur finir le *miserere* et réciter un *Gloria Patri*. Quand midi sonne, on récite l'*Angélus* ou le *Salve*,

Regina; on y ajoute trois *Gloria Patri* et quelques invocations. On termine avec le chapelet et les litanies.

À midi vingt, sœur Saint-Paul est tentée d'aller travailler dans l'atelier de couture. Elle résiste : le *Coutumier* demande que la récréation se prenne à la communauté ou dans la cour. Une fois de plus, des rites et des règles sont à respecter. On ne parle que de Dieu ou des choses de Dieu, jamais de celles du monde autrement que pour les condamner. Sœur Saint-Paul s'entretient plutôt de choses agréables et édifiantes, toujours en groupe, car jamais deux sœurs ne s'éloignent des autres. En temps ordinaire, elle et ses consœurs forment un grand cercle et, tout en parlant, font du travail manuel. Elles évitent les « railleries piquantes », les moqueries, etc.

On ne parle pas n'importe comment non plus. Une bonne religieuse, en plus d'éviter de parler d'elle, discute d'un ton modéré, ni trop haut, ni trop bas, ni trop lentement, ni trop vite, ni rude, ni élevé. Surtout, on ne doit jamais dire « toi » ou « tu » à qui que ce soit. De l'ensemble des observances touchant la récréation, sœur Saint-Paul a retenu l'essentiel : une conversation doit être édifiante ou ne pas être du tout. Joli casse-tête que de concilier un échange vertueux et une attitude gaie et entraînante, telle que demandée par le *Coutumier* !

Sœur Saint-Paul n'est pas épargnée de la grande peur des récréations qui peuvent porter atteinte aux vœux et vertus de chasteté. Aussi, obéit-elle à tout un arsenal d'interdits et de recommandations pour se tenir loin des dangers. Le premier parapet, elle le sait, c'est de se choisir une compagne comme ange gardien. Puis, elle ne doit jamais faire de lecture romanesque ni avoir d'entretiens inutiles avec une seule compagne ; cela pourrait développer des liaisons ou des amitiés particulières. Autant de dangers à esquiver, qu'on compare à des épines par rapport au lys de la chasteté. Il est donc fort recommandé aux sœurs d'éviter les marques d'affection entre elles. Pour ce, elles se gardent bien de badiner ensemble et de se toucher les mains l'une l'autre. Par ailleurs, il n'est pas permis, pendant les récréations ni en aucun temps, de lire, sans la permission de la supérieure, aucun livre profane, ni journaux, ni revues, ni aucune feuille publique. Un seul livre doit être goûté : celui des *Constitutions*.

Il est évident que sœur Saint-Paul, en bonne religieuse, évite de converser longuement avec tout étranger, même pieux, même ecclésiastique : ces entretiens sont toujours dangereux pour la chasteté. Elle ne reste jamais seule, non plus, avec un homme, même un prêtre, sans laisser la porte ouverte, « à moins que cette porte n'ait vitrage donnant sur un corridor ». Même du temps où elle était sacristine, elle sortait de la sacristie dès que le prêtre y entrait. Autant de dangers pour la chasteté, qu'on ne saurait jamais trop protéger. Sœur Saint-Paul se promène-t-elle dehors, pendant la récréation, qu'elle ne s'arrête jamais pour jouer « avec les chiens, chats, oiseaux, etc. ».

Une fois la récréation commencée, sœur Saint-Paul s'aperçoit qu'elle a oublié un bas à repriser dans sa cellule… Elle demande alors la permission à la sœur supérieure de sortir de la pièce et lui en chuchote la raison. En sortant, elle fait une humble inclinaison. De même agit-elle toujours en entrant ou en sortant d'une pièce, « quand même il n'y aurait personne, afin de saluer les saints anges qui s'y trouvent ».

À une heure, l'excitatrice sonne le quart d'heure de la lecture spirituelle. Après l'exercice, sœur Saint-Paul retourne en classe jusqu'à trois heures. Pendant la récréation des élèves, elle descend manger un biscuit. Dix minutes plus tard, elle va retrouver ses « grandes filles ».

Le dimanche, sœur Saint-Paul peut aller au parloir de trois à quatre heures. La sœur portière accueille sa famille en tâchant de faire bon effet, car, elle en reste convaincue, elle personnifie tout le couvent. Pieuse, elle trouve le mot juste pour édifier.

Sur le plancher qui craque avec écho, maman, papa et les frérots prennent place de l'autre côté de la grille sur des chaises bien droites. Autour d'eux, la monotonie des murs gris n'est rompue que par un énorme crucifix sur le mur du fond, un tout aussi énorme sacré-cœur, aux larmes de sang rouge vif, sur l'autre mur et d'une sainte-famille à l'air grave sur le troisième. Sur une petite table, derrière les chaises, reposent des dépliants publicitaires concernant la communauté.

Sœur Saint-Paul sait que, par esprit de pénitence, elle peut obtenir la permission de refuser le parloir. Mais habituellement, incapable de résister à la tentation de voir les siens, elle s'y rend, après avoir récité un *Veni*

Sancte Spiritus et un *Ave Maria* à la chapelle. Elle se sent alors prête à leur parler avec «sagesse, modestie et brièveté», se rappelant qu'elle doit être la première à mettre fin à la conversation. Un échange qui manque de chaleur parce qu'elle sent la surveillance constante de la sœur portière qui, attentive autant que discrète, doit rendre «à la supérieure un compte exact de ce qui s'y passe». C'est là sa fonction d'«ange gardien visible».

De toute façon, sœur Saint-Paul ne peut prolonger son parloir, car à quatre heures, vêpres et complies l'appellent. Après quoi, elle se hâte de retourner dans sa classe pour faire ses corrections et ses préparations de cours du lendemain. Temps alloué pour ce travail intellectuel : une heure en tout !

À cinq heures et demie, la cloche annonce le souper. Sœur Saint-Paul se dirige aussitôt vers le corridor du réfectoire. Regroupées, les sœurs s'y rendent deux par deux en récitant le *De profundis* en deux chœurs. Comme au dîner, on dit le bénédicité et la lectrice expose un texte édifiant ou instructif. Les grâces faites, ainsi que tout le rituel du midi, les sœurs vont se récréer à la salle commune.

Ce soir, sœur Saint-Paul profite de la récréation pour rédiger sa deuxième et dernière lettre de l'année à ses parents. Permission obtenue, elle doit suivre certaines règles. En en-tête, elle écrit les trois lettres majuscules JMJ (Jésus, Marie, Joseph) et dessine une petite croix. Elle signe aussi selon la formule prévue : «Votre très humble, etc.»

À force de laisser de côté les nombreuses choses qu'elle aurait aimé dire, la lettre est toute courte; elle compte à peine une page d'écriture. Et celle-ci, trouve-t-elle en se relisant, manque de spontanéité. C'est qu'elle sent déjà l'œil de la supérieure évaluer ce qu'elle a écrit. Vraiment, la tournure n'a rien de très personnel. Elle aimerait bien en écrire plus long, mais il faudrait trouver le moyen de l'expédier directement pour éviter le contrôle de l'autorité. Non! Elle ne ferait jamais une chose pareille, car ce «serait une infraction grave à la prudence et à la discipline religieuse». Elle accepte le sacrifice. De même qu'elle accepte de demander la permission à la supérieure chaque fois qu'elle veut téléphoner à ses parents.

Une fois la missive terminée, sœur Saint-Paul a eu le temps de retourner à la communauté pour terminer sa récréation en écoutant vaguement parler sa compagne de droite et celle de gauche, tout en s'avançant dans son raccommodage.

La cloche retentit à nouveau, à sept heures et quart, signifiant la fin de la récréation. Au premier son de cloche, le silence est absolu. Sœur Saint-Paul se concentre un bref moment et joint sa voix aux autres pour la prière du soir. Puis, elle suit le mouvement général et baise la terre en expiation de ses fautes de la journée. Dans la file des sœurs, elle se dirige vers la chapelle pour matines et laudes, derniers psaumes de la journée. Cinq minutes sont ensuite allouées à l'examen particulier.

Faisant l'inventaire de sa journée, sœur Saint-Paul se rappelle les fautes commises contre la vertu d'humilité et renouvelle son engagement à ne jamais s'appuyer sur ses propres pensées, actions et volonté. Elle ne pense d'elle que du mal et de la misère, et veut en arriver à croire que les autres sont toujours meilleures qu'elle. Sœur Saint-Paul baise encore la terre tandis qu'une religieuse lit le sujet de méditation pour le lendemain. Enfin, elle se retire dans sa cellule. En cours de route, elle va demander pardon à genoux à sa compagne de dortoir, qu'elle croit avoir offensée ce matin. Sœur Saint-Dominique, qui reçoit le pardon, se met également à genoux pour marquer sa parfaite cordialité.

À huit heures et demie, la cloche sonne le début du « grand silence », période rigoureuse de silence qui dure jusqu'au lendemain matin. Sœur Saint-Paul donne à nouveau son cœur à Dieu, se recommande à la Sainte Vierge et à son ange gardien. Elle asperge son lit d'eau bénite pour chasser le démon et se déshabille modestement. Avant de le suspendre, elle baise « amoureusement » son saint habit. Elle procède ensuite à ses ablutions, prenant bien garde qu' « on ne voit jamais une partie de son corps, soit en se levant, soit en se couchant ». Si c'est le jour du bain hebdomadaire, elle n'omet pas, avant d'entrer dans la baignoire, de revêtir la jaquette de bain commune à toutes les sœurs, utilisée pour se laver sans scandaliser son ange gardien. De retour à sa cellule, elle remet la chemise qu'elle a portée dans la journée et endosse, par-dessus, une robe de nuit. Puis, elle coiffe un bonnet de nuit.

Une cloche plus énergique que jamais sonne à neuf heures précises. La sœur visiteuse fait le tour du dortoir pour s'assurer que toutes les sœurs sont couchées et que les lumières sont éteintes. Si l'une d'entre elles n'est pas au lit, elle doit en avertir la supérieure.

Outre ce fractionnement quotidien du temps, il y a d'autres habitudes et règles : hebdomadaires, mensuelles, annuelles. Sœur Saint-Paul n'a pas à y penser : après plusieurs années de vie religieuse, tout cela est devenu une seconde nature. Le dimanche, on doit réciter le petit office de la Sainte Vierge, que les sœurs psalmodient posément. Tous les huit jours, sœur Saint-Paul se confesse, comme toutes les sœurs, «en suivant, autant que possible, les rangs de profession». Enfin, chaque vendredi soir, depuis le noviciat, elle bat sa coulpe en public : c'est le moment de la confession des fautes contre la règle, selon des rites précis. Un *Veni Sancte Spiritus*, un *Ave Maria* et quelques invocations ouvrent la séance. La sœur supérieure baise la terre et bat sa coulpe la première, pendant que les sœurs restent à genoux. Après quoi, toutes les sœurs baisent la terre et s'assoient. À son tour, sœur Saint-Paul, suivant son rang de profession, s'avance au milieu de la salle de la communauté et se met à genoux devant la supérieure. Tenant son corps droit, sa tête modestement baissée, ses mains jointes, elle dit d'un ton de voix assez élevé pour être comprise : «Ma mère... Je m'avoue coupable d'une multitude de fautes et d'infidélités, entre autres choses d'avoir…» Elle spécifie alors trois ou quatre violations de la règle qui ont paru à l'extérieur et termine en disant : «Je vous prie de m'imposer une pénitence.» Elle baise la terre et se retire. À la fin de l'exercice, la sœur supérieure impose une pénitence générale et récite le *Sub Tuum*.

Sœur Saint-Paul consacre le dernier dimanche de chaque mois à la retraite, qui a aussi ses rites. La veille, après la prière du soir, elle récite le *Veni Creator* avec toutes les sœurs. Le dimanche matin, elle médite sur les fins dernières ou sur une obligation de la vie religieuse. Puis, l'examen porte, entre autres, sur la récapitulation des fautes du mois. À un moment précis de la récollection, sœur Saint-Paul doit aussi faire l'exercice de la préparation à la mort. «Cette récollection se termine par l'acte de consécration à Marie immaculée, la rénovation des promesses du baptême et des vœux de religion.»

Une fois par année, immanquablement depuis son entrée en communauté, sœur Saint-Paul fait une retraite de huit jours au cours de l'été. Depuis la bénédiction du Saint-Sacrement qui en marque l'ouverture, jusqu'à la clôture huit jours plus tard, il n'y a pas un seul temps mort : toutes les activités sont programmées d'une façon serrée. Au cours de l'année, il y a encore deux processions à date fixe : une en l'honneur de la Sainte Vierge, l'autre en l'honneur du fondateur.

Viennent briser la routine les jours de fête des cinquantième et soixantième anniversaires de profession religieuse. Pour l'occasion, les sœurs préparent une adresse en l'honneur de la jubilaire et offrent un petit cadeau, le plus souvent des honoraires de messes. «Dans l'après-midi, il y a salut et bénédiction du Saint-Sacrement, avec le chant du *Te Deum*.»

Non seulement sœur Saint-Paul doit-elle obéir à tous les sons de cloche qui lui dictent son emploi du temps d'une heure à l'autre, mais elle doit aussi se soumettre à une multitude de rites dans l'ensemble de ses déplacements et de sa conduite. Elle le fait sans maugréer, car elle sait que «pour s'écarter, même d'un pas de la ligne tracée par l'autorité, il ne suffit pas d'avoir une raison, il faut encore que cette raison soit jugée suffisante par qui de droit». C'est au nom de ce principe que sœur Saint-Paul, depuis des années, travaille à subjuguer son entendement et sa volonté à une obéissance pleine et entière. Elle s'entraîne à obéir «entièrement, sans partage; promptement, sans délai; joyeusement, sans chagrin; saintement, sans respect humain; aveuglément, sans raisonnement et constamment, sans discontinuité». Ce sont là les qualités de l'obéissance religieuse qui consiste, somme toute, à renoncer à ses propres raisons pour s'assujettir. Toutefois, il est spécifié dans le *Coutumier* qu'une religieuse peut, sans demander la permission, faire le tour du jardin quand elle a besoin de prendre l'air, faire une visite au Saint-Sacrement et repriser ses habits.

Dans la vie courante, la pratique de la pauvreté a son code de prescriptions. Par exemple, deux fois l'an, sœur Saint-Paul se fait couper les cheveux. Dans un autre ordre d'idées, la pauvreté demande que chaque religieuse reçoive une quantité précise de linge et pas davantage, sauf exception. En été, quelle que soit la chaleur, sœur Saint-Paul reçoit des taies d'oreiller et des draps blancs toutes les six semaines exactement et, en hiver, tous les deux mois. Tous les quinze jours, en été, elle reçoit quatre chemises, deux petites coiffes, quatre mouchoirs de cou, six mouchoirs de poche, quatre bandeaux de jour et deux de nuit. Même chose en hiver, sauf qu'elle reçoit deux chemises au lieu de quatre et deux mouchoirs de cou. Elle reçoit aussi trois guimpes et une cornette, tous les quinze jours. Ce linge, chaque fois qu'il est distribué, est déposé sur la chaise située près de la porte de sa cellule, et pas ailleurs. Sont réglés, aussi, les moments précis pour changer de vêtements. Par exemple, «les bas sont changés tous les huit jours; les gilets de flanelle chaque semaine, en été, à partir du 1er mai, et tous les quinze jours, en hiver, depuis le 1er novembre».

Bref, tout est décidé, programmé à l'avance: sœur Saint-Paul n'a qu'à se laisser porter par le calendrier et la cloche, cette grande régulatrice de l'emploi du temps. Chaque fois que la cloche sonne, un mécanisme déclenche en elle un mouvement précis vers un exercice déterminé qui doit se dérouler selon des rites exacts. Sœur Saint-Paul fait tout cela sans y penser: elle s'est un peu «automatisée». Par exemple, elle sait d'instinct qu'à la cloche qui l'appelle au confessionnal, elle doit tout laisser sur-le-champ. Avant d'entrer dans le confessionnal, elle rabat machinalement sa robe, ses manches et ses voiles. «En sortant du confessionnal, elle se place du côté opposé où se trouvent celles qui sont en préparation, ou au bas du chœur.»

En relisant mon texte, je suis étonnée d'y trouver tant de régularité de gestes, d'observances et de rites. Pourtant, tous les éléments de la description sont bel et bien tirés du *Coutumier*. Tout est rigoureusement exact. Je suis forcée d'admettre que le régime de sœur Saint-Paul est, *grosso modo*, celui des sœurs en général. Comment expliquer cet invariable rituel ? Je vais tenter d'y aller de quelques hypothèses.

Une première se rattacherait à la notion du temps. Comme me disait une compagne avec qui je discutais de sœur Saint-Paul, il faut penser que les personnes entrées dans la vie religieuse pour y vivre et y mourir sont davantage concentrées sur l'au-delà que la masse des laïcs : elles orientent plus ou moins leur façon d'être vers l'éternité, c'est-à-dire vers une durée qui n'a ni commencement ni fin. Une durée qui ne se mesure pas et qui rencontre un espace, le ciel qui, lui non plus, ne se mesure pas. C'est la « vie future », la béatitude, le ciel au-delà de la terre.

Or, nous, les religieuses, percevons le temps non pas dans la durée d'événements successifs, dont plusieurs ne se reproduiront plus, mais comme des moments réglés d'avance et indéfiniment répétés. Les jours et les semaines se répètent, et ce, jusqu'à la mort. Le temps se découpe en heures précises, toujours les mêmes, pour faire renaître les mêmes actions. Jour après jour, les mêmes heures, les mêmes minutes, collées aux mêmes actes et aux mêmes mouvements, viennent ponctuer la journée d'une façon immuable, comme l'éternité – celle-ci sentie non pas dans sa durée insaisissable, mais dans la rotation d'un engrenage de rites que certains pourraient appeler « routine ». En vivant ainsi le temps par la répétition d'actes consécutifs très précis, sans jamais changer de rythme, nous rejoignons déjà, d'une façon, l'éternité. Une bonne religieuse fait la même chose à la même minute, de la même manière, aujourd'hui, comme hier et demain, jusqu'à la mort. Tout comme elle fait, une fois l'an, l'exercice de préparation à la mort, elle s'exerce, toute sa vie, à entrer dans l'éternité.

Derrière l'invariable rituel se cache, je l'avoue, la peur de l'enfer et, concurremment, la préoccupation continuelle de faire son salut et, en plus, de se gagner une bonne place au ciel. Le père confesseur y voit là, m'a-t-il expliqué, la prolongation du rigorisme du XVIIe siècle. Quand sœur Saint-Paul fait une invocation en entrant dans une pièce, une autre en revêtant son saint habit, etc., elle obéit à un code d'actes magiques qui, bien faits, pense-t-elle, orientent une force occulte, en l'occurrence les grâces du ciel, vers un mouvement déterminé, c'est-à-dire une avancée dans sa marche vers le ciel. Imparfaitement accomplis, ces actes peuvent l'en éloigner. C'est là, à mon avis, une des motivations qui expliquent la façon tatillonne d'observer la règle. Mais je pense que, dans l'ensemble du monde catholique, on pratique aussi une religion de rites : celle-ci ne représente-t-elle pas un lourd code d'interdits, d'observations et de permissions ? Dans ma propre famille, il faut réciter son chapelet quotidien – du moins, jusqu'à ces dernières années –, l'avoir dans sa poche ou sous son oreiller. Les laïcs plus religieux récitent leur chapelet tous les jours. Jusqu'à tout récemment, il était défendu de manger de la viande le vendredi ou de boire, ne fût-ce qu'une goutte d'eau, avant d'aller communier. Il était également interdit de tricoter le dimanche, et quoi encore ? Autant d'observances pour gagner son ciel et s'épargner les flammes de l'enfer.

Même comportement chez les religieuses, donc, mais à l'extrême, puisque par choix, nous tendons à la radicalisation. Je serais tentée de dire que nous recherchons la perfection par le détail bien accompli plutôt que par un état d'âme. La règle pour la règle. Comme j'en discutais avec le père confesseur, on peut se demander pourquoi la règle, dans les ordres masculins, a toujours été plus largement et, il faut le dire, plus intelligemment interprétée. Dans leur univers, elle n'est pas perçue comme un carcan pour tenir une charpente fragile. Serait-ce un trait de la psychologie féminine que de s'accrocher à la rigueur, au point de perdre l'esprit de la religion ?

J'en doute. À mon avis, cette disposition à interpréter la règle à la lettre vient surtout d'un défaut de développement chez nous, religieuses. Il n'y a aucune formation théologique dans nos communautés. On apprend par cœur les règles à suivre pour faire le bien et éviter le mal. Il m'a fallu faire des études avancées pour pouvoir réfléchir par moi-même sur ce qu'est le bien, le vrai, l'être et l'existence. Comme les autres sœurs en général, je me suis longtemps sentie en harmonie avec moi-même, pour autant que la morale était sauve. Je m'en rends compte, maintenant, sans théologie, le terrain est propice au développement de l'obéissance aveugle. Il faut penser aussi qu'en plus d'être privées de l'abc de la théologie, nous entrions en communauté moins instruites, d'ordinaire, que les futurs prêtres.

À l'époque où je me suis faite religieuse, plusieurs, parmi les jeunes gens qui entraient au séminaire, étaient déjà bacheliers. Sinon, ils avaient la chance de se rattraper au cours de leurs années de théologie. Or, il est impensable, par exemple, qu'un novice bachelier accepte de ne jamais regarder par la fenêtre. Une telle recommandation aurait fait rire le futur prêtre, tandis que la jeune novice que j'ai été y obéissait à la lettre. Mais cette façon de vivre des religieuses est en train de changer rapidement avec le phénomène social de l'accès à l'enseignement supérieur pour les femmes. Nous en discutons parfois entre compagnes. Je le sens : le changement s'en vient au galop.

Poursuivant toujours ma réflexion sur ce que signifie le rituel observé dans ma communauté, j'ai trouvé une autre explication. La stricte obéissance se rattache selon moi à un autre problème : celui de la trans-migration des instituts. Ma communauté, comme plusieurs autres de notre société, est une importation européenne, transplantée ici telle quelle. Elle a été fondée à l'époque du jansénisme et du rigorisme. Or, les *Constitutions* qui déterminent son orientation ont l'âge de sa fondation : trois siècles. Ce qui aide à comprendre en partie comment ma communauté s'est immobilisée dans le temps.

Lors d'un petit conciliabule tenu dans le corridor avec quelques sœurs, l'une d'elles m'a dit :

> Nous nous sommes accrochées à l'esprit initial qui a présidé à la fondation des premiers grands ordres religieux. Au Moyen Âge, un religieux était un contemplatif ; un retiré du monde. De même était tenue d'être la religieuse au xviie siècle : elle devait se faire contemplative et mourir au monde. Trois siècles plus tard, bien qu'elle soit devenue active, et c'est notre cas, elle est demeurée contemplative.

En effet, c'est un peu surprenant de compter une si grande somme de prières et d'exercices spirituels dans une communauté active. En oubliant les lectures spirituelles pendant les repas, sœur Saint-Paul, religieuse active et non contemplative, a consacré quatre heures et demie par jour à la prière.

En décrivant le rituel quotidien de sœur Saint-Paul, qui est le mien, je me rends de plus en plus compte d'un problème sérieux : le projet surhumain d'une vie à la fois apostolique et monastique. Notre supérieure me disait elle-même, l'autre jour : « Il faut que la contradiction interne de ce régime de vie éclate. L'engouement actuellement accordé à l'individu dans la civilisation occidentale la fera éclater sous peu. J'en ai bien peur. »

Mais aujourd'hui encore, chaque religieuse doit toujours avoir à l'esprit qu'elle représente la communauté entière. La collectivité passe toujours avant l'individu, lequel, pour ainsi dire, ne compte pas, exception faite de très fortes personnalités. Chaque religieuse met son potentiel au profit de la communauté et se fonde dans un tout.

Table des matières

PROTÉGEONS
NOS FORÊTS

Imprimé en septembre 2008
sur les presses de Marquis imprimeur,
Montmagny, Québec.